MÉTODO DE ESPAÑOL PARA EXTRANJEROS

PRISMA

CONSOLIDA (C1)

PRISMA DEL ALUMNO

Equipo prisma

Equipo prisma: Margarita Arroyo, Cristina Blanco, Raquel Blanco, Isabel Bueso, Gloria Caballero, María Ángeles Casado, Esther Fernández, Zara Fernández, Raquel Gómez, Ainhoa Larrañaga, Manuel Martí, Adelaida Martín, Iván Mayor, Mar Menéndez, Silvia Nicolás, Carlos Oliva, Isabel Pardo, María José Pareja, Marisa Reig, Marisol Rollán, Ana Romero, María Ruiz de Gauna, Ruth Vázquez, Hugo Wingeyer y Fausto Zamora

© Editorial Edinumen

© Autores de este nivel: Margarita Arroyo, María Ángeles Casado, Esther Fernández, Zara Fernández, Raquel Gómez, Manuel Martí, Iván Mayor, Mar Menéndez, Silvia Nicolás, Carlos Oliva, María José Pareja, Ana Romero, Ruth Vázquez y Hugo Wingeyer

Coordinadoras del nivel C1: María José Gelabert y Mar Menéndez

ISBN 84-95986-26-4
Depósito Legal: M-26206-2005   Reedición: 2006
Impreso en España
Printed in Spain

Coordinación pedagógica:
María José Gelabert

Coordinación editorial:
Mar Menéndez

Revisión lingüística:
Dr. Manuel Martí Sánchez

Ilustraciones:
Miguel Alcón, Carlos Casado y Raúl de Frutos

Diseño de portada:
Juan V. Camuñas y Juanjo López

Diseño y maquetación:
Juanjo López

Fotografías:
Archivo Edinumen, Javier Leal y Carlos Ortiz

Impresión:
Línea 2015, S. L., Zaragoza

Agradecimientos:
A todas las personas y entidades que nos han aportado sugerencias, fotografías e imágenes y, de manera especial, a Francisco Matte Bon cuya *Gramática Comunicativa* nos ha sido libro de referencia imprescindible y valioso, Encarnación Asensio (coordinadora de cultura del Ayuntamiento de Almagro), Felipe Casado, Aldeas Infantiles, Isabel Pardo y Roberto Sancho (Prior de la cofradía del Santísimo Sacramento de Castrillo de Murcia, Burgos)

Instituto Cervantes

Este método se ha realizado de acuerdo con el Plan Curricular del Instituto Cervantes en virtud del Convenio suscrito el 3 de agosto de 2001

La marca del Instituto Cervantes y su logotipo son propiedad exclusiva del Instituto Cervantes

Editorial Edinumen
José Celestino Mutis, 4. 28028 - Madrid
Tel.: 91 308 51 42
Fax: 91 319 93 09
e-mail: edinumen@edinumen.es
www.edinumen.es

introducción

PRISMA es un método de español para extranjeros estructurado en **6 niveles: Comienza (A1), Continúa (A2), Progresa (B1), Avanza (B2), Consolida (C1)** y **Perfecciona (C2)**, según los requerimientos del *Marco de referencia europeo* y del *Plan Curricular del Instituto Cervantes*.

El *Marco de referencia europeo* nos proporciona una base común para la elaboración de programas de lenguas, orientaciones curriculares, exámenes, manuales... en toda Europa. Describe de forma integradora lo que tienen que llevar a cabo los estudiantes de lenguas con el fin de utilizar una lengua para comunicarse, así como los conocimientos y las destrezas que deben desarrollar para poder actuar de manera eficiente y el contexto donde se sitúa la lengua. El *Marco de referencia* define, asimismo, niveles de dominio lingüístico que permiten comprobar el progreso de los alumnos en cada fase del aprendizaje. Al ofrecer una base común para la descripción explícita de los objetivos, el contenido y los métodos, el *Marco de referencia* favorece la transparencia de los cursos, los programas y las titulaciones, fomentando de esta forma la cooperación internacional en el campo de las lenguas modernas.

PRISMA aúna diferentes tendencias metodológicas desde una perspectiva comunicativa con lo cual se persigue atender a la diversidad de discentes y docentes. El objetivo general de **PRISMA** es dotar al estudiante de las estrategias y conocimientos necesarios para desenvolverse en un ambiente hispano en el que convergen diferentes culturas a uno y otro lado del Atlántico.

PRISMA Consolida (C1) se compone de **PRISMA del alumno** (**180** horas lectivas), **PRISMA de ejercicios** (**60** horas), **PRISMA del profesor** (**60** horas) y **CD** de audiciones.

En **PRISMA Consolida (C1, dominio operativo eficaz)** el estudiante tiene acceso a un amplio repertorio lingüístico, lo que le permite una comunicación fluida y espontánea. El alumno aprende a:

- comprender discursos amplios incluso cuando no están estructurados con claridad y cuando las relaciones están sólo implícitas y no se señalan explícitamente. Comprender sin mucho esfuerzo programas de televisión y películas.

- comprender textos largos y complejos de carácter literario o basados en hechos, apreciando distinciones de estilo. Comprender artículos especializados e instrucciones técnicas largas aunque no se relacionen con su especialidad.

- expresarse con fluidez y espontaneidad sin tener que buscar de forma muy evidente las expresiones adecuadas. Utilizar el lenguaje con flexibilidad y eficacia para fines sociales y profesionales. Formular ideas y opiniones con precisión y relacionar sus intervenciones hábilmente con las de otros hablantes.

- presentar descripciones claras y detalladas de temas concretos que incluyan otros temas, desarrollando ideas concretas y terminando con una conclusión apropiada.

- ser capaz de expresarse en textos claros y bien estructurados exponiendo puntos de vista de cierta extensión. Escribir sobre temas complejos en cartas, redacciones o informes resaltando lo que considera que son aspectos importantes. Seleccionar el estilo apropiado para los lectores a los que van dirigidos sus escritos.

■ producir un discurso claro, fluido y bien estructurado con el que demuestra un uso controlado de estructuras organizativas, conectores y mecanismos de cohesión.

Cada unidad didáctica tiene autonomía, pero recoge contenidos gramaticales, léxicos y funcionales de unidades anteriores (retroalimentación). Cada actividad va acompañada de unos iconos que marcan la destreza que se va a trabajar (leer, escribir, escuchar, hablar, reflexión gramatical, estrategias), así como la distribución de clase sugerida por los autores (solo, parejas, grupos pequeños, grupo de clase).

PRISMA del alumno consta de doce unidades más dos de repaso:

Cada unidad didáctica tiene autonomía y se desarrolla atendiendo a:

■ **Integración de destrezas:** una gran parte de las actividades está planteada para llevarse a cabo en parejas o grupo, con el fin de potenciar la interacción, la comunicación y la interculturalidad.

■ **Estrategias de expresión:** planificación, compensación, control y corrección. **Estrategias de comprensión:** auditiva y lectora. **Estrategias de interacción:** cooperación, petición de aclaración, corrección gramatical.

■ **Hispanoamérica:** contenidos léxico-culturales. Para ello se ofrecen textos reales (documentos literarios, históricos, sociales, periodísticos...) del español de España y del español de América, tanto escritos como orales, que, por un lado, transmiten la Cultura y cultura de cada uno de los países hispanohablantes y, por el otro, ayudan al estudiante interactuar a través de una realidad cultural.

■ **Gramática:** se presenta de forma inductiva y deductiva para que los estudiantes construyan las reglas gramaticales basándose en su experiencia de aprendizaje o dando una regla general que deben aplicar, dependiendo de la frecuencia, rentabilidad o complejidad de los contenidos.

■ **Autoevaluación:** se sugieren tanto actividades conducentes a que el estudiante evalúe su proceso de aprendizaje, como actividades que potencien y expliciten las estrategias de aprendizaje y comunicación.

PRISMA del profesor recoge:

■ **Propuestas, alternativas y explicaciones** para la explotación de las actividades presentadas en el libro del alumno, prestando especial atención al **componente cultural y pragmático** con el fin de que el estudiante adquiera un aprendizaje global. Asimismo aporta una **información gramatical** complementaria para completar las explicaciones en la clase según criterio del profesor.

■ **Fichas fotocopiables** para introducir la literatura española e hispanoamericana contemporáneas, la explicación lingüística y la asimilación y el sentido crítico a través de los comentarios de texto, dentro y fuera del aula. Así pues, pueden ofrecerse al estudiante de manera alternativa según sus necesidades e intereses.

■ **Apéndice de estrategias** de comprensión y expresión oral y escrita.

■ **Transcripciones** de las audiciones.

■ **Claves** de los ejercicios.

■ **Material para transparencias** de los cuadros gramaticales que se presentan en el libro del alumno.

Equipo prisma

índice de contenidos

índice de estrategias de aprendizaje y de comunicación

En el método se han usado los siguientes símbolos gráficos:

 Trabajo individual

 Trabajo en gran grupo o puesta en común

 Escribir

 Estrategias

 Trabajo en parejas

 Hablar

 Leer

 Audio
[1]   [Número de la grabación]

 Trabajo en pequeño grupo

 Léxico

 Reflexión gramatical

Unidad 1

El humor

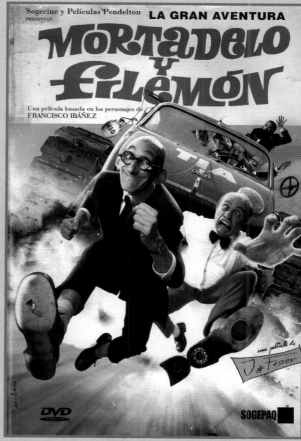

Cartel de la película *Mortadelo y Filemón*, de Javier Fesser

Contenidos funcionales
- Definir términos complejos
- Valorar subjetivamente una actitud o comportamiento
- Poner énfasis en el comportamiento de alguien
- Enfatizar elementos de una información dada
- Caricaturizar
- Describir de forma detallada: el retrato
- Resaltar características físicas y morales
- Describir por medio de comparaciones
- Referirse a una acción como proceso o como resultado

Contenidos gramaticales
- Contraste *ser/estar*
- Usos de *ser* y *estar* con preposición
- Estructuras enfáticas con *ser*
- Expresiones idiomáticas con *ser* y *estar*
- La oración pasiva

Contenidos léxicos
- Léxico relacionado con el humor: chistes, caricaturas, tiras cómicas, etc.
- Léxico relacionado con el diccionario
- La instancia

Contenidos culturales
- El humor en el mundo hispano: el chiste, el tebeo, el cómic, la caricatura
- Quino
- Maitena
- Mario Moreno, "Cantinflas"
- *El club de la comedia*
- Juan Ramón Jiménez, *Españoles de tres mundos*

1 Estoy de un humor de perros

1.1.  ¿Sabes lo que significan estas frases? ¿Conoces otras expresiones similares?

Estar se
hecha chispas.

> Estar de un humor de perros:
> No estar de humor para ~~nada~~
> estar de un humor de mil demonios
> Estar hasta la coronilla, estar cabreadestar ~~cabreado~~
> Estar como unas castañuelas: estar más contenta
> que unas ~~pascuas~~ pascuas
> ~~con~~ Estar loco de alegría.
> Estar de buen humor
> Estar de humor para

Estar que
se hecha
chispas

1.2. Escribe una definición de la palabra humor y compárala con la de tu compañero.

HUMOR ....
....

1.2.1. Las personas se pueden clasificar según su humor. De esta manera, tenemos a personas biliosas, flemáticas, sanguíneas y melancólicas. Estas palabras son adjetivos. ¿De qué sustantivo derivan?

    a. Bilioso: bilis.......................................
    b. Flemático: ....
    c. Sanguíneo: ....
    d. Melancólico: ....

1.2.2. Busca en el diccionario el significado de estos sustantivos y, después, define, con tus palabras, cómo es una persona con un humor bilioso, flemático, sanguíneo y melancólico.

1.2.3. 🧍📖 **Lee el texto y comprueba si tus definiciones son correctas.**

El término "humor" surge con la medicina humorística, que sostenía que la salud depende del equilibrio de los cuatro humores: bilis amarilla, bilis negra, sangre y flema. Cada uno se corresponde con uno de los cuatro elementos. Así, la bilis amarilla corresponde al fuego; la negra, a la tierra; la sangre, al aire, y la flema, al agua. El carácter, el estado de ánimo o el humor de una persona dependen del predominio de alguno de ellos. Los flemáticos, como su nombre indica, son aquellos en quienes predomina la flema, el agua. Los biliosos son de mal carácter, porque en ellos domina la bilis amarilla, que es el fuego. La bilis negra es de los melancólicos, que vienen de la tierra. Los sanguíneos son simpáticos, tienen la sangre liviana, porque son de aire.

www.analitica.com/bitblioteca/roberto/humor2.asp

1.3. 🧑🧑🗨 **Ahora vas a comprobar qué tipo de humor tienes. Para ello completa el siguiente cuestionario. Pero antes, escribe *ser* o *estar* según corresponda.**

1. _Estás_ en la calle y ves a una señora que se cae.
   - ☑ **a.** Pobrecita, seguro que se ha hecho daño. Vas corriendo a ayudarla.
   - ☐ **b.** _Eres_ un pasota, te da igual. Ni te inmutas, continúas tu camino.
   - ☐ **c.** Te partes de risa y te tienes que sentar, pero como _estás de_ buen humor, vas a ayudarla.
   - ☐ **d.** ¡Qué torpe _es_ la pobre!

2. _Estamos_ lunes, son las siete menos cuarto de la mañana, tienes que ir a trabajar, _estás_ muerto y el termo del agua caliente se ha estropeado.
   - ☐ **a.** ¡Es horrible, la vida _es_ un infierno!
   - ☑ **b.** La vida _es_ así.
   - ☐ **c.** No importa el agua caliente. _es_ como una rosa, ayer _fue_ un día estupendo.
   - ☐ **d.** Te sienta de pena.

3. Te han suspendido el examen más importante de tu vida.
   - ☐ **a.** Te flagelas y te machacas diciéndote que _eres_ un idiota y que nunca serás nada en la vida.
   - ☐ **b.** Mala suerte, otra vez _estás_.
   - ☐ **c.** A otra cosa, mariposa. Te vas de copas con tus amigos.
   - ☐ **d.** Vas al despacho de tu profesor y le cantas las cuarenta. _estás_ que te subes por las paredes. ← bouncing off the walls

4. _Estás_ en un restaurante y el gracioso de turno te quita la silla cuando te vas a sentar. Cómo reaccionas:
   - ☐ **a.** Piensas: ¿Por qué siempre a mí? _estás_ tan cortado que quieres que se te trague la tierra.
   - ☐ **b.** _eres_ un gran cínico y aunque eres el hazmerreír del restaurante, dices muy serio: "¡Uhmm! ¡Qué broma tan divertida!". Carraspeas y sigues comiendo.
   - ☐ **c.** Te da la risa y diez minutos después le haces la misma jugarreta a otro.
   - ☐ **d.** No te hace ni pizca de gracia, montas un pollo y piensas: "La venganza _Será_ terrible".

5. _Estás_ dando una conferencia. Se te cae algo al suelo, te agachas y se te rompe el pantalón. Qué haces:
   - ☐ **a.** ¡Puf, lo que me faltaba! _estás_ sentado sin moverte durante toda la conferencia y lo haces de pena.
   - ☐ **b.** Pides disculpas, explicas lo que te ha pasado y continúas la conferencia como si nada.
   - ☐ **c.** Dices: "¡Ríanse, ríanse! Yo también lo haría".
   - ☐ **d.** Te das cuenta de que algunas personas se ríen. Las miras muy serio y continúas la conferencia.

1.3.1. 🧑🗨 **Mira la solución. ¿Qué tipo de humor tienes? ¿Estás de acuerdo?**

- ●●●○ Mayoría **a** → tu carácter es melancólico.
- ○●●● Mayoría **b** → tienes un carácter flemático.
- ○○●● Mayoría **c** → eres sanguíneo.
- ●○○● Mayoría **d** → tienes un humor bilioso.

1.4. 👥👥 **En el cuestionario anterior aparecen diversos usos de** *ser* **y** *estar* **que ya conoces. Fíjate en estas frases y señala cuáles de las características anotadas más abajo aplicarías a la frase 1 y/o a la frase 2 y cuáles desecharías totalmente. No olvides que la oposición** *ser/estar* **no puede explicarse sin considerar también los atributos y complementos con que se construyen.**

	Implicación del hablante	Neutralidad del hablante	Temporalidad	Permanencia	Valoración
frase 1: ¡Qué buena es la comida en España!	☐	☐	☐	☐	☐
frase 2: ¡Qué buena está la comida en España!	☐	☐	☐	☐	☐

1.4.1. 👥👥 **De acuerdo con tus conclusiones, completa la siguiente información gramatical con los verbos** *ser* **o** *estar***:**

Con (1) [＿＿＿＿＿] el hablante presenta las cosas de manera objetiva, distanciándose de la realidad de la que habla, mientras que con (2) [＿＿＿＿＿] el hablante quiere presentar las cosas como una experiencia vivida, valorando subjetivamente e implicándose personalmente en la información que transmite.

Así pues, la oposición de permanencia/temporalidad depende de la actitud que adopte el hablante frente a los hechos, no de los hechos en sí mismos.

1.5. 👤📖 **Además de los usos que hemos trabajado de** *ser* **y** *estar***, también tenemos expresiones con estos verbos que transmiten una información específica. Lee este texto, subraya las expresiones con** *ser/estar* **y colócalas en el lugar correspondiente, según las definiciones que se dan.**

Estar a la altura de las circunstancias

Como anécdota de mi persona diré que soy de una provincia de Andalucía, y, hasta el momento, nadie sabe de cuál. El secreto está en decir cada vez una diferente y así, entre bromas, siempre el contertulio acaba diciendo: "Eres de lo que no hay". Y seguimos hablando... Aviso de que, entre los míos, tengo fama de no estar en mis cabales...

5   El otro día sucedió algo inesperado. Estoy de camarero en un hotel de renombre y me llamaron de la dirección. Mientras esperaba a que me recibiera ese señor desconocido que, según me dijo la secretaria, estaba al caer, pude leer una carta dirigida al departamento de recursos humanos que estaba por firmar sobre la mesa de la secretaria que en esos momentos hablaba por teléfono, al mismo tiempo que escribía en el ordenador... La chica tiene que estar en todo...

10   y cuál no fue mi sorpresa cuando vi que el tema de la carta era mi persona. Así que la leí –no era para menos–. Al mismo tiempo, estaba sobre la secretaria que parecía estar para colgar en cualquier momento y no estaba de más que la vigilara porque no soy yo quién para hurgar en mesa ajena. La verdad es que la chica estaba poniéndose nerviosa al verme merodeando por allí. La conversación era privada por los comentarios que escuchaba de "Luis está por ella", "No, si le

15   está bien empleado" o "Está por ver cómo se lo dirá".

    Cuando terminé de leer la carta en la que me nombraban encargado, me ajusté bien la pajarita, levanté la barbilla y esperé a pie firme la llegada del director como queriendo demostrar que estaba a la altura de las circunstancias.

1. [Estar a ＿＿＿＿＿]
    • Estar dispuesto a realizar lo que se expresa a continuación.
    • Hallarse en una fecha/temperatura/distancia.

2. [＿＿＿＿＿]
    • Comportarse o actuar alguien como se espera de él. Satisfacer una cosa las expectativas de alguien.

CONTINÚA ▸

3. [_____]

└ • La acción que expresa el verbo es inminente.

4. [_____]

└ • Hacer el oficio o trabajo que se expresa.
• Indicar que uno se halla en la situación que se expresa.

5. [_____]

└ • Tener alguien bien merecido lo que le sucede.

6. [_____]

└ • Estar a punto de hacer algo. Estar en disposición o con ánimo para hacer algo.

7. [_____]

└ • Estar alguien atendiendo a todo lo que requiere cuidado o atención. Controlar.

8. [_____]

└ • Estar alguien en disposición de hacer algo. Estar a favor de alguna opción frente a otras posibilidades.
• Estar sin ejecutar la acción que expresa el infinitivo.

9. [_____]

└ • Sobrar o ser innecesario.

10. [_____]

└ • Estar vigilando lo que hace alguien.

11. [_____]

└ • Consistir una cosa en algo.
• Costar una cosa.

12. [_____]

└ • Tener pleno dominio de sus sentidos.

13. [_____]

└ • Querer una persona a otra o gustarle.

14. [_____]

└ • Origen.

15. [_____]

└ • Ser especial entre los de su clase o tipo.

16. [_____]

└ • Corroborar la importancia o el valor de algo.

17. [_____]

└ • No tener competencia para hacer algo.

1.6. [icons] **Describe cómo son tu manera de ser, tu carácter y humor y en qué circunstancias de tu vida has sufrido cambios en ellos. Hay una condición: debes usar al menos cinco de las expresiones anteriores.**

1.7. [icons] **Lee este texto sobre el sentido del humor.**

Es verdad también que cada cultura tiene un sentido del humor diferente. Javier Tapia, humorista y autor de diversos libros de chistes, dice: "los españoles en privado nos reímos de todo; en público nos reprimimos más". Los chistes que siempre nos han hecho más gracia son los "verdes", seguidos

5 de los de política y los de humor negro. Todos ellos normalmente buscan víctimas de las que reírse. El humor refleja las filias y fobias de cada sociedad. Todos hemos oído hablar del humor inglés (un humor frío y racional); el humor español es una mezcla de socarronería, gracia

10 y bromas. Los esquimales en Groenlandia resuelven querellas con discusiones en las que gana quien logre provocar más risas en el auditorio, según relata R. C. Elliot en *The power of satire*.

Adaptado de Miriam Sancho Sánchez, en http://www.escuelai.com/gacetilla/98humor.html

1.7.1. [icons] **¿Estás de acuerdo en que el sentido del humor cambia en cada cultura? ¿Existe un sentido del humor universal? Explica cómo es el sentido del humor de tu país.**

2 El noveno arte

2.1. En algunos círculos se ha dado en llamar a los cómics el noveno arte. ¿Se trata de un arte para ti?

2.1.1. En español, a ciertos cómics se les llama "tebeos". Busca ambos términos en el diccionario y establece la diferencia. Luego, relaciona las reseñas de los siguientes tebeos con sus portadas correspondientes.

MORTADELO Y FILEMÓN:
Narra las aventuras de una pareja de detectives privados que buscan resolver de la manera más disparatada los casos que llegan a sus manos. Son dos técnicos de investigación *aeroterráquea* que ingresaron en la T.I.A. donde trabajan como detectives. El autor de este cómic se llama Ibáñez.

EL JUEVES:
Revista de publicación semanal que sale los miércoles, de ideología de izquierdas con gran crítica sociopolítica, y humor negro.

ZIPI Y ZAPE:
Cuenta las peripecias y travesuras de dos gemelos, uno rubio y otro moreno, paradigma de niños traviesos.

2.1.2. Piensa en algún cómic famoso de tu país. Explica cómo es, qué tipo de personajes aparece y a qué público va dirigido.

2.1.3. Lee esta tira cómica.

CONTINÚA

Esta tira cómica es una adaptación de una similar de la humorista argentina, Maitena. Maitena Burundarena nació en Buenos Aires, en 1962. Su primera tira cómica, *Flo*, se publicaba en el diario *Tiempo Argentino*, de Buenos Aires. En 1993, la revista femenina líder de Argentina, *PARA TI*, le propuso hacer una página de humor semanal. Así nace MUJERES ALTERADAS, la conocida serie de viñetas que actualmente aparece publicada en medios de todo el mundo. En 1999, MUJERES ALTERADAS, comenzó a aparecer en *El País Semanal*, la revista dominical del diario *El País*. Estas tiras se han recopilado en libros traducidos a varios idiomas. En la actualidad, Maitena vive entre Argentina y Uruguay.

Adaptado de www.clubcultura.com/clubhumor/maitena/

2.1.4. **Después de leer la tira cómica y el texto informativo, contesta las siguientes preguntas:**

1. ¿Qué tipo de mujer refleja Maitena en sus tiras cómicas? (Edad, ocupación, situación familiar, estado civil...).
2. ¿Qué problemas trata en sus tiras? Haz una relación de los mismos.
3. ¿Qué crees que es una "mujer alterada"?
4. ¿Sus tiras van dirigidas a un público exclusivamente femenino?
5. ¿Te parece que reflejan un humor universal o solo hispano?

2.1.5. **Escucha y comprueba tus hipótesis.**
[1]

2.2. **Lee esta anécdota que cuenta una profesora de español, relacionada con malentendidos léxicos.**

Un alumno, excesivamente preocupado por ampliar su vocabulario, preguntaba sin cesar sobre el significado de diferentes palabras. Un día me preguntó por el significado de la palabra "zanahoria" a lo cual le respondí que era un vegetal, una raíz.

Días más tarde, el alumno escribió un texto en el que explicaba sus aficiones, orígenes, etc.: "Me gusta el fútbol, me gusta ir al cine, soy alemán, pero mis zanahorias son polacas".

2.2.1.  **¿Cuál es el malentendido? ¿Te ha pasado alguna vez algo así? ¿Puedes contar-nos alguna anécdota de este tipo?**

2.3. **Ya sabes que una palabra puede tener muchos significados, todo depende del contexto y de la situación comunicativa en que aparezca. Fíjate en la situación del dibujo y explica qué ocurre.**

2.3.1. **¿Qué significa la palabra "gato"? ¿Entiendes la viñeta? ¿Podrías explicar dónde está la gracia? Lee la siguiente definición y quizás ahora la entiendas mejor.**

Gato (*cattus*) m **1.** Mamífero felino doméstico. **2.** m. Utensilio que consta de dos piezas que pueden aproximarse con un tornillo, entre las que se sujeta la pieza que se trabaja. **3.** Utensilio con un engranaje, que se utiliza para elevar grandes pesos a poca altura; por ejemplo, un automóvil para repararlo o cambiarle una rueda. **4.** (inf.) Madrileño. **5.** (Arg.) Cierta danza popular bailada con movimientos rápidos por una o dos parejas. / CUATRO GATOS (inf.) Un número de personas que se considera insignificante. / DAR GATO POR LIEBRE. Engañar haciendo pasar una cosa por otra. / HABER GATO ENCERRADO en una cosa. Haber algo que se mantiene oculto. / LLEVARSE EL GATO AL AGUA (inf.) Conseguir alguien sus propósitos frente a otros.

A estas palabras se las denomina homógrafas; son palabras que se escriben igual, pero tienen significados diferentes.

2.3.2. **La definición que acabas de leer pertenece al *Diccionario de uso* de María Moliner. Analiza las siguientes definiciones de "gato" que aparecen en los diccionarios que te presentamos para encontrar las diferencias entre unos y otros. Decide qué diccionario te puede ayudar más a aprender español y por qué.**

Gato (Del lat. cattus). **1.** m. Mamífero carnívoro de la familia de los Félidos, digitígrado, doméstico, de unos cinco decímetros de largo desde la cabeza hasta el arranque de la cola, que por sí sola mide dos decímetros aproximadamente. Tiene cabeza redonda, lengua muy áspera, patas cortas y pelaje espeso, suave, de color blanco, gris, pardo, rojizo o negro. Es muy útil en las casas como cazador de ratones. **2.** m. Bolso o talego en que se guardaba el dinero. **3.** m. Dinero que se guardaba en él. **4.** m. Instrumento de hierro que sirve para agarrar fuertemente la madera y traerla a donde se pretende. Se usa para echar aros a las cubas, y en el oficio de portaventanero. **5.** m. Máquina compuesta de un engranaje de piñón y cremallera, con un trinquete de seguridad, que sirve para levantar grandes pesos a poca altura. También se hace con una tuerca y un husillo. [...]~ **casero.** 1. m. Nic. Ladrón que conoce la casa en la que ha robado. ~ **cerval**, o ~ **clavo.** 1. m. Especie de gato cuya cola llega a 35 cm de longitud. Tiene la cabeza gruesa, con pelos largos alrededor de la cara, pelaje gris, corto, suave y con muchas manchas negras que forman anillos en la cola. Vive en el centro y mediodía de España, trepa a los árboles y es muy dañino. Su piel se usa en peletería. ~ **de agua.** 1. m. Especie de ratonera que se pone sobre un lebrillo de agua, donde caen los ratones. [...]

Gato, 967. Del lat. tardío CATTUS "gato silvestre", S. IV ("gato doméstico", h. 600), voz de origen incierto; el gato doméstico era desconocido en la Antigüedad. DERIV. Gata, h. 1300; *a gatas* "a cuatro patas", h.1550, y luego, quizá partiendo de la locución *salir a gatas de algún sitio*: "con dificultad", "apenas", 1571. Gatada, princ. S. 17. Gatear, 1495. Gatera, 1220-50. Gatillo "parte alta del pescuezo", 1599, "percusor en las armas de fuego". Gatuno. CPT. *Gatatumba*, 1734. Gatuña, propte."uña de gato" (uñagato en mozárabe, s. X).

Gato,-ta s. 1. micho; Minino; Mizo; Morrongo; Morroño. Todos ellos son denominaciones coloquiales y cariñosas.

2. (irón.) (pers.) madrileño; matritense.

3. m. (máquina) cric (galic.); dar gato por liebre loc. (col.); engañar; mentir; burlar; defraudar; dar el cambiazo.

Gato, ta s. **1.** Mamífero felino y carnicero, doméstico, de cabeza redonda, lengua muy áspera y pelaje espeso y suave, que es muy hábil cazando ratones. Felino. s. m. **2.** Máquina compuesta de un engranaje, que sirve para levantar grandes pesos a poca altura: *Para cambiar la rueda pinchada hay que levantar el coche con el gato.* **3.** col. Persona que ha nacido en la ciudad de Madrid. **4. a gatas**; col. Apoyando las manos y las rodillas en el suelo. **cuatro gatos**; poca gente. **dar gato por liebre**; col. Engañar dando una cosa de poca calidad por otra mejor. **gato de Angora**; el de la raza que se caracteriza por tener el pelo muy largo. **gato montés**; mamífero felino y carnicero de mayor tamaño que el gato doméstico de color gris con rayas más oscuras. **haber gato encerrado**; col. Haber algo culto o secreto. **llevarse el gato al agua**; col. En un enfrentamiento, triunfar o salir victorioso. ETIMOL. Del latín *cattus* (gato silvestre). USO *Cuatro gatos* tiene un matiz despectivo.

2.3.3. A continuación, tienes una lista de las abreviaturas del diccionario de la RAE que pueden resultarte útiles cuando lo consultes. Relaciona las abreviaturas con lo que significan.

1 m.	•	• **a**	informal
2 f.	•	• **b**	nombre
3 fam.	•	• **c**	Argentina
4 u.t.c.s.	•	• **d**	nombre femenino
5 n.	•	• **e**	pronombre
6 adv.	•	• **f**	verbo transitivo
7 tr.	•	• **g**	nombre masculino
8 intr.	•	• **h**	vulgar
9 adj.	•	• **i**	verbo intransitivo
10 prep.	•	• **j**	adverbio
11 pron.	•	• **k**	familiarmente
12 vulg.	•	• **l**	adjetivo
13 inf.	•	• **m**	preposición
14 Arg.	•	• **n**	usado también como sustantivo

2.3.4. ☐ 🔤 **Vuelve a la definición que se da de la palabra "gato" en el *Diccionario de uso* de María Moliner. Responde a las siguientes cuestiones:**

1. ¿Cuántas acepciones tiene y cuáles son? _____

2. ¿Cuál es su categoría gramatical? _____

3. ¿Tiene marca de registro formal/informal? _____

4. ¿Tiene marca geográfica? _____

5. ¿Forma parte de alguna expresión fija? _____

6. ¿Cuál es el origen de esta palabra? _____

2.3.5. 👥 🔤 **A continuación, tienes una serie de palabras homónimas. Búscalas en el diccionario y contesta a las mismas preguntas que en el ejercicio anterior.**

- Librería ....
- Clavo ....
- Importar ....
- Canto ....
- Banco ....
- Ratón ....

3 El club de la comedia

3.1. ☐ 📖 **¿Conoces a este actor? Lee este texto informativo sobre su actividad profesional.**

Mario Moreno "CANTINFLAS"

Mario Moreno, "Cantinflas" nació en la Ciudad de México el día 12 de agosto de 1913. Siguiendo los deseos de su padre, se matriculó en la facultad de Medicina de la Universidad de la Ciudad de México, pero durante sus estudios comenzó a realizar sus pinitos profesionales como bailarín e imitador.

Un día, mientras bailaba en un teatro de variedades de Xalapa (Veracruz), el local sufrió un percance y el director de escena le ordenó que saliera a escena para calmar los ánimos del público. Mario se puso nervioso, comenzó a hablar de forma entrecortada provocando la hilaridad de los espectadores e inició así su carrera como cómico. El éxito de "Cantinflas" fue arrollador; poco a poco fue configurando el personaje que le ha hecho célebre. Falleció el 21 de abril de 1993.

En http://famosos.tripod.com.mx/loscomediantes/id1.html

3.2. 👥 ✂️ **Vas a enfrentarte a un texto auditivo relativamente largo. ¿Qué haces en estos casos para comprenderlo e interpretarlo?**

☐ Tomo apuntes.

☐ Escribo palabras que cojo al vuelo.

☐ Anoto las ideas principales.

☐ Intento no distraerme en el descifra-miento de algún término difícil.

☐ Saco la estructura: introducción, desarrollo y desenlace.

☐ Otras: ....

....

....

3.2.1. 👥 ✂️ **Además, este texto es humorístico. Ya hemos comentado antes cómo el humor cambia entre culturas, incluso entre grupos de distinto nivel sociocultural o de diferente edad. ¿Te resulta más difícil entender una historia con humor que una noticia o un cuento? ¿Por qué?**

3.2.2. 👥 ✂️ **De las siguientes pautas, comentad cuáles facilitan o dificultan la comprensión de un texto humorístico.**

☐ Las risas del público.

☐ Las pausas del humorista.

☐ Las preguntas retóricas.

☐ Los ejemplos.

☐ Los cambios de tono.

☐ Los cambios de acento.

☐ Las alusiones socioculturales.

☐ Las referencias de actualidad.

☐ El título o la presentación del espectáculo.

☐ Otras: ....

....

....

3.3. 👤 🎧 **Cantinflas divertía a la gente por su manera de hablar y de contar anécdotas.**
[2] **Como él, hay muchos actores que utilizan su peculiar modo de interpretar la realidad que les rodea por medio de la burla, la ironía, la exageración... para hacer reír a los demás. A continuación, vas a escuchar el monólogo de una actriz en un famoso programa de televisión que se llama *El club de la comedia*.**

3.3.1. 👥 ✏️ **Vamos a analizar cuáles son las claves que hacen que este texto produzca hila-ridad en un español. Como sabes, el sentido del humor es diferente en cada cultura, entran en juego distintos aspectos: referentes culturales, juegos de palabras, ironía, crí-tica social y política y lenguaje vulgar, entre otros. Escribe, debajo de cada aspecto, ejemplos extraídos del texto. Puedes volver a escuchar si lo necesitas.**

Referentes culturales

Lenguaje vulgar

Crítica social y política

Lenguaje coloquial

Juegos de palabras

Ironía

3.4. 👤 📄 **Fíjate en la siguiente situación que te proponemos. Santiago y Jimena también han escuchado el monólogo de *El club de la comedia* y se han puesto a hablar.**

> Qué bueno el monólogo; sí, es verdad que a los españoles nos cuesta aprender idiomas.

> Es verdad, yo tengo compañeros..., por ejemplo, fíjate en Sánchez, el tío no da pie con bola cuando habla inglés, siempre termino cogiendo el teléfono yo y atendiendo a sus clientes.

3.4.1. 👥 👥 **Lee estas frases y marca las afirmaciones que te parezcan correctas.**

a. *Sánchez no da pie con bola cuando habla inglés.*

b. *El que es realmente un inútil hablando inglés es Juan.*

> Perdona, pero **el que es realmente un inútil hablando inglés es Juan,** el hijo del jefe, ¡y eso que ha estado viviendo un año en Inglaterra! Pero, nada, ni por esas...

☐ **1.** Sánchez y Juan hablan inglés igual de mal.

☐ **2.** Sánchez habla inglés mal, pero Juan lo habla peor.

☐ **3.** Jimena hace una afirmación que Santiago refuta.

☐ **4.** Jimena hace una afirmación que Santiago refuta enfatizando su opinión.

Cuando queremos resaltar nuestra opinión frente a una información recibida, se retoma esta información en el discurso y mediante el verbo *ser* se introduce el elemento enfatizado que, o bien aporta una información nueva, o corrige la recibida.

> El que | tiene | 20 años | es | Ricardo.

3.4.2. 👤 📝 **Enfatiza las frases del cuadro según el ejemplo.**

Para enfatizar

1. El, la, los, las, lo que ⎫
 Quien, quienes ⎭ + información dada + verbo *ser* + término enfatizado

a. *Es inadmisible que Juan haya llegado tarde.* ➡ Lo que resulta inadmisible es que no nos hayan llamado.

b. *Los amigos de mi hijo no saben hablar inglés.* ➡ [   ]

c. *Laura no tiene sentido del humor.* ➡ [   ]

d. *Alberto tiene mucha gracia contando chistes.* ➡ [   ]

2. Donde, cuando, como + información dada + verbo *ser* + término enfatizado

a. *Picasso nació en Barcelona.* ➡ [   ]

b. *Se pisó la Luna por primera vez en 1973.* ➡ [   ]

c. *Esto tienes que hacerlo así.* ➡ [   ]

3. Si algo/alguien + información dada + verbo *ser* + término enfatizado

a. *Aitor tuvo la culpa.* ➡ [   ]

b. *El conserje quiso gastar una broma a los inquilinos.* ➡ [   ]

CONTINÚA ····▸

4. *Si* + pronombre personal + información dada + verbo *ser* + *porque* + término enfatizado

a. *Ayer expulsaron del colegio a Jiménez, el chico ese que siempre iba con los cascos puestos.*

b. *Al final, mis padres le han comprado el coche a mi hermana. ¡Tiene una cara!*

3.4.3. [3] **Escucha la siguiente conversación entre dos amigos y anota todas las frases que enfatizan una información. Identifícalas según los usos que has aprendido.**

3.5. **Imagina que eres guionista de *El club de la comedia* y que tienes que escribir un monólogo para un actor que lo representará ante el público. A continuación, tienes una serie de pautas que pueden serte de gran ayuda.**

1. Piensa en algo cotidiano que te choque, que te moleste, que sorprenda. Por ejemplo, el ruido que hacen tus vecinos, lo lentos que son los funcionarios, la impuntualidad, las relaciones de pareja, las colas en los baños de chicas...

2. Las siguientes sugerencias pueden serte útiles:
   - Empieza con algo gracioso.
   - Enumera los ejemplos.
   - Inserta varias preguntas sin respuesta.
   - Sé crítico.
   - No te cortes y usa palabras de lenguaje coloquial.
   - Termina con algo gracioso.

El retrato humorístico 4

4.1. **Compara estas dos imágenes y explica qué hace que la ilustración sea humorística. ¿Cómo se llama este tipo de dibujo?**

4.1.1. Coteja tus explicaciones con la definición que da el *Diccionario de Uso* de María Moliner sobre la palabra "caricatura".

Caricatura 1 f. Retrato de alguien o representación o copia de algo en que se deforman exageradamente sus rasgos característicos. **2** Cosa que se pretende que sea copia o reproducción de otra, o del mismo valor que otra, pero que no es más que una imitación mala o ridícula de ella.

Caricaturizar tr. Representar o imitar algo exagerándolo, ridiculizándolo o desfigurándolo.

4.2. La caricatura se puede hacer también a través del lenguaje. A continuación, lee el retrato que hace de sí mismo el escritor español Juan Ramón Jiménez cuya caricatura tienes en 4.1.

Narigudo curvo, fui árabe semita desde el principio del mundo y más aguileña mi nariz árabe desde que un fotógrafo alemán me la partió en dos con el derrumbe de su artefacto de fondo; es torcida, como todo mi lado izquierdo; tengo un ojo queratítico de nacimiento, calvo desde los treinta años; mis piernas se me arquean más cada vez, desde los cuarenta, dicen que de montar
5 mucho a caballo y en burro; un bloqueo auriventricular de rama derecha, conjénito[1], que me ha tenido toda la vida en vilo. No quiero mirarme al espejo y si, por necesidad, tengo que mirarme, hablo a quien me obligue para concederle algo mejor mío, mi voz, y mirarme solo en los ojos. Y entonces me doy miedo. (...)
Yo nunca busco el defecto, lo encuentro en mí, en todos y en todo, pero me gusta el defecto cuando es
10 falta y no es sobra, no es ripio. Yo siempre veo la parte débil, fea o ridícula en mí y en los otros, como la parte bella. En conjunto me gusta mucho la sociedad de dos, de tres y, sobre todo, de uno. Más, no. Como los hombres son más parecidos a mí, prefiero las mujeres, los niños y todo el resto de la creación. Entre los que me gustan, soy alegre, triste entre los que no me gustan y triste cuando estoy solo. Lo que prefiero en la vida es la simpatía.

[1] Juan Ramón Jiménez unificó la ortografía en sus escritos, por lo que el fonema /x/ lo escribió siempre con "j".

Adaptado de "Revés de un derecho ya publicado" en *Españoles de tres mundos* de Juan Ramón Jiménez

4.2.1. Busca en el texto las palabras que corresponden a las definiciones siguientes.

1. queratítico : Afectado por la queratitis, inflamación de la córnea transparente.
2. ripio : Palabras de relleno en cualquier escrito o discurso.
3. aguileña : Se emplea corrientemente referido a la cara o a la nariz afiladas y también a la persona que tiene afilado el rostro. De águila o como de águila.
4. derrumbe : Caída precipitada.
5. Narigudo : Se aplica al que tiene muy grande la nariz.
6. auriventricular : Cavidad del corazón formada por aurícula y ventrículo.
7. en vilo (impaciente) : Estar intranquilo por algún percance que se teme o por impaciencia por conocer cierta noticia o el resultado de algo.
8. artefacto : Máquina, aparato o dispositivo de gran tamaño.
9. conjénito : Que se tiene desde el nacimiento porque se ha adquirido durante el período de gestación.

4.2.2. Compara el dibujo de 4.1. con los rasgos caricaturescos descritos en el texto. ¿Coinciden?

4.2.3. 👥 📖 **De esta serie de afirmaciones sobre lo que es un retrato, marca cuáles se reflejan en el texto y pon ejemplos.**

☐ **1.** Se usan imágenes exageradas.

....
....

☐ **2.** El autor se centra solo en algunos rasgos a los que carga de gran expresividad.

....
....

☐ **3.** Mezcla el aspecto físico y la psicología del personaje.

....
....

☐ **4.** La información es estrictamente de carácter psicológico o moral (etopeya).

....
....

☐ **5.** Se aportan solo rasgos físicos (prosopopeya).

....
....

☐ **6.** Es una descripción objetiva y representa lo que ve como si fuera una fotografía.

....
....

☐ **7.** Se utiliza un lenguaje creativo comparando el objeto descrito con otras realidades con las que guarda alguna similitud (pueden ser objetos o animales).

....
....
....

4.2.4. 👥 🔤 **Para comparar lo descrito con otras realidades, tal y como se apunta en el punto 7 de la actividad 4.2.3., es muy frecuente el uso de expresiones idiomáticas cuyo verbo principal es *ser* o *estar*. Relaciona las expresiones que tienes a continuación con su significado. Puedes añadir todas las que tú conozcas.**

1 Estar como una regadera/una cabra.		**a** No servir para nada.
2 Estar como un tren.		**b** Tener mala intención bajo una apariencia inofensiva.
3 Estar como una foca.		**c** Ser cobarde. (coward)
4 Estar como un fideo.		**d** Estar loco.
5 Estar como un toro.		**e** Estar muy fuerte.
6 Ser un cero a la izquierda.		**f** Ser muy guapo.
7 Ser una mosquita muerta.		**g** Estar muy gordo.
8 Ser un gallina.		**h** Estar excesivamente delgado.

4.2.5. 👤 ✏️ **Haz un retrato objetivo de Juan Ramón Jiménez; puedes utilizar la fotografía que aparece en 4.1.**

4.2.6. 👤 ✏️ **Ahora piensa qué rasgos destacarías de ti mismo y hazte un autorretrato en clave caricaturesca.**

Antes de ponerte a escribir:
- Apunta los rasgos que destacarías de ti mismo.
- Planifica el texto que vas a escribir según las características del retrato del punto 4.2.3.
- Recuerda que uno de los objetivos de esta actividad es que seas creativo y juegues con el lenguaje.
- Sigue las pautas del texto de Juan Ramón Jiménez que has leído.

5 No lo he cogido

5.1. Define qué es un chiste desde el punto de vista temático y formal. Después, lee y compara.

> El chiste es un subgénero pseudoliterario, que se mueve habitualmente en el terreno de la ficción y se define por su función lúdica, su intencionalidad cómica, su brevedad, su efecto sorpresa y su cierre previsto. El conjunto de todas estas características hace del chiste, por un lado, algo diferente de cualquiera de los subgéneros humorísticos o cómicos que existen y es seguramente, por otro, el principal responsable de su éxito social y de su constante presencia en nuestras conversaciones y lecturas.

Sobre el chiste, texto lúdico. Ana María Vigara Tauste

5.1.1. España es un país en el que se cuentan muchos chistes. Cualquier situación es buena para contar un chiste: el trabajo, un bar, con amigos... Los chistes en España son de muy diversa temática: hay chistes regionales, chistes sobre extranjeros, chistes políticos, chistes verdes... ¿En tu país, qué tipos de chistes se hacen? ¿En qué momento se cuentan? ¿Hay alguna región o algún pueblo sobre el que se cuenten muchos chistes? ¿Puedes contar uno a tus compañeros?

5.1.2. A continuación, escucha una serie de chistes típicos que hablan sobre el carácter de los leperos, vascos, catalanes, andaluces y madrileños.

[4]

Nota: Lepe es un pequeño pueblo de la región de Huelva sobre el que se hacen muchos chistes.

5.1.3. ¿Qué caracteriza, según los chistes, a las personas de estas regiones españolas? ¿Te parecen exagerados? ¿Crees que los estereotipos son justos?

5.2. Observa el siguiente chiste gráfico y explica la diferencia que hay entre las dos opciones que te proponemos.

a. Ha sido despedido.
b. Está despedido.

No sé qué haríamos sin usted, pero desde mañana lo averiguaremos.

5.2.1. Completa el siguiente cuadro.

- Cuando nos referimos al acontecimiento en sí mismo, utilizamos la pasiva de ⬚. Esta se forma con el verbo ⬚ + ⬚.

- Cuando lo que nos interesa es informar del resultado final sin interesarnos por el proceso, utilizamos la pasiva de ⬚, que se forma con el verbo ⬚ + ⬚.

5.2.2. 🧑📖 **Ahora vas a leer lo que le pasó a Javier antes de ser despedido.**

Don Javier Ortihuela Palacios, con DNI n.º 13424725Y y domicilio en El Escorial, calle Príncipe de Vergara, n.º 14, 50200 Madrid,

EXPONE: que ha sido trasladado al Departamento de Marketing por estricta orden del Director de Recursos Humanos, y que bajo las órdenes de la Jefa de su departamento ha sido acusado de no cumplir con su trabajo y de robar información confidencial de la empresa.

SOLICITA: que sea trasladado, lo antes posible, al Departamento del que venía y en el que sus tareas eran acordes a su preparación.

Y, para que así conste, se firma en Madrid, a veintiséis de marzo de 2005.

Firmado: Javier Ortihuela Palacios

5.2.3. 🧑📖 **Lee el correo electrónico que Luisa, compañera de trabajo de Javier, le escribe a Pedro, otro compañero de ambos que en este momento está trabajando en la sucursal de la empresa en Barcelona, contándole esto mismo.**

De:	luisarubio@yahoo.es
Para:	pedrodecarlos@jazzfree.com
CC:	
Asunto:	Follón en la oficina.

Datos adjuntos: ninguno

Hola, Pedro, ¿cómo te va por Barcelona? Supongo que estarás encantado. Nosotros te echamos mucho de menos. Te escribo para contarte un cotilleo, que sé que te gustan. Ya sabes que Javier siempre se ha llevado mal con la Jefa de Contabilidad. Pues resulta que la semana pasada nos encontramos al llegar con que a Javier lo habían trasladado al Departamento de Marketing y que lo habían acusado de robar información en su departamento. Imagínate el disgusto que se llevó. Pero no se quedó parado. Fue a un abogado y esta semana se ha recibido un escrito en el Departamento de Recursos Humanos en el que exige que lo trasladen de nuevo a su Departamento, supongo que bajo la amenaza de llevarlos ante los tribunales. La verdad es que ha tenido valor, aunque no me extraña, las acusaciones son gravísimas y no tienen pruebas. Ya te contaré cómo termina todo esto. Como ves, aquí las cosas, por desgracia, siguen igual que siempre. Besos.

5.2.4. 👥👥 **Compara los dos textos y las estructuras lingüísticas que están resaltadas en ambos escritos y, después, completa el siguiente cuadro.**

La voz pasiva es un recurso que se emplea por motivos de **coherencia** del discurso cuando el complemento que se convierte en sujeto de la frase pasiva ya está contextualizado. Es una forma de transformar la frase de atrás hacia adelante y enlazarla con lo anterior. La voz pasiva es un recurso muy utilizado en contextos (1) [_____] : artículos periodísticos y noticias de prensa, relatos de historia, textos legales, etc. En los contextos (2) [_____] se utiliza más frecuentemente otro recurso para mantener la coherencia textual y que consiste en anteponer el complemento (3) [_____], retomándolo después con un (4) [_____] :

El libro ha sido escrito este año. ➡ *El libro lo han escrito este año.*

Así pues, la voz pasiva es un recurso por el que el hablante transforma el complemento directo del verbo en su sujeto gramatical, convirtiendo el sujeto activo del proceso en complemento agente.

Ejemplo:

<u>Sujeto activo</u>		<u>complemento directo</u>
El narrador	*ha escrito*	*el texto.*

<u>Sujeto gramatical</u>		<u>complemento agente</u>
El texto	*ha sido escrito*	*por el narrador.*

5.2.5. Lee las siguientes noticias que han aparecido en el periódico y cuéntaselas a tu compañero de manera más informal. Luego, toma nota de las que te cuenta él.

alumno a

El 60 por ciento de los jóvenes europeos no se imagina la vida sin Internet.

El 60 por ciento de los jóvenes no se imagina la vida sin Internet y un 49 por ciento se pasa conectado más de dos horas al día, según los datos de la compañía proveedora de servicios de Internet Yahoo. Este colectivo ha sido bautizado como «generación-i». De ellos, el 66 por ciento se conecta varias veces al día a Internet o permanece *on line* al menos 20 horas a la semana. La investigación ha sido desarrollada, según la compañía, para conocer la relación de los jóvenes europeos con las nuevas tecnologías y han sido desveladas las características comunes a esta generación, tales como su motivación por lo digital, su obsesión por las marcas o su valoración del tiempo, entre otras.

Federico Aguilera, Martí Boada y Ecologistas en Acción, Premios Nacionales de Medio Ambiente 2004. El catedrático de Economía Aplicada por la Universidad de La Laguna(Tenerife), Federico Aguilera Klink, el naturalista y geógrafo catalán Martí Boada i Juncá, y Ecologistas en Acción, han sido distinguidos con los Premios Nacionales de Medio Ambiente. A propuesta de los jurados seleccionadores, a Federico Aguilera le ha sido entregado el premio "Lucas Mallada" de Economía y Medio Ambiente; y el premio "Félix Rodríguez de la Fuente de Conservación de la Naturaleza" ha sido adjudicado de manera compartida a Martí Boada i Juncá y a Ecologistas en Acción. Cada uno de estos premios está dotado con 21 000 euros y diploma.

alumno b

Tres operarios heridos al caerles encima hormigón con motivo de las obras que efectúan en el puente de Simancas, Valladolid.

Tres trabajadores cuya identidad no ha sido facilitada resultaron heridos este mediodía al sufrir un accidente cuando manipulaban una hormigonera en el nuevo puente de Simancas (Valladolid), según informaron a Europa Press fuentes del Servicio 112. El siniestro se produjo sobre las 13 horas. Las circunstancias no han sido aún detalladas; solo se sabe que a los operarios se les vino encima el hormigón de una hormigonera y quedaron atrapados. Efectivos del Servicio112, la Guardia Civil y del Cuerpo de Bomberos de Valladolid han sido desplazados hasta el lugar de los hechos para participar en las labores de rescate y posterior evacuación a un centro sanitario.

■ **Rigoberta Menchú en Barcelona.** Esta defensora de las minorías indígenas se encuentra hoy en Barcelona, donde ha sido invitada por la Fundación Catalana "Síndrome de Down" para ofrecer una conferencia sobre los derechos humanos, en el marco de la celebración del XX aniversario de esta entidad.

■ **Nueve años de cárcel por enviar correo electrónico 'basura'.** Una persona que difundía 'correo basura' por Internet fue condenada el jueves a nueve años de prisión en el Estado norteamericano de Virginia, por haber enviado decenas de miles de correos electrónicos gracias a falsas direcciones, informó el Departamento de Justicia de EE. UU.

5.2.6. Envía unos teletipos a una agencia de noticias narrando los sucesos que te ha contado tu compañero.

5.2.7. ¿Es la pasiva un recurso frecuente en tu lengua? ¿En qué ámbito predomina? ¿Cómo y cuándo se usa? Compáralo con el español y explícalo al resto del grupo.

5.3. ¿Qué tipo de documento es el del ejercicio 5.2.2.? ¿Para qué sirve y a quién va dirigido? ¿Qué características lingüísticas tiene? ¿Qué tipo de lenguaje se utiliza? Con tu compañero haz un listado de características de este tipo de escrito. Luego, completa la información que te proporcionamos.

Las características lingüísticas de la (1) _____ son: uso de la (2) _____ , de la (3) _____ persona, lenguaje (4) _____ y (5) _____ . La instancia es un documento (6) _____ que se usa para hacer solicitudes formales por (7) _____ presentadas ante una autoridad para (8) _____ algo. En la mayoría de los casos el que hace la instancia tiene que rellenar un (9) _____ que ya está diseñado. La instancia se dirige a la máxima (10) _____ .

5.3.1. A continuación, escribe una instancia a la autoridad competente, pidiendo lo que te parezca necesario según esta situación: últimamente, en tu calle, han sucedido una serie de accidentes, por fortuna sin gravedad, porque no existe un lugar señalizado para que los peatones crucen sin peligro. Luego, compara el resultado con tus compañeros.

Unidad 2
El teatro

Teatro romano de Mérida

Contenidos funcionales
- Evocar un recuerdo
- Narrar y describir en el pasado
- Recursos para mantener la comunicación oral

Contenidos gramaticales
- El presente histórico
- Uso y relación entre los diferentes tiempos del pasado en indicativo: pretérito indefinido, pretérito perfecto, pretérito imperfecto, pretérito pluscuamperfecto, futuro perfecto
- El condicional simple con valor de pasado

Contenidos léxicos
- Léxico y expresiones idiomáticas relacionados con el teatro

Contenidos culturales
- El teatro clásico español
- El corral de comedias de Almagro
- *Las aventuras del capitán Alatriste* de Arturo y Carlota Pérez-Reverte
- El siglo de oro español
- *La vida es sueño* de Pedro Calderón de la Barca

1 ¡Qué comediante!

1.1. ¿Qué es el teatro? Escribe una definición con tus propias palabras.

_____

_____

_____

_____

1.2. Lee esta definición de teatro y señala las similitudes y diferencias con la que tú has dado.

El **teatro es un género literario**, ya sea en prosa o en verso, normalmente dialogado, concebido para ser representado; las artes escénicas cubren todo lo relativo a la escritura de la obra teatral, la interpretación, la producción, los vestuarios y los escenarios.

El **término drama** viene de la palabra griega que significa "hacer", y por esa razón se asocia normalmente a la idea de acción. En términos generales, se entiende por drama una historia que narra los acontecimientos vitales de una serie de personajes. Como el adjetivo "dramático" indica, las ideas de conflicto, tensión, contraste y emoción se asocian con drama.

http://icarito.latercera.cl/enc_virtual/castella/teatro/temadest.html

1.3. Señala cuáles de estos aspectos está relacionado con el origen del teatro y justifica tu respuesta.

- ★ La religión
- ★ La magia
- ★ El entretenimiento
- ★ El aburrimiento

- ★ La fama
- ★ El poder
- ★ La mentira
- ★ La imitación

- ★ El protagonismo
- ★ El ritual
- ★ La caza
- ★ La bohemia

- ★ El comercio
- ★ El lenguaje
- ★ El culto
- ★ La historia

1.3.1. Ahora, lee el siguiente texto y ratifica tus respuestas.

El origen del teatro se remonta al II milenio a. de C. El drama y el teatro son más viejos que la religión. Comienzan con el primer hombre que piensa que imitando a los animales en torno al fuego del campamento puede aumentar el número de animales y asegurarse una buena caza. El drama y el teatro se desarrollan y perfeccionan a medida que el hombre trasciende la magia imitativa. Descubre el uso de la danza, la música y las
5   máscaras en ritos con los que espera atraer las lluvias y aumentar las cosechas. Inventa ceremonias de iniciación que exigen un diálogo. Convierte a sus antepasados en dioses y los adora con la danza y el canto. Por fin, crea la tragedia, después la comedia báquica y obras que son representadas solo por el placer de hacerlo. Podemos decir que existe teatro cuando tenemos una obra escrita, representada por actores y en un medio formado por todos o algunos de estos elementos: el auditorio, el escenario, el decorado, el vestuario y la ilumi-
10 nación. Pero podemos considerar el teatro de otro modo cuando una niña "juega a las mamás" o cuando los aborígenes desarrollan costumbres como bailar una danza o cumplir ceremonias y ritos. Si se buscan sus elementos en la danza así como en el drama, en las máscaras y en la magia, en el culto de los antepasados, de los animales y de los dioses, se verá que el teatro es la más difundida y la más antigua de las artes. Según Aristóteles, la imitación es algo connatural para los hombres que se adquiere desde la infancia, pero las per-
15 sonas profundamente interesadas por el teatro se preparan para practicar la imitación y disfrutar con ella. A los hombres les gusta imitar las cosas (escultura, pintura), y el comportamiento, la actitud, los gestos y hasta la manera de hablar de otros hombres, así como los acontecimientos que ve o imagina. Esto lleva al hombre primitivo a crear danzas y ceremonias mágicas y rituales. Los placeres de imitar y de observar las imitaciones realizadas por otros hacen que el hombre civilizado escriba y represente obras teatrales y que se reúna en multi-
20 tudes para disfrutar del teatro.

Adaptado de http://www.geocities.com/poeticarte/teatro/historia2.htm

1.3.2. 👥 Vuelve a leer el texto anterior. ¿Qué forma verbal es la predominante? ¿A qué tiempo pertenecen algunos de los hechos a los que se está refiriendo el texto? Completa este cuadro.

A veces se utiliza el [(1) _____] para referirse a hechos cronológicamente ocurridos en el [(2) _____]. Este uso especial de este tiempo es conocido con el nombre de "[(3) _____] histórico" y es un recurso expresivo que se usa cuando el hablante trae al momento presente hechos cronológicamente ocurridos en el pasado para acercarlos al interlocutor.

1.3.3. 👤✏️ Reescribe el texto anterior cambiando los presentes históricos por tiempos verbales de pasado. Al final de la unidad, tendrás la oportunidad de revisarlo y corregirlo según lo que hayas aprendido.

1.4. 👤✏️ Como has visto, el teatro está relacionado con la imitación y el fingimiento. En español, existen muchas expresiones idiomáticas relacionadas con el teatro y que, de un modo u otro, tienen que ver con el campo léxico de la mentira. Elige la opción correcta.

1. El presidente nos ha vuelto a dar otra lección desenvolviéndose con soltura delante de todo el consejo y convenciéndolos de que nuestro proyecto es el mejor. La verdad es que _____.
   - ☐ a. tiene muchas tablas
   - ☐ b. es un teatrero

2. He cortado con Juan porque estoy harta de que siempre esté diciéndome lo especial que soy, contándome historias para no quedar cuando sé que está con los amigos, haciéndome carantoñas para conseguir lo que se propone y diciéndome que vamos a tener una casa muy grande con cuatro niños y dos perros y un Ferrari, aunque esté en el paro. Es un _____.
   - ☐ a. histrión
   - ☐ b. teatrero

3. Nos tenía a todos engañados, resulta que ni es licenciado ni ha trabajado en IBM ni ha sido director de recursos humanos. ¡Menuda _____!
   - ☐ a. tragedia
   - ☐ b. farsa

4. Yo no creo que en verdad sea como aparenta ser. Por su forma de hablar, actuar e incluso vestir yo diría que le falta naturalidad y que _____.
   - ☐ a. tiene mucho teatro
   - ☐ b. es muy dramático

5. Hace dos años, las últimas inundaciones provocaron cuantiosas pérdidas humanas y materiales, así como decenas de familias desalojadas en varios barrios de la población. Fue _____.
   - ☐ a. teatral
   - ☐ b. dramático

6. Llevábamos discutiendo horas sin llegar a nada hasta que Juan _____ y nos dio la solución.
   - ☐ a. hizo comedia
   - ☐ b. entró en escena

7. Su entrada al despacho del director la acompañó de toda clase de aspavientos y gestos. Fue muy _____.
   - ☐ a. trágica
   - ☐ b. teatral

1.4.1. 👥✏️ Después de comprobar tus respuestas de 1.4., define las siguientes palabras y expresiones. Puedes consultar el diccionario.

1. Hacer/tener teatro, hacer comedia _____.

2. Teatral _____

3. Dramático _____

4. Trágico _____

5. Farsa _____

6. Ser un histrión _____

7. Ser un teatrero/un comediante _____

8. Salir a/entrar en escena _____

9. Tener muchas tablas _____

2 ¡Mucha mierda!

2.1. ¿Cómo crees que se las ingenian los actores y actrices para fingir dolor cuando están alegres y viceversa?

2.2. ¿Has oído hablar alguna vez del método Stanislavsky? Se trata de una técnica teatral que ayuda a los actores a preparar sus papeles. ¿Crees que las siguientes afirmaciones son correctas?

	verdadero	falso
a. Stanislavsky propone que el actor recurra a sus vivencias para dar emotividad a su actuación.	☐	☐
b. Por este motivo, los actores y actrices deben tener un carácter frío, que les permita traer a su mente, en el momento que quieran y fácilmente, sus experiencias vividas.	☐	☐
c. Cuando el actor o actriz evocan una situación vivida, han de dejarse llevar por la emoción. Esto redunda en la autenticidad de su actuación.	☐	☐
d. Sentimientos como el dolor, la alegría, el odio, etc., son universales, pero las situaciones y motivos que los provocan no son iguales según las diferentes culturas.	☐	☐
e. Para preparar el papel, el actor va progresivamente acercándose a su personaje, tomando sus rasgos, pero manteniendo la distancia justa que le permita no perder de vista quién es y a dónde quiere llegar.	☐	☐

2.2.1. Ahora, lee el siguiente texto.

Existe una gran controversia entre si los actores no deben sentir lo que expresan o por el contrario, sienten las emociones de la misma manera que en la vida, en que "viven" sus papeles realmente. Ya Plutarco nos habla de un actor que, en el papel de Orestes, se dejó arrastrar por sus emociones y dio muerte a un esclavo en escena. Sin embargo, aún hoy día, se recomienda, incluso por el excelente Boleslavsky, en *Acting: The First Six Lessons*, el empleo, por medio de la memoria emotiva, de 5 auténticas emociones. Stanislavsky pide que el actor, para dar valor emotivo a la palabra, se valga del recurso de la vivencia. Esto significa que el actor debe aprender a estimular la creación subconsciente de la naturaleza humana por medio de la psicotécnica consciente. Llegará entonces a vivir el papel, a sentir de acuerdo con el papel. Para expresar la forma exterior de esta vida, el actor trata de reflejar la vida interior de su personaje, su vida emotiva, vida que se anima gracias al recurso de la vivencia, que provoca artificialmen- 10 te emociones que no son sino reflejo de un estado psíquico vivido. Es decir, un actor recuerda intensamente un momento de su vida cuya emoción corresponde más o menos a la que exige la situación teatral, y aplica este eco emotivo a su actuación. Para ello, los actores deben ser personas de fácil emoción y viva fantasía que no necesiten recursos supremos. Si una actriz tiene que recordar la muerte de su madre para aplicar emoción a una escena trágica, su propio dolor llenará su alma de tal modo que las lágrimas le impedi- 15 rán crear la figura teatral y su dolor ficticio. Para evitar eso, el propio Stanislavsky afirma que nuestro arte nos enseña, ante todo, a crear de un modo consciente y justo. Es decir, hay que saber dominar los sentimientos en escena. Aunque todo ser humano sienta dolor, ira, alegría o vergüenza, no lo siente ni por los mismos motivos ni con la misma intensidad. Así, una situación que en México resulta una tragedia, puede ser una comedia en Francia y una farsa en Estados Unidos. Por otra parte, la intensidad emotiva hispanoa- 20 mericana es mucho más acentuada que la sajona; de ahí que nuestros artistas se dejen fácilmente dominar por sus emociones. En los ensayos se debe trabajar del actor al personaje y no al revés. Nadie va a decir que lo mejor es ser un actor mentiroso, muy exterior y muy personaje. Si el proceso es del actor al personaje, uno puede ir gradualmente asimilando cosas del personaje para llegar a un equilibrio sin metabolizarse.

Adaptado de http://usuarios.lycos.es/silviarivero/downwagner2b.htm

"No te creo, no me convences," eran las palabras preferidas de Konstantin Stanislavsky, el actor, director y empresario teatral que cambió el rumbo del teatro occidental a principios del siglo XX. Stanislavsky (Moscú, 1863-1938) se incorporó con 14 años al grupo de representación dramática que tenía su familia. En 1897, se unió al escritor, actor y director ruso Vladimir Nemirovich-Danchenko (1859-1943), con quien organiza el Teatro de Arte de Moscú. Es allí donde continúa desarrollando y aplicando su método y con él se inicia la transformación del teatro contemporáneo que hoy día conocemos. En 1918, establece el Primer Estudio como una escuela para jóvenes actores. Su "Método" ha sido descrito y aceptado como la "Biblia" del teatro occidental del siglo XX. La base fundamental del Método de Stanislavsky consiste en la interrelación entre audiencia y actor. Ya todos nos hemos entrenado en ese sentido; nosotros, como audiencia, esperamos que un actor nos convenza; nos interesa creer en el actor como personaje, como carácter. Por lo tanto, el desarrollo de la creación de emociones internas en un actor es fundamental en la aplicación del Método. El Método de entrenar a un actor de Stanislavsky se basa en su descubrimiento de que un actor puede recabar sus propias experiencias y emociones y reemplazarlas por las del personaje que debe caracterizar.

Adaptado de http://www.escaner.cl/escaner11/teatro.htm

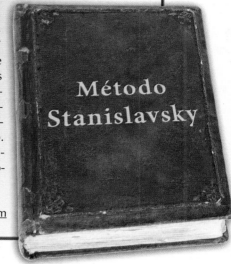

2.2.2. [icon] [icon] **Localiza en el texto las frases que corroboran o desmienten tus respuestas de 2.2. y anótalas.**

1.

2.

3.

4.

5.

2.2.3. [icon] [icon] **Lee de nuevo el texto y elige las palabras que te parezcan que son clave para entender su sentido fundamental y explica por qué.**

2.3. 👤 ✏️ **María Moliner, en su** *Diccionario de uso*, **define la palabra "vivencia" como una "experiencia del sujeto que contribuye a formar su personalidad". Las vivencias, pues, son sucesos del pasado que dejan en nosotros, de una u otra manera, una huella que afecta a nuestra forma de ser y de comportarnos. ¿Qué suceso de tu pasado recuerdas que haya contribuido a conformar tu personalidad? Completa el cuadro y, después, escribe tu experiencia.**

Evocar un recuerdo:

> **Fórmula introductoria + situación espacio-temporal + suceso**

Cuando queremos evocar una situación del pasado, lo hacemos recurriendo a fórmulas introductorias como las siguientes:

Siempre recordaré
Nunca (jamás) olvidaré
No se me va de la memoria
No puedo quitarme de la cabeza   +   *el día que* / *cuando* / *aquella vez en París cuando*   +   suceso
Recuerdo como si fuera ayer
Parece ayer

¡Qué tiempos aquellos en que   +   suceso o situación

En cuanto al suceso o situación, se puede optar por el uso del pretérito imperfecto o indefinido. Cuando el hablante recurre al pretérito [_____] lo que hace es convertir al oyente en espectador del suceso, como si estuviese presenciándolo.

> – *Siempre recordaré el primer día que fui de campamento a la Sierra. Tenía 6 años y era la primera vez que me separaba de mi familia (...)*

2.4. 👤 🎧 **Escucha esta versión de una entrevista realizada a una conocida actriz sobre el**
[5] **método Stanislavsky.**

2.4.1. 👥 🧩 **¿Cómo calificarías el tono de la conversación? ¿Y la relación entre la actriz y el periodista?**

2.4.2. 👤 🎧 **Escucha ahora la versión real de la entrevista. ¿Cambiarías las respuestas de 2.4.1.**
[6] **después de escuchar esta versión?**

2.4.3. 👤 🎧 **Vuelve a escuchar y compara ambas versiones de la conversación. Subraya en esta**
[5] **transcripción los elementos lingüísticos que no aparecen en la primera versión.**

ENTREVISTA

Entrevistador: ¿Cuántas eran, dice? Más de trescientas representaciones ya, ¿no?
Actriz: Sí, exactamente trescientas catorce.
E.: ¿Y qué hace para que el personaje no se le
5   enquiste, es decir, para que no se le convierta en autómata?
A.: Las emociones... hay que estar abierta siempre a emociones nuevas, ¿entiende?
E.: Sí, por supuesto. ¿Y es eso compatible con el
10   método?
A.: Es que para mí eso, precisamente, es el método, articular el personaje sobre emociones e ideas que no sean molde, sino yeso... ¿Me explico? No debes

CONTINÚA

15 pensar nunca que ya casi has conseguido darle una entidad al personaje porque entonces deja de respirar. La emoción debe ser el punto de partida, no el final. Mira... cuando hice *La casa de Bernarda Alba* fueron casi seiscientas representaciones y nunca tuve la sensación de estar haciendo lo mismo que en la función anterior.

E.: Ya, pero el texto es siempre el mismo y también la escenografía y el reparto y la dirección...

A.: Claro, pero si yo lo viera así, no podría hacer más de tres veces una misma función..., me 20 sentiría como....

E.: ¿Una funcionaria en una ventanilla? Pero es así...

A.: A ver..., cómo se lo podía explicar yo. ¿Usted está enamorado?

E.: Mmm... Sí... Llevo casado catorce años.

A.: ¿Y le dice a su esposa todos los días que la quiere?

25 **E.: Pues... Sí..., casi todos; de hecho, casi todos, sí.**

A.: ¿Y cada vez que lo hace siente lo mismo que sintió la primera vez?

E.: No..., entonces fue distinto..., más intenso. Ahora ya forma parte de la rutina.

A.: ¿Ve? Por eso usted no es actor, porque convierte en rutina la expresión de los sentimientos y eso es, antes que nada, el método: no caer en la rutina, mantener vivo el amor al personaje, 30 como si fuera cada función la primera... la única.

2.4.4. 👥 ✴️ **Clasifica los elementos que has subrayado en uno de estos apartados:**

● Pedir la cooperación del interlocutor, confirmar la comprensión de lo que se ha dicho.

● Pedir la clarificación del discurso, ayudas y repeticiones.

● Autorregularse verbalmente y reformular para hacerse entender mejor.

● Usar pausas, muletillas o fórmulas hechas para ganar tiempo o enlazar el discurso.

2.4.5. 👥 ✴️ **¿Crees que si pudieras ver a los interlocutores, la transmisión de información sería más efectiva? ¿Por qué? Especifica qué elementos no lingüísticos ayudan a la comprensión del discurso.**

2.5. 👤 ✏️ **Retoma tu vivencia de la actividad 2.3. y asóciala a alguno de estos sentimientos.**

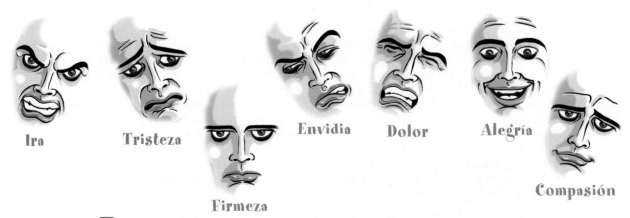

Ira   Tristeza   Envidia   Dolor   Alegría

Firmeza   Compasión

2.5.1. 👥 🗨️ **¿A qué otras vivencias de tu vida recurrirías para expresar los sentimientos de 2.5.?**

3 Los festivales de teatro

3.1.  Fíjate en esta fotografía y describe el lugar que aparece. ¿Qué es? ¿De qué época crees que data?

3.1.1. Busca en el diccionario la palabra "corral". ¿Cuál de sus acepciones describe el lugar de la fotografía?

3.1.2. Ahora, lee el siguiente texto y ratifica tus respuestas.

El corral de comedias de Almagro está situado en la plaza Mayor de Almagro (Ciudad Real) y debe su construcción a Leonardo de Oviedo, presbítero de la iglesia de San Bartolomé el Viejo de Almagro. En 1628, don Leonardo de Oviedo pidió permiso al Ayuntamiento para la edificación del corral en el patio del mesón del Toro. Invirtió en la construcción más de cinco mil ducados, una auténtica fortuna de la época. El corral
5 está sustentado en las tres partes que rodean el escenario por 54 pilastras de madera con sus zapatas; las inferiores están montadas sobre un tosco basamento de piedra para protegerlas de la humedad del suelo. Estos puntales reciben los dos cuerpos del edificio y forman un porche o cobertizo a sus tres lados.
    Situada al lado de la cancela de entrada al patio, bajo la primera cazuela, se encontraba la "alojería"[1], que era la moderna cafetería de nuestros días. Los dos laterales restantes se completaban con estrados o gradas
10 que eran ocupados por comerciantes, militares, funcionarios..., gente de un nivel social más elevado que en el resto del patio, que solo podía ser ocupado por gente llana y al que se llamaría *Patio de los Mosqueteros.* "Concurren en ellos con su capa, espada y daga y todos se llaman caballeros, hasta los zapateros, y éstos son

¹ Viene de la palabra "aloja", bebida refrescante a base de agua, miel y canela, mezclada a veces con vino.

CONTINÚA ····⫶

los que deciden si la comedia es buena o mala; y a causa de que la silban o aplauden, son llamados Mosqueteros, de suerte que la fama y opinión destos poetas depende dellos".

15 Los aposentos privados estaban situados en los laterales del escenario y se alquilaban solo a familias nobles, por un periodo determinado de tiempo. Las tupidas celosías permitían ver sin ser vistos. Poseían accesos independientes del resto del edificio para mantener el anonimato de sus ocupantes.

La cazuela era el lugar desde donde veían la representación las mujeres. Así lo exigía la 20 estricta moral de aquella época. Estaba situada enfrente del escenario, en la primera planta del edificio. Los accesos eran independientes del patio y corredores, y comunicaban con la entrada mediante una o varias escaleras. El corredor situado encima de la cazuela lo ocupaban habitualmente las instituciones, tanto civiles como eclesiásticas. Los corredores laterales estaban entre la cazuela y los aposentos privados. Se dividían en estancias que se alquilaban 25 a familias. Son los antecedentes del palco.

El escenario, el lugar donde se representaba, está situado en la parte opuesta de la entrada, y detrás se encuentran los camerinos. La pared del fondo cuenta en su parte superior con un corredor de tres balcones de barandilla que asoman a la escena, y en el lado derecho la puerta de acceso a los cómicos. Bajo el entarimado está el foso, donde se alojaba la compañía con todos sus enseres.

30 Durante el siglo de oro toda manifestación teatral era conocida como "comedia". La temporada comenzaba el domingo de resurrección y terminaba el miércoles de ceniza. Estaba prohibido fumar, por el riesgo de incendio. De octubre a abril la comedia empezaba a las dos de la tarde, en primavera a las tres, y a las cuatro en verano, para finalizar antes de la puesta de sol. Su duración estaba entre cuatro y seis horas. En ciudades universitarias estaba prohibido representar entre semana para que los estudiantes no se distrajeran. En los corrales de come-
35 dias no había aseos y las condiciones higiénicas no eran las más adecuadas. Con la llegada, a mediados del siglo XVIII, de distintos gobiernos ilustrados se empiezan a prohibir las representaciones en estos locales por la falta de higiene, el riesgo de incendio, los desórdenes... A esto hay que añadir el desarrollo de una burguesía que no quiere asistir a las comedias en espacios incómodos y la aparición de espectáculos metateatrales, como la ópera, que requieren espacios cerrados con un tratamiento acústico específico.

40 A finales del siglo XVIII se decretó la prohibición total y los corrales sufrieron distintas suertes.

Adaptado de http://www.corraldecomedias.com/

3.1.3. 👤 🔤 **Localiza en el texto los términos que corresponden a las siguientes definiciones del *Diccionario de uso* de María Moliner y del *Diccionario de la Real Academia de la Lengua*. Ayúdate del contexto para encontrarlas.**

	: En los teatros, cada uno de los departamentos, semejantes a balcones, en que hay varios asientos que ocupan generalmente personas que van juntas.
	: Soporte que tiene la forma de varias columnas adosadas.
	: Cada uno de los cuartos que hay en los teatros y sitios semejantes para que se vistan y arreglen los artistas.
	: Galería alta que en los antiguos teatros estaba reservada a las mujeres.
	: Sitio de honor donde se coloca la presidencia de un acto o celebración.
	: Lugar del teatro en el que se representa la obra.
	: Enrejado tupido de listones de madera que se pone en las ventanas u otro sitio para guardar el interior o lo que hay al otro lado.
	: Cosas, como muebles o utensilios, que hay en una casa o en un local cualquiera para el servicio de él o para una profesión.
	: Arma blanca antigua, semejante a una espada corta.
	: Galería que rodea el patio de ciertos edificios.
	: Parte lateral de una calle o de alrededor de una plaza, que queda debajo de las casas y separada del resto por arcos y columnas o pilares que sostienen la fachada de las casas
	: (Literariamente o refiriéndose a época pasada) Habitación, particularmente refiriéndose a la ocupada por un persona.
	: Espacio situado debajo del escenario en los teatros.
	: Pavimento hecho con tablas ensambladas.

3.1.4. 🙍‍♀️🗨️ **Como puedes ver en el texto, la división que se hacía de los espacios en el teatro refleja una sociedad muy clasista y un concepto del teatro muy diferente al de nuestros días. Compara lo que se describe en el texto anterior con la situación actual de los teatros y señala qué se ha conservado igual, qué ha cambiado y qué ha desaparecido.**

> **Ejemplo:** *Antes, las mujeres y los hombres estaban separados; sin embargo, en la actualidad, esta situación es inconcebible.*

3.2. 🙍‍♀️🙍‍♂️ **Si vuelves a leer el texto, esta vez desde una perspectiva de análisis lingüístico, podrás observar que el tiempo verbal que predomina, casi exclusivamente, es el pretérito imperfecto de indicativo. Como ya se apuntó en el epígrafe anterior, en este caso el narrador convierte al lector en espectador presencial del suceso. Vamos a ahondar un poco más en la expresión del pasado en español. Completa el siguiente cuadro con las palabras que aparecen remarcadas.**

☐ expresar	☐ incluyen	☐ extralingüística
☐ cronológica	☐ acción	☐ marco
☐ lingüístico	☐ independientemente	☐ imperfecto
☐ perfecto	☐ describe	☐ relevante
☐ evocar	☐ indefinido	☐ pasado

El contraste de los tiempos del pasado indefinido / imperfecto / perfecto es un contraste puramente **(1)** _____ que nada tiene que ver con la realidad **(2)** _____ a la que se refieren, que existe **(3)** _____ de la lengua. El hablante, utilizando uno u otro tiempo, se refiere a esa realidad de distintos modos, según lo que quiere **(4)** _____ en cada momento. Con el pretérito **(A)** _____ se limita a informar sobre un hecho que ha sucedido en el **(5)** _____ sin describirlo ni relacionarlo con ninguna situación. En otros momentos, ese mismo hecho se convierte en una situación que se quiere **(6)** _____ o que sirve de **(7)** _____ para situar otra acción. Se emplea entonces, el pretérito **(B)** _____ En este caso, el hecho pierde su estatus de **(8)** _____ y se convierte en algo inmóvil, en una imagen sin movimiento que se **(9)** _____ y analiza. Esto es lo que sucede en pares de frases como "Estaba lloviendo / estuvo lloviendo" que, aun refiriéndose a la misma realidad extralingüística, responden a una intención diferente del hablante a la hora de enunciarlos. En la primera, el hablante está preparando el escenario de lo que va a contar y el interlocutor está esperando la información que falta, pues entiende que se trata de un marco para el hecho en sí mismo: *Estaba lloviendo cuando empezó el partido,* mientras que, en la segunda, el interlocutor interpreta la frase como la información **(10)** _____ : *¿Qué tal el partido? Mal, estuvo lloviendo todo el tiempo.* Con el pretérito **(C)** _____ el hablante se refiere a hechos del pasado en los que lo que le interesa es resaltar su relación con el presente. Pero, como en el caso anterior, esta relación existe solamente en la cabeza del hablante, no en la realidad extralingüística y, por tanto, esta relación con el presente no es **(11)** _____ , sino subjetiva. Es muy frecuente encontrar este tiempo sin marcadores temporales y, si lo llevan, estos remiten de alguna manera al presente. Son expresiones de tiempo de presente o que lo **(12)** _____ tales como *hoy, esta mañana /tarde / noche, este mes /año /siglo, siempre, nunca,* etc.

3.3. 🙍✏️ **¿Qué crees que ha pasado con el corral de comedias de Almagro? Inventa la historia de este local después de su cierre a finales del siglo XVIII hasta nuestros días. Recuerda las indicaciones del cuadro anterior a la hora de utilizar los tiempos del pasado.**

> Pues yo creo que una vez que el corral se cerró, un rico noble de la ciudad lo compró y lo convirtió en...

3.3.1. Compara tu historia con la de tu compañero y llegad a una común.

3.3.2. Escucha y ordena las siguientes frases cronológicamente. Anota la fecha de los acontecimientos que se mencionan. ¿Coincide la historia que habéis inventado con la real?

☐	☐	**a.** Colaboración de la Universidad de Castilla-La Mancha en la organización de las Jornadas de Teatro Clásico.
☐	☐	**b.** Cierre y utilización del corral como posada.
☐	☐	**c.** Primera representación de la Compañía Nacional de Teatro Clásico.
☐	☐	**d.** Recuperación como espacio teatral.
☐	☐	**e.** Creación del Festival de Teatro de Almagro y de las Jornadas de Teatro Clásico.
☐	☐	**f.** Conmemoración del 40 aniversario de la recuperación del corral de comedias para el teatro e incorporación de un nuevo espacio teatral: el Hospital de San Juan de Dios.

3.3.3. **La recuperación del espacio teatral del corral de Comedias de Almagro no es la única que se ha producido en España. Otro ejemplo, tan importante como el de Almagro, es el del anfiteatro romano de Mérida durante los meses de verano para la representación de obras de teatro clásico, celebrándose el Festival de Teatro Clásico de Mérida que cuenta ya con una historia de 50 años. ¿Existen iniciativas similares en tu país? ¿Qué ventajas e inconvenientes tiene recuperar espacios monumentales e históricos con un fin práctico?**

3.4. **El apoyo institucional al teatro, que se concreta sobre todo en ayudas económicas para el montaje de espectáculos teatrales, genera polémica entre los que piensan que el teatro debe ser protegido por el Estado como un bien cultural y los que creen que debe poder autofinanciarse creando espectáculos rentables. Vamos a hacer un debate sobre este tema. Elige uno de estos tipos e invéntate su historia personal. Entrégale al moderador del debate tu historia.**

> Un actor / actriz joven sin trabajo
> Un profesor de arte dramático
> Un empresario teatral que produce obras muy comerciales
> Un dramaturgo en busca de empresario que financie su obra en escena
>
> Un actor consagrado
> Una actriz consagrada
> El dueño de varios teatros
> El Ministro de cultura
> Un espectador

3.4.1. **Se están celebrando unas Jornadas sobre teatro y te toca participar en una mesa redonda con el título de "Ayuda pública, ¿necesaria?". Adopta el papel del personaje que hayas elegido y defiende una postura a favor o en contra. El que tenga el papel de moderador debe introducir el debate, presentar a los invitados y hacer una breve semblanza de cada uno de ellos.**

4 El capitán Alatriste

4.1. 👤 🔤 **Vas a leer un fragmento de la novela contemporánea *Las aventuras del capitán Alatriste* de Arturo y Carlota Pérez-Reverte. Es la historia de un soldado veterano de la guerra que sostuvo España en los Países Bajos y que malvive en el Madrid del siglo XVII. Sus aventuras, peligrosas y apasionantes, nos sumergen en las intrigas de la Corte de una España corrupta y en decadencia. En su camino se cruzará con personajes famosos de la época como Lope de Vega o Calderón, famosos dramaturgos. Antes de leer, relaciona las palabras que aparecen en la lista con sus sinónimos correspondientes.**

1 Urdir •	• **a**	Supremo, enorme, muy grande
2 Moza •	• **b**	Asignar, conceder
3 Dotar •	• **c**	Rizo
4 (En grado) sumo •	• **d**	Absurdo, alocado, desatinado
5 Desazonar •	• **e**	Pillo, pícaro, bribón, sinvergüenza
6 Fascinar •	• **f**	Chulo, alcahuete, granuja
7 Tirabuzón •	• **g**	Planear, tramar, preparar, intrigar, conspirar
8 Covachuelas •	• **h**	Molestar(se), inquietar(se), indisponer(se)
9 Fanfarronear •	• **i**	Tiendecillas
10 Golfo •	• **j**	Origen, estirpe, linaje
11 Cuna •	• **k**	Acreditado, confirmado, reconocido
12 Descabellado •	• **l**	Muchacho, mozuelo
13 Mozalbete •	• **m**	Bravear, chulear, presumir, jactarse
14 Rufián •	• **n**	Encantar, embelesar, hechizar, seducir
15 Consagrado •	• **ñ**	Joven, soltera, doncella, criada

4.1.1. 👤 📖 **Ahora, lee el texto.**

Había caído en la trampa. O, para ser más exacto, cinco minutos de conversación bastaron para que ellos urdieran la trampa. Todavía hoy, tanto tiempo después, deseo imaginar que Angélica de Alquézar sólo era una mocita que había sido manejada por sus mayores; pero ni siquiera tras haberla conocido como más tarde la conocí, puedo estar seguro. Siempre, hasta su muerte,

5 intuí en ella algo que no se aprende de nadie: una maldad fría y sabia que en algunas mujeres está ahí, desde que son niñas. Incluso desde antes, quizás; desde hace siglos. Decidir quiénes son los auténticos responsables de todo eso ya es otra cuestión que llevaría largo rato discutir; y este no es lugar ni oportunidad para ello. Podemos resumirlo diciendo, por ahora, que de las armas con que Dios y la naturaleza habían dotado a la mujer para defenderse de la estupidez y la maldad de los

10 hombres, Angélica de Alquézar estaba dotada en grado sumo.

Al día siguiente por la tarde, camino del corral del Príncipe, recuerdo la ventanilla de la carroza negra, bajo las gradas de San Felipe, que me desazonaba como cuando durante una ejecución musical que parece perfecta descubres una nota o un movimiento inseguros, o falsos. Me había limitado a acercarme y cambiar unas palabras, fascinado por su cabello rubio en tirabuzones y su misteriosa

15 sonrisa. Sin bajar de la carroza, mientras una dueña se ocupaba de comprar algunas cosas en las covachuelas y el cochero permanecía inmóvil junto a las mulas, sin molestarme –cosa que hubiera debido ponerme sobre aviso–, Angélica de Alquézar volvió a agradecer mi ayuda contra los golfillos de la calle Toledo, preguntó qué tal me iba con aquel capitán Batiste, o Triste, al que servía, y se inte-

CONTINÚA ····⫶

resó por mi vida y mis proyectos. **Fanfarroneé** un poco, lo
20   confieso. Aquellos ojos muy azules y muy abiertos que
parecían escuchar asombrados **me alentaron** a contar más
de la cuenta. **Hablé** de Lope, a quien **había conocido** hace
poco, arriba en las gradas, como de un viejo amigo. Y
mencioné el propósito de asistir, con el capitán, a la repre-
25   sentación de la comedia *El arenal de Sevilla*, que **tendría**
lugar en el corral del Príncipe al día siguiente. **Charlamos**
un poco, **le pregunté** su nombre y, tras dudar un delicioso
instante rozándose los labios con un diminuto abanico,
me lo **dijo**. "Angélica viene de ángel", **respondí**, embele-
30   sado. Y ella **me miró** divertida, sin decir palabra, durante
un rato tan largo que **me sentí** transportado a las puertas
del Paraíso. Después **vino** el ama, **reparó** en mí el cochero, **alejose** el carruaje, y **quedé** inmóvil entre la gente que
iba y venía, con la sensación de que **había sido arrancado**,
35   paf, de algún lugar maravilloso. Sólo de noche, al no conciliar el sueño pensando en ella, y al día siguiente camino
del teatro, algunos detalles extraños de la situación –a ninguna jovencita de buena cuna **se le permitía** entonces
charlar con mozalbetes casi desconocidos en mitad de la
40   calle– **empezaron** a insinuar en mi ánimo la sensación de
estar moviéndome al borde de algo peligroso y desconocido. Y **llegué** a preguntarme si aquello **guardaría** relación
con los accidentados sucesos de unos días antes. De un
modo u otro, cualquier vínculo de ese ángel rubio con los
45   rufianes del Portillo de las Ánimas **parecía** descabellado. Y
por otra parte, la perspectiva de asistir a la comedia de
Lope **restaba** claridad a mi juicio. Así ciega Dios, dice el
turco, a quien quiere perder.

    Desde el monarca hasta el último villano, la España del Cuarto Felipe **amó** con locura el tea-
50   tro. Las comedias **tenían** tres jornadas o actos, y **eran** todas en verso, con diferentes metros y
rimas. Sus autores consagrados, como **hemos visto** al referirme a Lope, **eran** queridos y respeta-
dos por la gente; y la popularidad de actores y actrices **era** inmensa. Cada estreno o reposición
de una obra famosa **congregaba** al pueblo y la corte, teniéndolos en suspenso, admirados, las
casi tres horas que **duraba** cada representación, que en aquel tiempo **solía** desarrollarse a la luz
55   del día, por la tarde después de comer, en locales al aire libre conocidos como corrales. Dos
había en Madrid: el del Príncipe, también llamado de La Pacheca, y el de la Cruz. Lope **gustaba** de estrenar en este último, que **era** también el favorito del rey nuestro señor, amante del teatro como su esposa, la reina doña Isabel de Borbón.

4.1.2. 👥 👤 **En el fragmento que has leído, Íñigo de Balboa (ayudante del capitán Alatriste
y narrador de la novela) cuenta el momento en que conoció a Angélica Alquézar,
haciéndonos partícipes de sus reflexiones y temores. Vamos a analizar los valores que
adquieren los diferentes tiempos del pasado que aparecen reflejados en el texto.
Atendiendo a la perspectiva temporal (física o psicológica) que utiliza el hablante para
situar acontecimientos desde su punto de vista, clasifica los verbos resaltados en el
texto en uno de los siguientes apartados:**

> **a.** Que lo comunicado se mantiene alejado de las circunstancias vitales del hablante.
>
> **b.** Que lo comunicado es anterior respecto a otro hecho señalado del pasado.
>
> **c.** Que lo comunicado es anterior, pero está relacionado con el momento presente.
>
> **d.** Que lo comunicado es posterior respecto a otro hecho señalado del pasado.

4.1.3. 👥👥 **Lee este cuadro de reflexión sobre los tiempos del pasado y representa gráficamente la información que proporciona.**

- Los tiempos compuestos del pasado adquieren su valor temporal en relación siempre con otro tiempo. El pretérito perfecto, como ya hemos visto, es un tiempo que cuenta una experiencia pasada cuyos efectos se extienden al presente. El pretérito pluscuamperfecto cuenta un suceso como previo a la experiencia pasada que se describe. Es habitual reemplazar el pretérito pluscuamperfecto por el indefinido. En este caso, el hablante se limita a hablar de un hecho del pasado en sí, sin relacionarlo con ningún otro momento del pasado. El futuro perfecto, por fin, habla de una experiencia que será pasada respecto a otra que aún no ha ocurrido:

  – *Cuando acabe el año, ya habré pagado el coche.*

- Por otro lado, el condicional es un tiempo simple que, como tiempo del pasado, también adquiere su valor temporal en relación con otro tiempo. En este caso, cuenta una experiencia que es posterior a un hecho del pasado. En muchas ocasiones, esta misma relación temporal se establece con el pretérito imperfecto:

  – *Me dijo que vendría. / Me dijo que venía.*

- También como pasado y en frases independientes, el condicional expresa probabilidad:
  ▷ *¿A qué hora volviste ayer?*
  ⚹ *No sé, serían las cuatro o las cinco de la mañana.*

Hecho en pasado   Hecho en presente   Hecho en futuro

4.2. 👪✏️ **Vuelve a leer el texto. Sabiendo que Angélica de Alquézar era una menina (dama joven y noble que prestaba servicios en palacio), inventa la relación que tendrían Íñigo de Balboa y ella y escribe una historia. Podéis empezar narrando lo que sucedió al día siguiente en el corral de comedias donde se supone que ambos fueron.**

4.2.1. 👥🗣️ **Leed todas las historias y elegid la que creáis que está mejor narrada y ambientada.**

4.3. 👥👥 **Ha llegado el momento de revisar tu trabajo de 1.3.3. Con toda la información gramatical que has recibido en esta unidad, revisa el texto que has rescrito y corrige lo que creas necesario. Intercambia el texto con tu compañero, lee su versión y compárala con la tuya. Discute, argumentando, las diferencias.**

5 ¿Qué es la vida?

5.1. 👤🎧 [8] **El siglo XVII constituye el periodo más importante de la literatura española. Tanto es así que nos referimos a él como el siglo de oro español. ¿Cómo crees que era esta época en cuanto a lo político y lo social se refiere? Di si las siguientes afirmaciones son verdaderas o falsas y luego, escucha para comprobar tus respuestas.**

	verdadero	falso
1. Al igual que en la literatura, España en esta época ejerce la hegemonía política en Europa.		
2. La política exterior se caracteriza por las victorias militares, agrandándose aún más el ya extenso imperio español.		
3. Hay una grave crisis demográfica como consecuencia de la expulsión de los moriscos, las guerras, el hambre y la peste.		
4. La sociedad barroca es una sociedad muy jerarquizada.		
5. En esta época, y debido a la evolución de las ideas, el número de eclesiásticos se reduce a la mitad.		
6. La literatura de esta época se caracteriza por la simplicidad de formas y la armonía.		

5.1.1. ¿Qué sucedía en tu país en esta época? Vuelve a escuchar y completa el cuadro con los sucesos más importantes acaecidos en el siglo XVII español. Después compara con tu país y establece las diferencias.

En España

Periodo de crisis en todos los órdenes.
Se perdieron las posesiones en Europa.

En mi país

5.1.2. Lope de Vega produjo en el teatro una auténtica revolución. Vuelve a escuchar
[8] y anota cuáles fueron los cambios fundamentales que introdujo este autor teatral. ¿Qué otro dramaturgo se menciona? <u>Anota su nombre.</u>

5.2. ¿Crees en la predestinación? ¿Tenemos un destino que no podemos cambiar o, por el contrario, piensas que el hombre nace libre y son sus actos los que determinan su vida? Anota tus conclusiones.

5.2.1. Poned en común vuestras ideas con el resto de los grupos y formad dos nuevos: los partidarios de la predestinación y los partidarios del "libre albedrío".

5.2.2. Este problema filosófico es el que Pedro Calderón de la Barca plantea en una de sus obras más famosas. A continuación, tienes parte del argumento de la obra. Resuelve el final según la elección que hayas hecho en 5.2.1.

Basilio, rey de Polonia, aficionado a la astrología, consulta a los astros sobre el destino de su hijo Segismundo, que acaba de nacer. Los astros predicen que el príncipe humillará a su padre y oprimirá a su pueblo. Para evitar el cumplimiento de este mal presagio, Basilio decide encerrar a su hijo en una torre solitaria, situada en un lugar salvaje y escondido. Segismundo crece prisionero e ignorante de su condición de heredero de un trono. Pero un día, el rey duda y se pregunta si los astros habrán tenido razón. Entonces ordena trasladar a palacio a Segismundo.

5.2.3. Aquí tienes el final de la obra. ¿Coincide con tu final? ¿Cuál es la conclusión de Calderón al problema planteado?

El príncipe se comporta como los astros habían predicho: ofende, atropella, mata; y como consecuencia de ello es devuelto a la torre. El pueblo se levanta en armas y lo libera. Cuando Segismundo vuelve a la corte para ocupar su trono, se comporta como un gobernante prudente y justo.

5.3. Fíjate en el título del epígrafe. ¿Podrías responder a la pregunta asociándola a una de estas palabras o expresiones?

Un frenesí, una ilusión, un valle de lágrimas, una juerga, una oportunidad

5.3.1. El título del epígrafe corresponde al primer verso del "Monólogo de Segismundo" de la obra de Calderón de la Barca, *La vida es sueño*. Tanto la obra completa como el monólogo constituyen una de las cumbres literarias en lengua española de todos los tiempos. Lee el monólogo y elige, de entre los resúmenes que te proponemos, el que te parece que responde mejor al mensaje del texto.

Sueña el rey que es rey, y vive
con este engaño mandando,
disponiendo y gobernando;
y este aplauso, que recibe
5   prestado, en el viento escribe,
y en cenizas lo convierte
la muerte, ¡desdicha fuerte!
¿Que hay quien intente reinar,
viendo que ha de despertar
10   en el sueño de la muerte?

Sueña el rico en su riqueza,
que más cuidados le ofrece;
sueña el pobre que padece
su miseria y su pobreza;
15   sueña el que a medrar empieza,
sueña el que afana y pretende,
sueña el que agravia y ofende,
y en el mundo, en conclusión,
todos sueñan lo que son,
20   aunque ninguno lo entiende.

Yo sueño que estoy aquí
destas prisiones cargado,
y soñé que en otro estado
más lisonjero me vi.
25   ¿Qué es la vida? Un frenesí.
¿Qué es la vida? Una ilusión,
una sombra, una ficción,
y el mayor bien es pequeño:
que toda la vida es sueño,
30   y los sueños, sueños son.

Resumen 1: Segismundo describe los sueños como la realidad de la propia vida.

Resumen 2: Segismundo dedica estos versos a elogiar los sueños, interpretándolos como una pura ficción.

Resumen 3: Segismundo equipara la existencia con la fugacidad de un sueño, porque, al final, todo termina con la muerte.

Pedro Calderón de la Barca

Nació el 17 de enero de 1600, en Madrid. Estudió en las universidades de Alcalá y Salamanca hasta 1620. Fue soldado en la juventud y sacerdote en la vejez. Durante el transcurso de su vida se vio envuelto en varios incidentes violentos, como una acusación de homicidio y la violación de la clausura de un convento de monjas. En 1651 se ordena sacerdote. Además, fue capellán de la catedral de Toledo y capellán del rey. Falleció el 25 de mayo de 1681. Tras la muerte de Lope de Vega, en 1635, fue reconocido como el dramaturgo más importante de su época. *La vida es sueño* es uno de los dramas más importantes de Calderón de la Barca. Fue escrito en 1636.

5.3.2. Busca versos o grupos de palabras en el poema a los que puedan corresponder las palabras que te proponemos a continuación.

Esperanza	Sufrimiento	Fugacidad	Engaño	Realidad

Escucha, ahora, el poema y disfruta de su ritmo.

[9]

Unidad 3
La felicidad

La gallina ciega (1788-1789), Francisco de Goya

Contenidos funcionales
- Expresar deseos y maldiciones
- Expresar sentimientos
- Reaccionar ante algo
- Expresar voluntad, deseo, prohibición, mandato o ruego con la intención de influir sobre los demás
- Expresar el punto de vista sobre algo

Contenidos gramaticales
- Oraciones subordinadas sustantivas
- Verbos y expresiones que transmiten: reacción, voluntad, sentimiento, deseo, prohibición, mandato, consejo o ruego, actividad mental, comunicación, percepción y certeza
- *Ser* + adjetivo + *que*
- *Ojalá, así* + subjuntivo
- Correlación de tiempos indicativo/subjuntivo
- Verbos con doble significado según se construyan con indicativo o subjuntivo

Contenidos léxicos
- Palabras derivadas del griego y del latín
- Prefijos y sufijos
- Expresiones latinas que se usan frecuentemente en español
- Léxico relacionado con la felicidad

Contenidos culturales
- Séneca
- Rubén Darío
- Turnos de habla en España

1 ¿Qué es la felicidad?

1.1. Desde tiempos inmemoriales se ha buscado incansablemente la felicidad. Muchos filósofos y escritores han intentado averiguar en qué consiste ser feliz. Relaciona las siguientes citas sobre la felicidad con su final correspondiente.

1 "El secreto de la felicidad no es hacer siempre lo que se quiere,

2 "La felicidad consiste principalmente en conformarse

3 "El placer es el principio

4 "La suprema felicidad de la vida es saber que eres amado por ti mismo o, más exactamente,

5 "El hombre más feliz del mundo es aquel que sabe reconocer los méritos de los demás

6 "La felicidad para mí consiste en gozar de buena salud,

7 "La felicidad, para el hombre, es un imposible necesario: no podemos renunciar a ella,

8 "La felicidad de la vida consiste en tener siempre algo que hacer,

- **a** a pesar de ti mismo". Victor Hugo
- **b** alguien a quien amar y alguna cosa que esperar". Anónimo
- **c** y puede alegrarse del bien ajeno como si fuera propio". Goethe
- **d** pero, por lo menos en la Tierra, es imposible". Julián Marías
- **e** sino querer siempre lo que se hace". Tolstoi
- **f** en dormir sin miedo y despertarme sin angustia". Borges
- **g** con la suerte; es querer ser lo que uno es". Erasmo de Rotterdam
- **h** y el fin de vivir alegremente". Epicuro

1.1.1. ¿Con cuál te identificas más? ¿Por qué? Ordena las citas de más a menos importante según tu criterio y, luego, discútelo con tus compañeros.

1.1.2. Escribe tu propia cita o definición de felicidad.

1.2. Para conocer el significado de una palabra, muchas veces recurrimos a su origen etimológico. ¿Sabes de dónde viene la palabra española "felicidad"? Búscala en el diccionario y escribe su definición. ¿De qué lengua procede?

El significado de felicidad está relacionado con el término latino del que procede la palabra. Como lengua romance, el español proviene del latín, por lo que el origen de un porcentaje muy elevado de palabras españolas es latino.

¿Y los griegos? ¿Qué término usaban? Al parecer, empleaba *eudaimonía* para expresar "bienestar", "felicidad", "buena fortuna" y "abundancia". Los filósofos la consideraron el mayor bien. Si descomponemos la palabra en sus dos elementos, *eu*, significa "bien, bueno" y *dáimon/dáimonos*, (nombre), "divinidad" que, al asociarse a las divinidades malignas derivó, curiosamente, en nuestra palabra "demonio".

Como ves, también es muy importante la deuda que tiene el español con el griego, del que tomamos muchos prefijos y sufijos que conviene conocer y que nos ayudarán, en ocasiones, a deducir el significado de una palabra.

1.2.1. 👥 🔀 **A continuación te ofrecemos una lista de prefijos y sufijos de origen griego. Busca en el diccionario qué significan y, después, escribe dos palabras que los contengan.**

Ejemplo: a-, an-:	*Denota privación o negación.*	*Ateo/a[1]*	*Asintomático[2]*
1: bio-:			
2: -mancia:			
3: demo-:			
4: -cracia:			
5: derm(o)-:			
6: -algia:			
7: hemi-:			
8: hipo-:			
9: mega-:			
10: meta-:			
11: poli-:			
12: -gamia:			
13: peri-:			
14: -itis:			

[1] *Ateo,a* (que niega la existencia de Dios); [2] *Asintomático* (que no presenta síntomas de enfermedad).

1.2.2. 👥 🔀 **Ahora, te ofrecemos una serie de palabras que contienen prefijos o sufijos cuyo origen es latino. Busca en el diccionario las palabras y deduce el significado de dicho prefijo o sufijo.**

Ejemplo: Carnívoro:	*Dicho de un animal que se alimenta de carne.*	*-voro: que come*
1: Antesala:		
2: Crustáceo:		
3: Circunferencia:		
4: Cuatrimestre:		
5: Decimal:		
6: Suicida:		
7: Dicotomía:		
8: Excéntrico:		
9: Campaniforme:		
10: Infravalorado:		
11: Conductor:		
12: Omnipresente:		
13: Posventa:		
14: Subordinado:		

1.2.3. 👥 💬 **¿A qué registro pertenece la mayoría de estas palabras? ¿Hay palabras que provienen del griego o del latín en tu lengua? ¿Coinciden algunos de los sufijos o prefijos de esas palabras con los que acabamos de estudiar? Además, el español también tiene muchas palabras de origen árabe. ¿Qué otras lenguas han dejado una huella importante en tu idioma?**

2 ¿Qué te hace feliz?

2.1. Lee las siguientes afirmaciones y comenta con tus compañeros si estás de acuerdo con ellas o no, o si las matizarías de alguna manera.

	Sí	No	Depende
1. Me hace feliz vivir el presente, sin hacer planes demasiado idealistas.	☐	☐	☐
2. Me frustra no poder cambiar ciertas cosas de mi personalidad.	☐	☐	☐
3. Me hace muy feliz mi trabajo.	☐	☐	☐
4. Me horroriza que los demás no me valoren lo suficiente.	☐	☐	☐
5. Me hace más feliz tener más tiempo y menos dinero.	☐	☐	☐
6. Disfruto más solo en mi casa con un buen libro que en una discoteca.	☐	☐	☐
7. Me realizo más en mi vida personal que en la profesional.	☐	☐	☐
8. Espero que la felicidad me llegue algún día, porque hasta ahora no la he disfrutado demasiado.	☐	☐	☐

2.2. [10] Y a la gente, ¿qué le hace feliz? Vamos a escuchar una entrevista realizada por el periódico *El País* a diferentes personas, donde se les preguntaba qué era para ellos la felicidad. Anota qué momento es el que destaca cada uno de ellos como especialmente feliz en su vida.

2.2.1. ¿Qué responderías tú si te hicieran esta entrevista? ¿Qué momento o momentos recuerdas como los más felices de tu vida?

2.2.2. 👥 👥 **Vuelve a escuchar la entrevista para seleccionar y clasificar los verbos o expresiones que llevan subjuntivo. Después, completa los apartados con otros verbos y expresiones que tú conozcas. Luego, compara con tu compañero y confeccionad una lista común.**

1.
> Expresar una reacción ante algo:
>
> Me alegré de que me viera,

2.
> Expresar voluntad, deseo, prohibición, mandato, consejo o ruego con intención de influir sobre los demás o sobre las situaciones:
>
> No pretendo que seas,

3.
> Expresar el punto de vista sobre algo mediante *Ser* + adjetivo + *que*:
>
> Era increíble pensar que estuviera allí,

2.2.3. 👥 👥 **¿Qué tienen en común todos estos verbos y expresiones? ¿Se puede decir *es extraño, qué raro* o *me alegro de*... de algo que no haya sucedido o que el hablante no dé por hecho que se conoce?**

> reaccionar • intención del hablante • subjuntivo • supuesta • informar

En todos estos casos, usamos el (1) _____ con verbos o expresiones con las que el hablante no quiere (2) _____, sino (3) _____ sobre una determinada información que él da por (4) _____ o que no la considera como un hecho realizable.

La función del modo subjuntivo en estos casos es señalar que la (5) _____ es reaccionar, sentir, dar su punto de vista, influir sobre los demás, etc., sobre una información que, o bien ha sido formulada explícitamente, o bien solo ha sido concebida mentalmente o que el hablante no considera como un hecho realizable.

2.3. 👥 👥 **Completa el cuadro de la correspondencia de tiempos entre indicativo y subjuntivo según esta información.**

En las oraciones subordinadas, el presente de subjuntivo tiene valor de presente o futuro con respecto al momento de la enunciación y el imperfecto de subjuntivo tiene valor de pasado cronológico con respecto al momento de la enunciación cuando el verbo o expresión que lo introduce está en pasado. Tiene un valor de presente o futuro cuando el hablante quiere expresar un suceso muy hipotético, más deseado que posible: *Quería que vinierais*. También adquiere valor de presente o futuro en oraciones donde la expresión que lo introduce aparece en condicional. En estos casos adquiere un valor hipotético o virtual: *Me gustaría que me dijeras la verdad, para variar.*

Verbo de la oración principal Modo indicativo / imperativo		Verbo de la oración subordinada Modo subjuntivo
1. Presente	➡	Presente / Pretérito perfecto
2. Pretérito perfecto (como presente terminado)	➡	Presente / Pretérito perfecto
3.	➡	
4.	➡	
5.	➡	
6.	➡	
7.	➡	
8.	➡	
9.	➡	
10.	➡	
11.	➡	

2.4. Después de leer las noticias del día sobre la actualidad mundial, reacciona expresando buenos deseos y maldiciones. Antes lee la información del cuadro.

Para expresar un deseo es muy frecuente el uso de los operadores *ojalá* (buenos deseos) y *así* (maldiciones). Cuando el hablante quiere presentar el deseo como realizable, utiliza el presente de subjuntivo o el pretérito perfecto de subjuntivo; si lo cree de difícil o imposible cumplimiento, recurre al imperfecto de subjuntivo, que adquiere así el valor de presente o futuro irreal. Para expresar deseos frustrados o incumplidos en el pasado, el hablante recurre al pretérito pluscuamperfecto de subjuntivo.

Ojalá reinara la paz en el mundo.

2.5. Uno de los puntos clave de la felicidad es la serenidad y, sin embargo, vivimos en una sociedad bastante enloquecida que, más que ayudarnos a estar tranquilos, nos genera mucho agobio. Estar agobiados implica que nuestro bienestar, nuestra felicidad, no acabe nunca de llegar. ¿Tenéis tendencia a agobiaros? Hazle este test a tu compañero, transformando las frases que te proponemos y después consulta los resultados.

¿Tienes tendencia a agobiarte?

	siempre	a veces	nunca
1. Enfadarse con los demás a la menor contrariedad.	☐	☐	☐
2. Indignarse cuando hay cambio de planes.	☐	☐	☐
3. Ser perfeccionista.	☐	☐	☐
4. Preocuparse por los demás.	☐	☐	☐
5. Tener dificultad en permanecer inactivo.	☐	☐	☐
6. Obsesionarse por detalles poco importantes.	☐	☐	☐
7. Sentirse permanentemente insatisfecho.	☐	☐	☐
8. Ser un maniático del orden.	☐	☐	☐
9. Ser muy exigente consigo mismo.	☐	☐	☐
10. No aceptar críticas.	☐	☐	☐
11. Culpabilizarse por todo.	☐	☐	☐
12. Arrepentirse de todo.	☐	☐	☐
13. Vivir a cuerpo de rey.	☐	☐	☐
14. Afrontar los problemas.	☐	☐	☐
15. Ponerse manos a la obra en cualquier momento.	☐	☐	☐
16. Ser hiperactivo.	☐	☐	☐
17. Ser muy exigente con los demás.	☐	☐	☐
18. Ser voluble.	☐	☐	☐

Respuestas: Suma los puntos de acuerdo con la siguiente valoración:
Siempre: 2
A veces: 1
Nunca: 0

2.5.1. Aquí tienes los resultados del test según la puntuación obtenida. Valora el resultado que ha obtenido tu compañero, tanto lo bueno como lo malo y dale las indicaciones que, según tu opinión, podrían ayudarle a superar sus problemas. Hay una condición: usar un buen número de expresiones como las que te proponemos a continuación:

prohibir que • aconsejar que • no puede ser que • alegrarse de que • ojalá • querer que • *ser* + adjetivo + *que* • es fácil / difícil que • pretender que • rogar que • insistir en que • sorprenderle a uno que • gustarle a uno que...

- **Entre 36 y 25 puntos:**
  Hiperexigente, a punto de estallar.
- **Entre 25 y 10 puntos:**
  Perfeccionista, con tensión excesiva.
- **Por debajo de 10 puntos:**
  Flemático/a, excesivamente tranquilo.

Al principio, miraba la sonrisa de los que me rodeaban; más tarde sentí que mi rostro también podía desprender una sonrisa y lo mejor... podía arrancar sonrisas a los demás. Creía que la felicidad era esa "chispa" que nos mantiene vivos a todos. Sin embargo, un día me abrazó el dolor como una llamarada eterna que se mantuvo dentro de mí, quizás para siempre. Entonces

5 todo parecía haberse dado la vuelta, no sabía cómo mirar ahora este nuevo universo que se abría para mí. ¿Cómo puede ser? No entendía que el dolor permaneciera para siempre y la felicidad apenas durara un instante..., pero sí, era indudable que la realidad era esa.

A partir de ese momento, me sentí condenado, absorto, triste, lastimoso. No podía hacer otra cosa que resignarme.

10 Una noche, una estrella fugaz atravesó el cielo de la terraza de la casa de mi humilde infancia. La estrella rajó el cielo oscuro en dos, y dejó una estela tan brillante que jamás pude olvidarla. Sonreí, me emocioné. Pensaba que ese espectáculo maravilloso era un regalo del mismo Dios para mí solo. Y me dije que Él sabía lo mucho que necesitaba ese instante en las desoladas noches de mi alma.

15 Tal vez esta pequeña representación de la naturaleza sirvió para que pudiera considerar lo que sentía y mi visión sobre el mundo.

Considero que el dolor llega, penetra en la piel y ya nunca, pero nunca más, se aleja de nosotros; vive con nosotros, sufre con nosotros, teme con nosotros y, sobre todo, envejece con nosotros.

En cambio, no está claro que esto pase con la felicidad. Uno nota que llega, comparte nues-
20 tro espacio por una leve fracción de segundo y, luego, se disipa en el aire para el resto de la eternidad.

Es obvio que el recuerdo de ese instante regresa a nosotros infinidad de veces, repetidas veces, incalculables veces, a lo largo de toda nuestra vida. Pero siempre regresa igual, joven y fuerte, cándido y fresco, inocente y glorioso. En cambio, el dolor siempre se muere dentro de
25 nosotros. Es como si nuestra vida fuera un "cementerio de dolores", pero al mismo tiempo es un "jardín de pequeños brotes de felicidad".

Y, en realidad, así he vivido mi vida. Confieso que dejé de creer que algún día alguien traería la felicidad a mi vida atada como si fuera un haz de globos de colores, para sentir que nosotros, todos, éramos actores de una gran "comedia celestial" en la cual el guion siempre nos
30 marca los pasos, y nos encarrila indefectiblemente hacia el sufrimiento, pero que, cuando menos lo pensamos, nos damos cuenta de que una brisa fresca nos moja las orejas y nos despabila de nuestra realidad. Se convierte en esa felicidad tan buscada. Nunca he creído que la felicidad se pueda programar o prever, no soy tan ingenuo. Lo cierto es que la felicidad que se busca jamás se encuentra. La felicidad llega por asalto en los momentos menos pensados, sor-
35 presiva y traicionera, pero llega, llega siempre. Y así como llega, se va.

Adaptado de Amigoamor2005, http://www.1amor.com.ar/portalliterario/pvernota.php3?nnota=3669

	Lo que dice el texto	Lo que pienso yo
¿Puedo yo mismo ser una fuente de felicidad para los demás?		
¿Alguna vez nos abandona el dolor?		
¿Es la felicidad tan efímera como parece?		
¿Puede uno empeñarse en ser feliz y conseguirlo?		

2.6.1. [icons] Compara tus respuestas con las de tus compañeros. ¿Coincidís en las opiniones? ¿Estáis de acuerdo con el autor del texto?

2.6.2. [icons] Vuelve al texto y clasifica las expresiones verbales que están destacadas en el siguiente cuadro.

Verbos o expresiones que indican:
1. Actividad mental: acordarse de, adivinar, [(1)_____], [(2)_____], [(3)_____], [(4)_____], imaginar, juzgar, recordar, soñar...
2. Comunicación: alegar, comentar, [(5)_____], contar, contestar, declarar, explicar, [(6)_____], manifestar, relatar...
3. Percepción: [(7)_____], [(8)_____], descubrir, oír, ver, comprobar, [(9)_____] ...
4. Certeza: ser [(10)_____], claro, evidente, [(11)_____], manifiesto, [(12)_____], seguro, verdad que; estar visto, [(13)_____], seguro que...

2.6.3. [icons] Observa, ahora, estas dos frases y tacha lo que no corresponda. ¿Crees que cambia en algo el tipo de información si transformamos las frases a negativa y afirmativa, respectivamente?

✓ **Creía que la felicidad era esa "chispa" que nos mantiene vivos a todos.**
La frase principal es ☐ afirmativa / ☐ negativa. La frase subordinada va en modo ☐ indicativo / ☐ subjuntivo. El hablante ☐ comunica una información nueva / ☐ expresa un punto de vista sobre una información supuesta.
No creía que la felicidad fuera la chispa de la vida.
☐ Cambia el tipo de información / ☐ no cambia el tipo de información porque ....
....

✓ **Nunca he creído que la felicidad se pueda programar.**
La frase principal es ☐ afirmativa / ☐ negativa. La frase subordinada va en modo ☐ indicativo / ☐ subjuntivo. El hablante ☐ comunica una información nueva / ☐ expresa un punto de vista sobre una información supuesta.
Siempre he creído que la felicidad se puede programar.
☐ Cambia el tipo de información / ☐ no cambia el tipo de información porque ....
....

2.6.4. [icons] Todos los verbos y expresiones que has visto en 2.6.2. tienen el mismo comportamiento que el verbo *creer*. Con las conclusiones a las que has llegado en el ejercicio anterior, completa el siguiente cuadro.

Los verbos o expresiones que indican actividad mental, comunicación, percepción o certeza se construyen con [(1)_____] si son afirmativos, y con [(2)_____] si van en forma negativa. Son verbos o expresiones que, en forma afirmativa, aportan lo que el hablante considera una información [(3)_____] mientras que dicha información se supone conocida de alguna manera por el interlocutor cuando van en forma [(4)_____]. En este último caso, el hablante está dando su [(5)_____] sobre dicha información supuesta.

Cuando estos verbos o expresiones van en imperativo negativo o tienen la forma de una interrogativa negativa directa o indirecta, la oración subordinada va en indicativo.
– *No creas que la felicidad se puede programar.* ➜ **El hablante quiere manifestar la certeza de que la felicidad no puede programarse y por eso utiliza el modo que va ligado a la verdad, el indicativo: "No creas eso, porque lo cierto es lo contrario".**

CONTINÚA ····∴··

> – **¿No crees que la felicidad no se puede programar?** ➜ **Se trata de preguntas que cuando son afirmativas implican negación y cuando son negativas, afirmación. El hablante está informando de su opinión: "Yo creo que la felicidad no se puede programar". Mediante la pregunta el hablante busca la complicidad de su interlocutor.**
>
> – **No recuerda dónde lo conoció.** ➜ **En las interrogativas negativas indirectas el hablante no pone en duda la veracidad que transmite la información de la oración subordinada. "Es cierto que lo conoció aunque no recuerda dónde".**

2.7. **Lee este artículo aparecido en *BBCMUNDO.com*. y después expón cuál es tu opinión sobre el mismo, justificándola.**

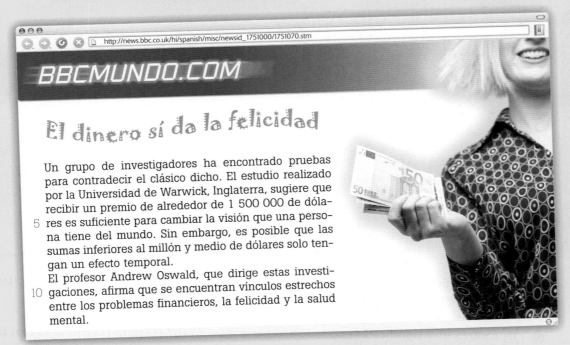

BBCMUNDO.COM

http://news.bbc.co.uk/hi/spanish/misc/newsid_1751000/1751070.stm

El dinero sí da la felicidad

Un grupo de investigadores ha encontrado pruebas para contradecir el clásico dicho. El estudio realizado por la Universidad de Warwick, Inglaterra, sugiere que recibir un premio de alrededor de 1 500 000 de dóla-
5 res es suficiente para cambiar la visión que una persona tiene del mundo. Sin embargo, es posible que las sumas inferiores al millón y medio de dólares solo tengan un efecto temporal.
El profesor Andrew Oswald, que dirige estas investi-
10 gaciones, afirma que se encuentran vínculos estrechos entre los problemas financieros, la felicidad y la salud mental.

Séneca, un cordobés en Roma **3**

3.1. **¿Has oído hablar del estoicismo? Busca en el diccionario qué significa "estoico" y, según la definición, elige de entre las palabras que te damos, las que pueden asociarse a esta corriente de pensamiento.**

- ☐ impulsivo
- ☐ fuerte
- ☐ naturaleza
- ☐ impaciente
- ☐ derrochador

- ☐ dominio
- ☐ presente
- ☐ ecuanimidad
- ☐ violencia
- ☐ virtud

- ☒ razón
- ☐ fragilidad
- ☐ paciencia
- ☐ generosidad
- ☐ irracional

- ☐ adaptarse
- ☐ dulzura
- ☐ frugalidad

- ☐ otras: ....

3.1.1. 🔲 📖 **Es célebre la primera definición de felicidad que da Séneca en su libro _Sobre la felicidad_.**

"La vida feliz es la que está conforme a su naturaleza; lo cual no puede suceder más que si, primero, el alma está sana y en constante posesión de su salud; en segundo lugar, si es enérgica, magnánima y paciente, adaptable a las circunstancias, cuidadosa, sin angustia de su cuerpo y de lo que le pertenece, atenta a las demás cosas que sirven para la vida, sin admirarse de ninguna; si usa de los dones de la fortuna, sin ser esclava de ellos... De ello nace una constante tranquilidad y libertad..., pues en lugar de los placeres y de esos goces mezquinos y frágiles, dañinos aún en el mismo desorden, nos viene una gran alegría inquebrantable y constante, y, al mismo tiempo, la paz y la armonía del alma, y la magnanimidad con la dulzura; pues toda ferocidad procede de debilidad".

Lucio Anneo Séneca, filósofo y escritor hispanorromano nacido en Córdoba en el año 4 a. C., es el máximo representante del llamado "estoicismo nuevo". Calígula le introdujo en la corte romana donde alcanzó el cargo de cuestor, al tiempo que ejercía de forense. Más tarde, la emperatriz Agripina le adjudicó la educación de Nerón. Séneca se convertirá en uno de los personajes más influyentes de la corte de Nerón cuando éste alcance el poder, dirigiendo la política estatal en compañía de Burro. Pero cuando Nerón dio muestras de su crueldad, Séneca huyó para retirarse a una vida relajada. Implicado en una revuelta contra Nerón, recibió la orden de suicidarse, orden que Séneca ejecutó siguiendo los dictados del estoicismo y neopitagorismo, sus doctrinas filosóficas. 5

10

Séneca aportó una visión personal a la doctrina estoica tradicional: su pensamiento está influido por epicúreos, cínicos, platónicos y escépticos; por lo tanto, sería más exacto situarlo en un contexto ecléctico. La naturaleza le interesa desde el aspecto ético-religioso. A través de la filosofía se alcanza la tranquilidad de conciencia e independencia interior que el ser humano necesita. Reconoce la igualdad de todos los hombres, exalta la vida sencilla y rechaza la riqueza. 15

Adaptado de http://www.artehistoria.com/historia/personajes/4541.htm

3.1.2. 🔲 📖 **La definición que da Séneca sobre la felicidad, ¿recoge, en gran medida, las ideas que habías asociado a esta filosofía?**

3.2. 🔲 🔤 **¿Sabes qué significa la expresión latina _carpe diem_? ¿Estaría relacionada con la filosofía estoica? En español usamos bastantes palabras y expresiones latinas que forman parte de la lengua cotidiana y puedes escucharlas en boca de cualquier hispanohablante. ¿Qué expresiones latinas conoces? Relaciona las que aparecen a continuación con su significado. Ayúdate del contexto que proporciona la frase.**

☐ **1.** Ipso facto	☐ **5.** Sine qua non	☐ **9.** In fraganti
☐ **2.** Grosso modo	☐ **6.** In extremis	☐ **10.** Inter nos
☐ **3.** In situ	☐ **7.** In albis	☐ **11.** Vox populi
☐ **4.** Rara avis	☐ **8.** Ad hoc	

a. Para viajar a Marruecos es _indispensable_ llevar el pasaporte, si no, no puedes entrar al país. ...... ☐

b. Lo que te he contado es bastante confidencial, te pido que quede _entre nosotros_. .... ☐

c. El discurso del presidente fue, _más o menos_, el mismo que dio el mes pasado, pero con algunos cambios. .... ☐

d. Una chica como Laura, casada y con dos hijos a los 20 años, _es difícil de encontrar_ hoy en nuestro país. .... ☐

e. Cogimos el tren _en el último momento_, casi lo perdemos. .... ☐

f. _Me he quedado en blanco_ en el examen de matemáticas, no recordaba nada. .... ☐

g. Necesito este trabajo _inmediatamente_, no puedo esperar ni un minuto más. .... ☐

CONTINÚA ····⋮⋮····

h. Han comprado los cuadros *expresamente* para que combinen con el color del sofá. .... ☐

i. La periodista entrevistó, e*n el sitio mismo de los hechos*, a dos jóvenes manifestantes. .... ☐

j. En la empresa *todo el mundo sabe* que Luisa y Alberto son amantes. .... ☐

k. Esta noche he pillado a mis hijos *justo cuando estaban* abriendo la nevera para
comerse la tarta del cumpleaños de mañana. .... ☐

3.2.1. ¿Alguna de las expresiones anteriores se utiliza también en tu lengua? ¿Es frecuente su uso o propio de la lengua culta?

3.3. **En el mismo texto, Séneca afirma también que:**

"Todos los hombres quieren ser felices; pero al ir a descubrir lo que hace feliz la vida, van a tientas; y no es fácil conseguir la felicidad en la vida, ya que se aleja uno tanto más de ella, cuanto más afanosamente la busque, si ha errado el camino... Hay que determinar, pues, primero lo que apetecemos; luego, se ha de considerar por dónde podemos avanzar hacia ello más rápidamente... Hay que decidir, pues, adónde nos dirigimos y por dónde..."

3.3.1. **Elige el resumen que te parezca que se ajusta más al texto que has leído.**

☐ **Resumen 1:** Da igual acertar en el camino que elijamos ya que no es fácil conseguir la felicidad en la vida. Lo mejor es decidir rápidamente adónde nos dirigimos, sin pensar demasiado si nos estamos equivocando.

☐ **Resumen 2:** Es importante acertar en el camino que elijamos. La vida es algo limitado, breve, nuestros días están contados; es importante buscar un fin y acertar.

☐ **Resumen 3:** Aunque no es fácil conseguir la felicidad en la vida, lo más frecuente es acertar si vamos a tientas. Lo mejor, sin embargo, es saber de antemano qué queremos en la vida.

3.4. **Como has visto, para Séneca la felicidad es un sentimiento inherente al ser humano pues para alcanzarla es imprescindible el uso del raciocinio, rasgo que nos distingue del resto de los seres vivos. ¿Estás de acuerdo con esta afirmación de que solo las personas tienen la capacidad de sentir felicidad?**

3.4.1. **No todos los autores tienen la misma visión optimista sobre el ser humano. Lee el siguiente poema de Rubén Darío y escribe cuál es la idea principal del mismo.**

Lo fatal

Dichoso el árbol que es apenas sensitivo,
y más la piedra dura porque esa ya no siente,
pues no hay dolor más grande que el dolor de ser vivo,
ni mayor pesadumbre que la vida consciente.

Ser, y no saber nada, y ser sin rumbo cierto,
y el temor de haber sido y un futuro terror...
Y el espanto seguro de estar mañana muerto,
y sufrir por la vida y por la sombra y por

lo que no conocemos y apenas sospechamos,
y la carne que tienta con sus frescos racimos,
y la tumba que aguarda con sus fúnebres ramos,
y no saber adónde vamos,
ni de dónde venimos...

Lo que dice el poema es que... _____

Félix Rubén García Sarmiento –su nombre verdadero– nació en la localidad nicaragüense de Metapa, el 18 de enero de 1867. Considerado como el creador y principal defensor del modernismo, Rubén Darío, por su genio poético, la originalidad de sus rimas inspiradas en un mundo exótico y luminoso, y su viva imaginación, infundió una nueva vida a las formas tradicionales de la poesía en lengua castellana.

De entre sus obras destacan: *Azul* (1888), *Prosas profanas y otros poemas* (1896), que contenía la esencia de la nueva corriente literaria y que le proporcionó una notable popularidad y *Cantos de vida y esperanza* (1905), posiblemente el mayor logro poético de Darío. La obra presenta un maduro equilibrio entre vitalidad y melancolía y refleja las crecientes preocupaciones sociales y políticas del autor, centradas sobre todo en el futuro de la América hispánica. Al margen de su labor poética, Darío escribió numerosos cuentos, relatos breves, artículos periodísticos y críticas literarias. Rubén Darío murió en León, Nicaragua, el 6 de febrero de 1916, dejando tras sí algunas de las más hermosas imágenes creadas en la lengua castellana.

Adaptado de http://icarito.latercera.cl/enc_virtual/archivo/web/seman20/personaj.html

3.4.2. **Compara lo que significa el poema para ti con lo que ha escrito tu compañero para ver si coincidís. Si no es así, apóyate en sus versos para defender tu postura.**

> Yo creo que el poema se puede resumir en una sola palabra: "angustia". Cuando habla del terror lo hace literalmente, ese terror que se siente a veces a la incertidumbre de vivir, y esto, a mí, me da la sensación de una angustia sin límites...

3.5. **Como has visto, las posturas de Séneca y Rubén Darío son muy diferentes con respecto al tema de la felicidad. ¿Con cuál de ellas te identificas más? ¿Por qué?**

3.5.1. **Reorganizaos de nuevo, agrupando a los que pensáis de la misma manera y, según el modo de pensamiento elegido, elaborad un decálogo con recomendaciones para ser feliz.**

El decálogo de la felicidad

1. No te opongas a lo que el destino te haya deparado. Aceptar tu vida tal y como venga es el primer paso para lograr la felicida
2.
3.
4.
5.
6.
7.
8.
9.
10.

4 ¿El dinero da la felicidad?

4.1. **El dinero, la fama y el éxito profesional son factores que, en principio, proporcionan felicidad y bienestar a la gente. Sin embargo, existen personas que han renunciado a todo esto precisamente para ser felices. Escucha estos testimonios reales y rellena el cuestionario.**

[11]

Trabajo anterior	Ocupación presente	Dificultades	Estado emocional actual

4.1.1. 🔲🗨️(BLA) **¿Serías capaz de renunciar a tu vida actual y cambiarla radicalmente como han hecho estas personas?**

4.1.2. 👥 👥 **Fíjate en las frases extraídas de la audición anterior y compáralas con las que te proponemos. Señala los cambios formales y de significado que hay entre ellas y después, sustituye el verbo principal por otro de manera que se mantenga el significado de la frase.**

- *Sentimos que era el momento de cambiar de vida*
  •••••••••••••••••••••• (Sentimos mucho que fuera el momento de marcharse)

- *Comprendo que José esté completamente feliz*
  •••••••••••••••••••••••••••••• (Comprendí que estaba equivocada)

- *Decidí que nos viniéramos a vivir aquí*
  •••••••••••••••••••••••••••• (Decidí que esto era lo mejor)

- *Me decían que hiciera cosas que no me gustaban*
  •••••••••••••••••••••••• (Me decían que tenían ganas de jubilarse)

4.1.3. 👥 👥 **Teniendo en cuenta las conclusiones a las que has llegado en el ejercicio anterior, completa el siguiente cuadro. Luego, coloca las frases en el lugar correspondiente.**

Algunos verbos pueden presentar dos significados diferentes según se construyan con indicativo o subjuntivo.

1.a. Acordar, decidir + | subjuntivo | : *"resolver de común acuerdo"*
1.b. Acordar, decidir + | | : *"pensar de común acuerdo"*
2.a. Comprender, entender + | | : *"Darse cuenta, percibir"*
2.b. Comprender, entender + | | : *"Enjuiciar algo como lógico"*
3.a. Sentir + | | : *"Lamentarse, expresar tristeza o condolencia"*
3.b. Sentir + | | : *"Darse cuenta, percibir"*
4.a. Decir (y otros verbos de comunicación) + | | : *"Pedir, mandar, ordenar"*
4.b. Decir (y otros verbos de comunicación) + | | : *"Comunicar"*
5.a. Pensar + | | : *"Opinar"*
5.b. Pensar + | | : *"Disponer"*
6.a. Temerse + | | : *"Sospechar algo malo o desagradable"*
6.b. Temer + | | : *"Tener miedo"*
7.a. ¿Parecerle a alguien que + | | ?: *"Proponer algo a alguien"*
7.b. Parecer + expresión de juicio de valor + | | : *"Valorar un hecho o persona"*
7.c. Parecer + | | : *"Dar la impresión"*
7.d. Parecer + expresión de certeza + | | : *"Expresar la certeza sobre un hecho"*

1. Acordaron que se fuera unos días de vacaciones para descansar. .... | 1.a |
2. Temo que los niños se pongan enfermos en este pueblo perdido, sin médico, ni hospitales, ni nada. ... | |
3. Parece que va a llover por lo negro que está el cielo. .... | |
4. Calla, calla, siento que viene alguien. .... | |
5. Me parece increíble que todavía insista en que salgas con él. .... | |
6. No sabes cuánto siento que se haya ido, ¡nos llevábamos tan bien! .... | |
7. Decidí que era lo mejor que podía hacer. .... | |
8. Nos indicó mediante un gesto que nos calláramos. .... | |
9. Parece cierto que se van a repetir las elecciones. .... | |
10. Entiendo perfectamente que quiera irse, lo han tratado de pena. .... | |
11. Pensé que los niños se fueran con la abuela de vacaciones. Así, yo estaría más libre. .... | |
12. Ha comprendido por fin que yo tenía razón. .... | |
13. ¿Te parece que salgamos un rato y tomemos un café? .... | |
14. Nos indicó que ya había llegado y estaba a nuestra disposición. .... | |
15. Se temían que habían suspendido el vuelo a causa de las tormentas. .... | |
16. Pensaba que las cosas irían mejor a medida que transcurriera el tiempo. ... | |

4.2. ¿Has tomado alguna vez alguna decisión tan radical como la de las personas de la audición? Cuenta cómo fue el proceso: de qué te diste cuenta, qué sentiste, qué decisiones tomaste... Puedes hablar de tu propia experiencia o de la de alguien cercano que conozcas.

4.2.1. *¿Vivir para trabajar o trabajar para vivir?* Si te aumentan el sueldo, ¿aumenta tu felicidad? ¿Qué prefieres, ganar menos y tener más tiempo para ti, o, lo contrario, trabajar más y tener más dinero? Lee la opinión que da un colombiano que reflexiona en Internet, en la página *Colombia Analítica*, sobre el tema que nos ocupa.

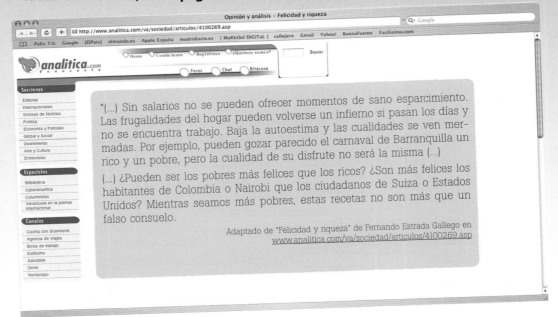

"(...) Sin salarios no se pueden ofrecer momentos de sano esparcimiento. Las frugalidades del hogar pueden volverse un infierno si pasan los días y no se encuentra trabajo. Baja la autoestima y las cualidades se ven mermadas. Por ejemplo, pueden gozar parecido el carnaval de Barranquilla un rico y un pobre, pero la cualidad de su disfrute no será la misma (...)

(...) ¿Pueden ser los pobres más felices que los ricos? ¿Son más felices los habitantes de Colombia o Nairobi que los ciudadanos de Suiza o Estados Unidos? Mientras seamos más pobres, estas recetas no son más que un falso consuelo.

Adaptado de "Felicidad y riqueza" de Fernando Estrada Gallego en
www.analitica.com/va/sociedad/articulos/4100269.asp

5 No estamos discutiendo, solo hablamos

5.1. Fíjate en estas personas de la foto, ¿qué están haciendo?

5.1.1. Define con tus propias palabras qué es un "comprador compulsivo". ¿Se trata para ti de una enfermedad? ¿Qué razones crees que impulsan a una persona a comprar compulsivamente? ¿Qué se puede hacer ante este problema? ¿Tienen las instituciones alguna responsabilidad en el tema? ¿Deben intervenir en el mismo de alguna manera?

5.1.2. 👤 📝 **Lee el siguiente texto sobre el problema de las compras compulsivas y toma notas.**

> **Según un trabajo de la UE, promovido por la Junta de Comunidades de Castilla-La Mancha, los jóvenes europeos son más adictos a las compras compulsivas que los adultos. Hasta un 8 por ciento de los jóvenes europeos puede tener una adicción al consumo considerada como patológica.**

El Estudio Europeo sobre la Adicción al Consumo y el Sobreendeudamiento forma par-
5 te de un programa de preven-
ción y tratamiento de estos pro-
blemas, coordinado por la Comisión Europea a través del Instituto Europeo Interregional de Consumo, que ha sido impulsado desde España por la Junta de
10 Comunidades de Castilla-La Mancha, y en el que han participado otras regiones de la UE: Toscana y Lombardía, de Italia, y Escocia, de Gran Bretaña. Los investigadores han analizado 1354 cuestionarios: 575 de adultos (con una edad media de 36 años) y
15 779 de jóvenes (con una edad media de 16 años); el 53 por ciento, mujeres, y el 47 por ciento, hombres.

Grandes diferencias
A grandes rasgos, los resultados del estudio han revelado que la proporción de jóvenes adictos al
20 consumo es mucho mayor que la de adultos (un 46 por ciento, frente a un 33 por ciento). También que las mujeres son más adictas que los hombres a estímulos de consumo, es decir, atracción por las tien-
das, ver escaparates, acompañar a otras personas a
25 comprar, etc. Según el estudio, las mujeres en gene-
ral utilizan más la compra para afrontar situaciones de tristeza, abatimiento o depresión.

Causas de la adicción
Entre las principales causas de la adicción al con-
30 sumo están la preexistencia de unos rasgos psicoló-
gicos específicos que combinan el ser caprichosos con la impulsividad, la labilidad y un alto grado de ansiedad en relación con la compra. También destaca la insatisfacción personal, la sensación de
35 tedio o aburrimiento y la falta de alicientes no con-
sumistas, más frecuentes en los jóvenes. Los adictos aceptan más los valores consumistas y son más vul-
nerables psicológicamente a los mensajes que rela-
cionan el consumo con la felicidad, el éxito social
40 y el prestigio personal.

Recomendaciones
Los responsables del estudio recomiendan que se tome conciencia de la importancia de los problemas derivados de la adicción al consumo, debido a
45 su pronóstico de crecimiento en los próximos años por su alta incidencia en los jóvenes. Proponen la realización de campañas de sensibilización y prevención; intensificar la educación de los niños como consumidores responsables y autocontrola-
50 dos; fomentar las actividades de ocio no consumis-
ta; limitar la publicidad y ofertas comerciales que estimulen la compra a crédito "que enmascaran los auténticos efectos económicos para el consumidor", y la posibilidad de autolimitar previamente la
55 compra a crédito. En los casos más graves, el estu-
dio aconseja una limitación voluntaria (como en el caso de la adicción al juego) o forzosa a través de la justicia. También recomiendan el asesoramiento y la ayuda psicológica, con la creación de grupos
60 de autoayuda y la figura del tutor voluntario.

Cuestionario virtual
La Junta de Comunidades de Castilla-La Mancha ha habilitado una dirección de Internet que proporciona de forma gratuita información sobre el programa de
65 prevención y tratamiento de problemas relacionados con la adicción al consumo, hábitos personales de compra y sobreendeudamiento. Cualquier ciudadano de la UE puede rellenarlo y remitirlo a través de dicha página para recibir de forma reservada y directa un
70 informe individualizado. También pueden ser orienta-
dos o plantear dudas y sugerencias en relación con este problema. El programa incluye la elaboración de un Manual de Información y Autoayuda sobre la Adicción al
75 Consumo y una serie de unida-
des didácticas sobre Auto-
control y Responsabilidad en la Compra y en el Gasto para formar a jóvenes como consu-
80 midores responsables y auto-
controlados.

Adaptado de http://www.diariomedico.com/entorno/ent060600contris.html

5.1.3. 👥 💬 **Teniendo en cuenta las notas que has tomado, compara tus respuestas de 5.1.1. con la información del texto y con las ideas de tu compañero. ¿Coincidís? ¿Cómo solu-cionaríais vosotros este problema?**

5.2. 👤 🎧 [12] **Un grupo de españoles ha hablado sobre el mismo tema y esta es la grabación de la conversación. Resume la opinión de los interlocutores.**

Interlocutor 1: ....

Interlocutor 2: ....

Interlocutor 3: ....

Interlocutor 4: ....

5.2.1. 👥 🌀 **Vuelve a escuchar la conversación, pero, ahora, fíjate en cómo discuten y califica con** ➕ **,** ➖ **o** ⚌ **los rasgos que, en tu opinión, caracterizan la discusión, comparándola con la que has mantenido tú con tus compañeros.**

Rasgos*	Los españoles	Nosotros
Grado de igualdad entre los interlocutores (familiaridad, jerarquización, etc.).	☐	☐
Preocupación por el conflicto y la armonía.	☐	☐
Tendencia a evitar alusiones personales.	☐	☐
Silencios entre turnos.	☐	☐
Uso de continuadores (gestos y palabras que emite el receptor mientras escucha).	☐	☐
Solapamientos y superposiciones (interferencias en el turno de palabra de los otros, hablar al mismo tiempo que otro u otros).	☐	☐
Énfasis en el habla (volumen y tempo del discurso).	☐	☐

* Adaptado de Dora Sales en "Interacción comunicativa intercultural con inmigrantes de la cultura china".

5.2.2. 👥 🌀 **¿Qué continuadores puedes extraer de la conversación anterior? ¿Cuáles de ellos te parece que exigen el cambio de turno? ¿Cómo calificarías las interferencias en el turno de palabra? ¿Crees que cuando se habla al mismo tiempo la gente se entiende? ¿El tono alto de la conversación expresa enfado? ¿Qué entiendes por "efecto eco"?**

5.2.3. 👤 📖 **Lee el siguiente texto para verificar tus opiniones anteriores.**

En España, los hablantes adoptan en la conversación un modelo comunicativo próximo y simétrico: se suceden los turnos sin interrupción, hay solapamientos, son frecuentes los continuadores, se gesticula enfáticamente con las dos manos, se habla en un tono alto y con un tempo rápido, el rostro es expresivo y las miradas son directas. El español se caracteriza por ser un receptor participativo: da señales de atención continuada *(hm, mm,*
5 *sí, sí, ya, ajá...)* y completa las oraciones del interlocutor, finalizando el enunciado iniciado por el hablante y sigue hablando como si no hubiera habido interrupción. Estas intervenciones tienen la función de ratificar al emisor.

A través de los continuadores, el oyente estimula al hablante a ampliar su intervención y a continuar en posesión del turno. Sin embargo, cuando se hace de una manera enfática y reiterativa, produce la sensación de que acota la duración del turno del hablante. Otra estrategia de los hablantes españoles que incide negativamente
10 en la fluidez de sus interlocutores es *el efecto eco* y la formulación reiterada de una misma pregunta.

Como es propio de culturas que siguen un modelo comunicativo próximo, el paralenguaje es enfático. Destaca en la cultura española la presencia frecuente de la risa, especialmente en las conversaciones coloquiales. La presencia de sonrisas en los actos comunicativos debe ser interpretada más allá de un mero gesto de simpatía. La risa puede confirmar el lenguaje verbal, realzarlo, debilitarlo, contradecirlo, camuflarlo, ocultarlo o reem-
15 plazarlo. Así pues, la risa no significa siempre que existe una buena sintonía comunicativa. Especialmente frecuente en los encuentros interculturales es la llamada *risa de extranjero*. Este tipo de risa aparece en el rostro de los interlocutores cuando existen dificultades lingüísticas y/o culturales.

Adaptado de http://www.crit.uji.es/htdocs/who/RobertoOrti/3.htm#3.0.

Unidad 4
La publicidad

Ven a descubrir el espíritu de
Don Quijote. Un espíritu que vas a
encontrar en cada kilómetro de los
80.000 que tienes en Castilla-La
Mancha. Y para que te organices bien,
te lo hemos organizado nosotros: la ruta
de Don Quijote. Quieres hacer rafting,
pues rafting. Quieres relax en un
balneario, pues relax en un balneario.
Quieres arqueología, pues arqueología.
Quieres bicicleta, pues bicicleta.
Elige la ruta que más te apetece porque
aquí eres libre de ser tú mismo.
Ese es el espíritu de Don Quijote:
la libertad, el sentido del humor,
el respeto, la amabilidad, las ganas
de pasarlo bien y un punto de locura.
Toma la ruta que más te apetezca,
que para eso tenemos 10. Montañas
y llanuras, buenos restaurantes
y pequeños hoteles, galerías de arte
y catedrales, cañones y balnearios.
Te sorprenderá, entre otras cosas porque
ni te imaginabas que estábamos aquí.
También en:
www.donquijotedelamancha2005.com

**Castilla-La Mancha:
Vive el espíritu de
Don Quijote en sus rutas.**

Anuncio promocional de la comunidad autónoma de Castilla-La Mancha

Contenidos funcionales
- Influir sobre los demás, persuadir
- Dar órdenes al interlocutor o a un grupo
- Repetir una orden
- La orden formal
- Conceder permiso de manera cortés
- Dar consejos e instrucciones
- Advertir
- Pedir
- Pedir algo con carácter de urgencia

Contenidos gramaticales
- El imperativo
- *A* + infinitivo/sustantivo
- *Que* + subjuntivo
- *Te tengo dicho que* + presente de subjuntivo
- *No se te ocurra/no vayas a* + infinitivo
- Pronombres personales objeto
- Leísmo, laísmo y loísmo

Contenidos léxicos
- Léxico relacionado con la publicidad
- Léxico relacionado con el comercio
- El lenguaje publicitario
- Elaboración de un borrador para un texto escrito

Contenidos culturales
- El Pop-Art en España
- El Equipo Crónica
- España en la década de los sesenta

1 De marca

1.1. 🎭 🆎 **¿Qué soportes publicitarios conoces? Haz una lista, describiendo en pocas palabras en qué consiste cada uno de ellos. Luego, pon en común tu trabajo con el resto de la clase para llegar a una lista común.**

1.2. 👥 📝 **¿Crees que eres vulnerable a la publicidad? ¿Te compras todo lo que ves anunciado? ¿Crees que los productos conocidos son de mejor calidad que los desconocidos?**

1.3. 👤 🆎 **Los siguientes términos son propios de la publicidad o se suelen utilizar en relación con ella. Clasifícalos en positivos y negativos, según tu opinión. Después, relaciona cada definición con su término correspondiente y, una vez conocido el significado de estas palabras, rectifica la clasificación que has hecho, si es necesario. Añade a la lista otras palabras que conozcas relacionadas con la publicidad.**

1. influenciar	👍 👎	9. propaganda	👍 👎
2. marca	👍 👎	10. manipular	👍 👎
3. creativo	👍 👎	11. publicidad	👍 👎
4. subliminal	👍 👎	12. anunciante	👍 👎
5. atraer	👍 👎	13. creatividad	👍 👎
6. promocionar	👍 👎	14. consumidor potencial	👍 👎
7. sexista	👍 👎	15. consumista	👍 👎
8. campaña	👍 👎		

☐ **a.** Aplicado a las percepciones sensoriales que se reciben sin que el individuo tenga conciencia de ellas.

☐ **b.** Acción o efecto de dar a conocer algo con el fin de atraer adeptos o compradores.

☐ **c.** Divulgación de noticias o anuncios de carácter comercial para atraer a posibles compradores, espectadores, usuarios, etc.

☐ **d.** Preparar las condiciones adecuadas para dar a conocer un producto o para aumentar sus ventas.

☐ **e.** Actividad en que hay lucha o esfuerzo, a favor o en contra de una cosa.

☐ **f.** El que da publicidad a algo con fines comerciales.

☐ **g.** El que puede convertirse en comprador de un producto.

☐ **h.** Distintivo o nombre que un fabricante da a un producto para diferenciarlo de otros similares.

☐ **i.** Capacidad para realizar obras artísticas u otras cosas que requieren imaginación.

☐ **j.** Profesional encargado de idear campañas publicitarias.

☐ **k.** Que discrimina a las personas de un sexo por considerarlo inferior al otro.

☐ **l.** Influir en alguien para hacerle pensar o actuar de una forma concreta.

☐ **m.** Actuar conscientemente sobre alguien para que se comporte de cierta manera.

☐ **n.** El que tiende al consumo indiscriminado de bienes no completamente necesarios, por razones de moda, prestigio social, etc.

☐ **ñ.** Dicho de una persona o cosa, ganar la voluntad, afecto, gusto o atención de otra.

1.3.1. 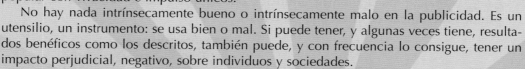 **Discute con tus compañeros sobre las ventajas e inconvenientes de la publicidad. Puedes ayudarte del léxico anterior para argumentar tus opiniones.**

1.3.2. **Ahora lee el siguiente texto y di si tus conclusiones anteriores coinciden con la opinión de los expertos.**

A la publicidad se dedican enormes recursos humanos y materiales. La publicidad se encuentra por doquier en el mundo de hoy. Incluso las personas que no están expuestas a la diversas formas de publicidad se enfrentan con una sociedad, con una cultura y con otras personas afectadas para bien o para mal por los men-
5 sajes y técnicas publicitarios de todo tipo.

La publicidad informa a las personas sobre la disponibilidad de nuevos productos y servicios razonablemente deseables, ayudando a estas mismas personas a mantenerse informadas, a tomar decisiones prudentes en cuanto consumidores, contribuyendo al rendimiento y descenso de los precios, y
10 estimulando el progreso económico a través de la expansión de los negocios y del comercio. Todo esto puede contribuir a la creación de nuevo trabajo, a mayores ingresos y a una forma de vida humana más adecuada para todos. También puede contribuir a sufragar las publicaciones y programas que proporcionan información, entretenimiento e inspiración a
15 las personas de todo el mundo. Por otra parte, la misma publicidad puede contribuir a la mejora de la sociedad a través de una acción edificante o inspiradora que anime a actuar de modo beneficioso por ella y los demás. La publicidad puede alegrar la vida simplemente siendo ingeniosa, divertida y teniendo buen gusto. Algunos anuncios son obras maestras de arte
20 popular con vivacidad e impulso únicos.

No hay nada intrínsecamente bueno o intrínsecamente malo en la publicidad. Es un utensilio, un instrumento: se usa bien o mal. Si puede tener, y algunas veces tiene, resultados benéficos como los descritos, también puede, y con frecuencia lo consigue, tener un impacto perjudicial, negativo, sobre individuos y sociedades.

25 Los anunciantes deben establecer sus propios límites de manera que la publicidad no hiera a la dignidad humana ni dañe a la comunidad. Ante todo, debe evitarse la publicidad que sin recato explota los instintos sexuales buscando el lucro, o que afecta al subconsciente de tal manera que se pone en peligro la libertad misma de los compradores.

El valorar desmesuradamente una "marca", pueden plantear serios problemas. Con
30 frecuencia existen solo insignificantes diferencias entre productos similares de distintas marcas, y la publicidad puede intentar conducir a las personas a actuar de acuerdo con motivaciones irracionales ("fidelidad a una marca", reputación, moda, "sex appeal", etc.), en vez de presentar las diferencias en la calidad del producto y en el precio de manera racional.

35 La publicidad también puede ser, y con frecuencia lo es, un instrumento al servicio del "fenómeno del consumismo". Los publicitarios actúan para "crear" necesidades de productos y servicios, o sea, para provocar a la gente a sentir y a actuar impulsada por antojos hacia cosas y servicios que no necesita.

En la lucha por atraer la mejor y más grande audiencia, los comunicadores se
40 pueden encontrar tentados –de hecho presionados, sutilmente o no tan sutilmente– a dejar de lado las normas artísticas y morales y a caer en la superficialidad, en el mal gusto y en la miseria moral. Los comunicadores también pueden sentirse tentados de ignorar necesidades educacionales y sociales de ciertos sectores de la audiencia –los más jóvenes, los más ancianos, los
45 pobres–. Cuando esto se da, el tono y, de hecho, el nivel de la responsabilidad moral de los medios de comunicación, en general, disminuye.

Con demasiada frecuencia, la publicidad contribuye a un estereotipo de individuos de grupos particulares que les sitúa en desventaja en relación con otros, tal es el caso, por ejemplo de la mujer, usada en
50 muchas ocasiones como mero objeto de adorno, al servicio de un producto.

Adaptado de http://www.monografias.com/trabajos16/publicidad-y-etica/publicidad-y-etica.shtml#BENEF

2 El tabaco perjudica seriamente la salud

2.1. La necesidad de ser original e innovador convierte al lenguaje publicitario en una modalidad enormemente rica en recursos lingüísticos, muy próxima al lenguaje literario. A continuación, tienes una lista de recursos frecuentemente usados en este lenguaje. Explica en qué consisten. Puedes usar el diccionario.

- Uso de la segunda persona del singular o la primera del plural.
- Interrogaciones retóricas.
- Enunciados imperativos.
- Metáforas.
- Comparaciones.
- Dobles sentidos.
- Hipérboles.

- Paradojas.
- Aliteraciones.
- Rimas.
- Adjetivación.
- Uso y abuso de tecnicismos y extranjerismos.
- Expresiones populares.
- Frases nominales.

2.1.1. Analiza los siguientes anuncios publicitarios. ¿Qué recursos de los anteriores puedes identificar en cada uno de ellos?

2.2. 🧑 🎧 **En la siguiente audición se da una serie de recomendaciones para redactar tex-**
[13] **tos publicitarios efectivos. Antes de escuchar, di si las siguientes afirmaciones son verdaderas o falsas y, luego, escucha, toma notas y comprueba tus respuestas.**

	verdadero	falso
1. El uso de frases impersonales consigue que se valore mejor el producto.	☐	☐
2. Las frases han de ser breves y de estructura sencilla.	☐	☐
3. El lenguaje publicitario que intenta llegar al corazón del consumidor es más efectivo.	☐	☐
4. Lo importante del mensaje ha de ir al final de la frase.	☐	☐
5. El lenguaje ha de ser elaborado y tener abundancia de términos cultos.	☐	☐
6. Repetir con frecuencia el nombre del producto es contraproducente pues aburre al consumidor.	☐	☐
7. Es importante formular explícitamente una conclusión y no dejar cabos sueltos.	☐	☐

2.2.1. 👥 💬 **Piensa en los anuncios que se publicitan en tu país y en el lenguaje que utilizan. ¿Crees que se recurre a las mismas técnicas para persuadir? ¿Qué diferencias encuentras entre los anuncios de tu país y los españoles en cuanto a su lenguaje?**

2.3. 👥 🗣 **En la audición anterior, se recomienda a los profesionales de la publicidad el uso del imperativo como un recurso estilístico con un gran valor de persuasión. ¿Crees que en el lenguaje cotidiano el imperativo se usa con el mismo valor? De la lista que te ofrecemos a continuación, ¿qué uso te parece que es el más habitual del imperativo?**

☐ Dar consejos o recomendaciones   ☐ Dar órdenes

☐ Conceder o negar permiso   ☐ Convencer o persuadir

☐ Ofrecer   ☐ Dar instrucciones

☐ Invitar   ☐ Pedir

2.3.1. 👥 🗣 **Ordena la lista anterior de mayor a menor frecuencia de uso, según tu opinión.**

2.3.2. 🧑 📝 **En el siguiente texto, aparecen diferentes formas relacionadas con las funciones mencionadas anteriormente. Subráyalas.**

DIARIO DE UN AGOBIO

Las siete. El despertador. "Levanta, es la hora". A mí me queda aún un ratito, ¡qué calentita está la cama! ¡Si pudiera quedarme aquí toda la mañana! Me levanto y voy a la ducha. ¡Vaya! ¡El agua caliente! Juan, Juan, por favor, ¿puedes poner el calentador? "¡Qué despiste tienes! ¡Siempre te pasa lo mismo!" La verdad es que tiene razón. El café, la leche, el pan. Sin hablar, demasiado sueño para iniciar una conversación. Luego, se repite la misma cantinela de siempre,
5   con pequeñas variaciones.
– ¡Niños, es la hora de levantarse! Vamos, que luego siempre llegamos con la hora pegada al culo. ¡A desayunar! ¡Que os levantéis he dicho!
– Vaaaale, mami, no te alteres, que es muy pronto.
– Raquel, ¿qué quieres desayunar?
10   – Quiero un cola-cao y nada más.
– Nada más, no. Come algo, que después tienes hambre a media mañana. ¿Y tú, Diego?
– ¿Tienes pan de barra para hacerme un bocadillo?
– Sí, hay de ayer, pero está todavía blandito.
– Vale, un bocadillo y un yogur.
15   La radio de fondo, Iñaki Gabilondo comenta las noticias y yo escucho en segundo plano. Información sobre transporte. Chssss, callaos, callaos, que no oigo. "Nos informan de que en este momento se encuentran cortadas las líneas 2 y 5 de metro por una avería. Se ruega a los usuarios que utilicen vías alternativas de transporte". ¡Vaya! Empezamos bien el día. ¿Y cómo me voy yo ahora a la oficina? Ya sé, iré en autobús hasta la plaza de Colón y luego andando, dando un paseíto.

CONTINÚA →

– Mamá, ¿me prestas 10 euros? Es para ir esta tarde con Ester a patinar sobre hielo.

– ¿Y quién os va a llevar y a traer?

– Iremos en el metro.

– ¿Con 12 años? ¡Ni hablar!

25

– Pero, mamá, por favor...

– Ni peros ni nada. Te he dicho que no. ¡Pues lo que me faltaba! Si papá llega pronto, dile que os lleve. No le importará.

Ya están en el cole, ¡qué descanso dejan! El autobús. Atasco monumental. Claro, la gente ha sacado el coche, con esto del metro... Pues yo no entro a la oficina sin

30 tomarme un cafetito aunque sea rápido. Perdone, señor, ¿va a salir? "No, pase, pase usted, señorita, yo me bajo en la siguiente". ¡Qué amable! No es habitual a estas horas de la mañana. Uhmmm, qué bueno está el café, un poco de paz, por fin...

Llego a la oficina. Luis, mi jefe, me está esperando con un cargamento de papeles. ¡Ánimo!, que solo me quedan 8 horas por delante.

35

– Hola, Adela, ¡qué follón de tráfico hay!, ¿no?

– Sí, es que con lo de la avería del metro...

– Bueno, mira, aquí tienes estos expedientes. Los revisas y me pasas los que te planteen problemas. Los demás, los archivas junto a un pequeño informe, ¿vale?

40

– Tú mandas, jefe...

– No me llames jefe que sabes que no me gusta. No entiendo esta máquina...

– Pero, hombre, no le des esos golpes. Mete las monedas más despacio que si no se atasca y, después, pulsa la tecla de lo que quieres tomar. ¡No es tan difícil! Ingeniero y ni la máquina del café sabes usar...

– Oye, oye, no vayas a insubordinarte, ¿eh? Que soy tu jefe...

45 Las siete y media, vuelta a casa, el metro sigue averiado, parece como si los coches se hubieran reproducido por sí solos... No llego al mercado y no tenemos cena. ¡Qué agobio de día!

2.3.3. 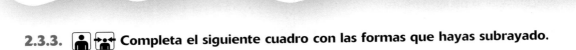 Completa el siguiente cuadro con las formas que hayas subrayado.

Dar órdenes, consejos o instrucciones:

1. Imperativo. Recordemos que el imperativo tiene varias restricciones formales: solo cuenta con dos personas y no puede aparecer en oraciones negativas, interrogativas o subordinadas. En las oraciones negativas utilizamos el presente de subjuntivo.

– Es la forma que necesita una mayor contextualización para atenuar su carácter enérgico o descortés, especialmente cuando el interlocutor es un desconocido o no hay una relación de confianza con él. En las relaciones de mucha confianza o en aquellas donde los interlocutores tienen una diferencia de rango o posición social, sí es más frecuente el uso del imperativo para dar órdenes:

(a)

(b)

(c)

– La reduplicación del imperativo es un recurso muy frecuente para dar órdenes que han de ser cumplidas de inmediato:

(d)

– Con la reduplicación y la justificación "que no oigo", además de una entonación que suele ser suave y, con ausencia de intensificadores como "de una vez", el hablante elimina el carácter enérgico del imperativo.

– El recurso a la reduplicación es utilizado también para conceder permiso beneficiando al interlocutor:

(e)

En este último caso, la no reduplicación supone una descortesía por parte del hablante.

El imperativo se usa con frecuencia para dar instrucciones o consejos:

(f)

(g)

(h)

En estos casos es frecuente justificar el procedimiento utilizando *que* como elemento de introducción.

CONTINÚA ····⁞⁞

2. Frases afirmativas en presente de indicativo. Recurso muy frecuente para dar órdenes o instrucciones a personas que tácitamente están dispuestas a recibirlas, bien porque se trata de una relación de subordinación, o bien porque previamente esa persona ha pedido un consejo o instrucción, favoreciendo la solidaridad entre los hablantes:

> (i)

3. *A* + infinitivo/sustantivo. Solo en registros muy informales, orden que va dirigida a un grupo de personas. Es característico de la relación adulto-niño:

> (j)

4. Infinitivo. Propio de órdenes o recomendaciones escritas en carteles públicos o impresos:

> *No aparcar.*

5. *Que* + subjuntivo + *(he dicho/te digo)*. Forma de repetir una orden que no se ha oído o no se ha cumplido. En este último caso, se suele añadir el verbo *decir*, frecuentemente al final de la frase, cuando el hablante quiere mostrarse enérgico y contrariado:

> (k)

6. La perífrasis verbal ***Te tengo dicho que* + presente de subjuntivo** es un recurso para repetir enérgica y, a menudo, descortésmente una obligación que se supone incumplida:

> *Te tengo dicho que hagas la cama antes de salir.*

7. *Rogar* + subjuntivo/infinitivo. Muy próximo a las fórmulas usadas corrientemente para pedir, se utiliza muy frecuentemente en carteles y avisos. Se usa en registros formales:

> (l)

> *Se ruega no fumar.*

8. *No se te ocurra/No vayas a* + infinitivo. Orden negativa que tiene como fin transmitir por parte del hablante una advertencia, con un cierto sentido amenazante:

> (m)

9. Es frecuente el uso del **infinitivo compuesto** como un imperativo hacia el pasado:

> *¡Haberlo dicho!*

Pedir:

1. Preguntas en presente de indicativo. Es el recurso más frecuente para pedir. Si se trata de objetos, se usan muy frecuentemente los verbos *tener/dar/dejar/prestar*. *Tener* se usa únicamente cuando el hablante no sabe si la otra persona tiene el objeto pedido:

> (n)

Dejar y *prestar* implican la intención de devolución del objeto:

> (ñ)

2. Preguntas con *poder* e *importar*. El hablante es consciente de que lo que pide supone una molestia para su interlocutor:

> (o)

Se suele usar en condicional e imperfecto de indicativo para mostrarse más amable y cortés con el interlocutor o cuando el hablante se siente incómodo por lo que va a pedir. Implica una petición con disculpas anticipadas:

> *¿Te importaría llevarme a casa? Es que no me encuentro bien.*

3. *Querer* + objeto o servicio. Usado en presente supone una relación de confianza entre los interlocutores:

> (p)

También se utiliza en presente cuando el hablante se encuentra en una situación en la que necesita hacer valer sus derechos:

> *Quiero hablar ahora mismo con el encargado.*

En este caso, el hablante transmite a su interlocutor enfado o indignación. En los demás casos, se utilizan el imperfecto de indicativo, condicional o imperfecto de subjuntivo, especialmente en contextos comerciales y como petición cortés:

> ► *¿Qué le pongo?*
> ▷ *Quería un kilo de manzanas.*

2.3.4. Busca un contexto y unos interlocutores adecuados a las siguientes órdenes y peticiones de acuerdo con el cuadro anterior.

1. Quería unos tomates, pero que estén maduritos, ¿eh?
2. Vas, le pides al de la ventanilla un impreso, lo rellenas y lo entregas. Así de fácil.
3. ¡Que te laves los dientes de una vez, he dicho!
4. Se ruega no pisar el césped.
5. A mí póngame un bocadillo de calamares y una cerveza, por favor.
6. No se te ocurra llamar a estas horas, ¿eh?
7. Perdone, ¿tienen teléfono público?
8. Come, come, que hay de sobra.
9. Tengan cuidado de no introducir el pie entre coche y andén.
10. ¡Todo el mundo a comer!

2.3.5. Ahora, fíjate en las situaciones siguientes y elige la forma más adecuada para dar órdenes o pedir.

1. Eres padre/madre de una familia con niños pequeños. Mañana hay colegio y ya es muy tarde.
2. En unos grandes almacenes, te han vendido unos yogures caducados. Hablas con el responsable de la tienda.
3. Quieres ir de copas, pero no tienes dinero. Tu padre entra por la puerta.
4. Tienes que pedirle a tu jefe permiso para faltar mañana.
5. Quieres rellenar un impreso, pero no tienes nada para escribir. Preguntas al encargado de la ventanilla.
6. Te piden permiso en el autobús para abrir la ventanilla.
7. Le has dicho varias veces a tu hijo/hija que ponga la mesa, pero no te ha obedecido.
8. Hay una silla rota. Entra alguien que no lo sabe.
9. Un compañero nuevo necesita hacer una fotocopia, pero no sabe utilizar la fotocopiadora.
10. Tu amigo está demasiado delgado y se desmaya con frecuencia.

2.4. Dentro del mundo de la publicidad, un campo importante y que cada vez adquiere mayor protagonismo son las campañas promovidas por instituciones gubernamentales con el fin de influir en la población en algún sentido o de promover alguna acción de carácter benéfico para todos: campañas sanitarias, culturales, etc. Fíjate en los siguientes eslóganes y discute con tus compañeros qué institución lo promueve y qué fin tienen. Analízalos también desde el punto de vista lingüístico para ver qué características del lenguaje publicitario se han empleado en su redacción.

★ Si fumas, estás obligando a los demás a que también lo hagan.
★ Hay un montón de razones para decir NO.
★ Sube al tren de Cervantes. Hay viajes que son únicos.
★ Tu cuerpo es tu prenda más valiosa. Quiérelo. No abuses del sol.
★ Hacienda somos todos.
★ Póntelo, pónselo.
★ Las imprudencias se pagan.
★ No podemos conducir por ti.
★ Si te lías, úsalo.

2.4.1. Piensa en la juventud española y determina, con tus compañeros, qué problemas crees que tiene y por qué. Entre todos, tenéis que poneros de acuerdo en elegir uno de esos problemas.

2.4.2. Formas parte de un equipo de publicitarios a los que se les ha encargado diseñar una campaña publicitaria en prensa escrita para tratar el problema que habéis elegido en 2.4.1. Sigue las pautas que se han dado al comienzo del epígrafe sobre el lenguaje publicitario y las recomendaciones de la audición 13. Si es necesario, puedes volver a escucharla. El anuncio ha de tener un eslogan y una imagen.

2.4.3. Elegid los mejores de la clase y confeccionad con ellos un mural.

Busque, compare y, si encuentra algo mejor, cómprelo **3**

3.1. ¿Cuáles son tus hábitos de compra? ¿Sueles comprar en tiendas pequeñas o en hipermercados? ¿Confeccionas una lista previa o vas comprando lo que ves y se te antoja? ¿Crees que la colocación de los productos en un hipermercado es aleatoria? ¿Y los colores y el ambiente? Señala de esta lista qué factores psicológicos se tienen en cuenta para organizar el espacio y el ambiente de los comercios para incitar a comprar.

- ☐ color
- ☐ música
- ☐ olor
- ☐ número de productos
- ☐ tamaño de los productos
- ☐ situación de los productos
- ☐ precio de los productos
- ☐ secciones especializadas
- ☐ publicidad
- ☐ descuentos

3.1.1. Cuando se lee un texto largo, es muy útil saber realizar un resumen. Ordena las pautas que debes seguir para conseguirlo.

Escribir lo seleccionado como inicio del resumen.

Tachar las palabras o expresiones que dan información secundaria y que no afectan a la comprensión general.

Leer el primer párrafo detenidamente.

Hacer lo mismo con los párrafos siguientes.

Leer el texto para tener una idea general de lo que se trata.

Quedarse con las expresiones o ideas clave.

Adapatado de Procesos y recursos, Edinumen

3.1.2. Lee el siguiente texto.

Desde hace tiempo, diferentes estudios han venido demostrando que el ambiente de los establecimientos comerciales afectaba significativamente a las ventas. Pero las últimas investigaciones no han ido encaminadas a corroborar una vez más esto, sino a conocer cómo influyen las diferentes dimensiones del ambiente de los establecimien-
5 tos tales como la música, la aglomeración, el ambiente, el olor y el color sobre la conducta del consumidor.

Por ejemplo, respecto a los efectos de la música, se ha comprobado que, con la música lenta, el ritmo del flujo de los compradores dentro del establecimiento es significativamente más lento. Esto significa que su permanencia en el establecimiento se
10 alarga por lo cual también se incrementan las posibilidades de que compren más. Por el contrario, una música rápida hace que el cliente realice sus compras con mayor celeridad.

Se ha demostrado, por otro lado, que la sensación de aglomeración varía el comportamiento del consumidor: se reduce el tiempo dedicado a la compra, se adquie-
15 ren menos productos y se modifica el uso de la información dentro de la tienda. Esto trae como resultado que el consumidor se sienta descontento con la tienda, que la experiencia de la compra resulte desagradable e incluso que disminuya la confianza en las compras realizadas.

El olor es uno de los componentes menos estudiados y, sin embargo, es uno de
20 los que ejerce mayor influencia en comercios como panaderías, restaurantes o tiendas de cosmética. Existen algunos trabajos que afirman que el olor influye en la evaluación del consumidor del establecimiento así como en su comportamiento. Por ejemplo, se ha comprobado que las evaluaciones referidas al comercio y al ambiente del mismo son más positivas cuando el olor es agradable que cuando no lo es: el
25 establecimiento se percibía más atractivo, moderno y los consumidores estimaban que los productos eran más modernos, estaban mejor seleccionados y tenían más calidad cuando el olor era agradable. Pero hay que tener en cuenta que, aunque el olor agradable es importante a la hora de incitar a la acción, lo es más la congruencia del olor con el producto que estamos ofreciendo.

30 Respecto a los efectos del color, las investigaciones han demostrado que el color afecta a las reacciones del organismo humano provocando respuestas fisiológicas, creando ciertos estados emocionales o atrayendo la atención. Así, por ejemplo, los colores calientes producen una mayor atracción física hacia los establecimientos mientras que los colores fríos lo hacen hacia el interior de la tienda. Por esta razón,
35 los colores fríos resultarían adecuados para situaciones donde los consumidores tuvieran que tomar decisiones importantes ya que en este tipo de situaciones los colores calientes generarían más tensión, llegando a hacer más desagradable la toma de decisiones, hasta el punto de hacer aplazar la compra.

Los hipermercados utilizan numerosos estímulos para aumentar
40 las ventas:

Zonas calientes y zonas frías:

Las zonas calientes son zonas de gran atracción y también son de este tipo la entrada y el pasillo (donde se sitúan las grandes ofertas). Una zona fría se puede calentar mediante ofertas, iluminaciones especiales, etc.

Más lento, más rápido:

El tiempo de estancia en un hipermercado puede incrementarse o reducirse mediante el uso de música. Cuando la tienda está saturada, ponen ritmos rápidos como el rock para disminuir el tiempo de estancia. Mientras que en las horas flojas utilizan ritmos más lentos y tranquilos.

Siempre se gasta más:

El 55% de la compra en los hipermercados se decide in situ. Cuanto más se visite el supermercado, menor es el porcentaje de compra irreflexiva.

La sección de hombres:

Son las secciones de bricolaje, carpintería, automóvil, etc. En un principio se crearon con el fin de entretener a los hombres mientras las mujeres compraban; hoy han alcanzado un fuerte número de ventas.

Los productos de primera necesidad:

Los productos de primera necesidad siempre se encontrarán lo más separados posible entre sí, y casi siempre se colocan al fondo o en las esquinas. De esta manera consiguen que los compradores se detengan a mirar los productos intermedios.

Los carros parecen estar rotos:

Todos los carros se desvían levemente hacia el lado izquierdo, obligándonos a sujetarlo con la mano izquierda, con lo cual la derecha queda libre para coger cómodamente los productos de las estanterías.

Comprar con los ojos:

Está estudiado que un producto puede aumentar sus ventas hasta un 78% si pasa del nivel de los pies al de los ojos, y que puede disminuir un 40% de su facturación si pasa del nivel de las manos al del suelo.

Los precios:

Los estudios demuestran que los precios terminados en 5, 7, y 9 atraen más al comprador porque empequeñecen el precio.

Los colores:

También utilizan los colores para atraer a los compradores. Los utilizados en la mayoría de los casos son: rojo más amarillo, rosa más azul cielo y rojo más amarillo verdoso.

Adaptado de Rafael Muñiz González, *El mercado, el cliente y la distribución. El efecto de las variables ambientales sobre la conducta del consumidor* y de *El consumo y el consumismo* en http://html.rincondelvago.com/consumo-y-consumismo.html

3.1.3.  **Elabora un resumen siguiendo las pautas que te hemos dado más arriba y después comprueba tus respuestas de 3.1.**

3.2. 👫 🌐 **Imagina que eres el responsable de una asociación de consumidores y quieres redactar un artículo para la revista de la asociación en el que des consejos para defenderse de estas estrategias de mercadotecnia. Prepara el borrador del escrito siguiendo estas pautas que te ayudarán a redactar un texto eficiente.**

1. Antes de escribir:
- Determina el objetivo del texto.
- Piensa a quién va destinado el texto.
- Genera ideas: información previa del texto.
- Organiza las ideas principales según un criterio: el orden temporal, el orden espacial, la importancia de las ideas, etc.
- Haz un esquema.

2. La escritura del texto:
- Transforma el esquema a texto escrito teniendo en cuenta:
  - El título: frase que informa en pocas palabras del contenido.
  - La introducción: presentación del tema que vamos a exponer.
  - El desarrollo: presentación de la información a través de párrafos. Cada párrafo debe desarrollar una idea. Debemos cuidar:
    - La ordenación de párrafos.
    - La redacción.
    - La ortografía.
    - La conclusión: breve resumen de lo expuesto, aportando soluciones o propuestas.

3. Después de escribir:
- Lectura de todo el texto para comprobar:
  - El desarrollo total del esquema.
  - La corrección formal del texto.
  - Consecución de los objetivos propuestos.

3.2.1. 👤 ✏️ **Redacta, ayudándote del borrador que has elaborado con tu compañero, el artículo definitivo.**

4 JASP (Jóvenes, Aunque Sobradamente Preparados)

■■■

4.1. 👥 💬 **¿Qué imagen tienes de un creativo de publicidad? ¿Crees que su forma de trabajar se parece a la del resto de profesionales? ¿Cuál es su perfil? ¿Cuáles son los límites entre creatividad, libertad de expresión y ética?**

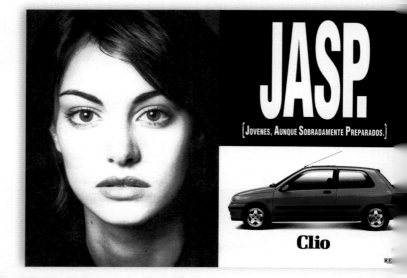

JASP.
[Jovenes, Aunque Sobradamente Preparados.]

Clio

RE

4.1.1.  Observa estos anuncios y lee a continuación un resumen de las normas deontológicas que rigen la ética publicitaria. ¿Crees que los anuncios se atienen a estas normas? Explica contra cuáles de ellas atentan y por qué. ¿Estos anuncios serían posibles en tu país? ¿Crees que respetan los límites de los que habéis hablado en 4.1.?

El presente Código de Conducta Publicitaria ha sido aprobado según lo establecido en los Estatutos de la Asociación de Autocontrol de la Publicidad en su Asamblea General Ordinaria celebrada el 14 de abril de 1999.

El objeto de la Asociación es contribuir a que la publicidad constituya un instrumento particularmente útil en el proceso económico, velando por el respeto a la ética publicitaria y a los derechos de los destinatarios de la publicidad, con exclusión de la defensa de intereses profesionales.

NORMAS DEONTOLÓGICAS

Valor de la publicidad.
Ninguna comunicación publicitaria deberá desmerecer del servicio que la publicidad rinde al mercado a cuyo buen funcionamiento se ordena.
5 **Respeto a la legalidad y a la Constitución.**
La publicidad debe respetar la legalidad vigente y de manera especial los valores, derechos y principios reconocidos en la Constitución.
Buena fe.
10 La publicidad no deberá constituir nunca un medio para abusar de la buena fe del consumidor.
Explotación del miedo.
La publicidad no ofrecerá argumentos de venta que se aprovechen del miedo, temor o supersticiones de
15 los destinatarios. Los anunciantes podrán recurrir al miedo, siempre proporcionado al riesgo, para alentar un comportamiento prudente o desalentar acciones peligrosas, imprudentes o ilegales.
No incitación a la violencia.
20 **No incitación a comportamientos ilegales.**
Respeto al buen gusto.
La publicidad no deberá incluir contenidos que atenten contra los criterios imperantes del buen gusto y del decoro social, así como contra las bue-
25 nas costumbres.
Respeto al medio ambiente.
La publicidad no incitará ni alentará comportamientos que perjudiquen el medio ambiente.

Prácticas peligrosas y seguridad.
30 La publicidad no deberá alentar practicas peligrosas salvo cuando lo haga en un contexto en que precisamente pueda deducirse que fomenta la seguridad.
35 **Publicidad discriminatoria.**
La publicidad no sugerirá circunstancias de discriminación ya sea por razón de raza, nacionalidad, religión, sexo u orientación sexual, ni atentará contra la dignidad de la persona.
40 **Derecho al honor.**
La publicidad ha de respetar necesariamente los derechos al honor, a la intimidad y a la propia imagen.
La publicidad no deberá ser engañosa.
45 **Protección de niños y adolescentes.**
La publicidad dirigida a niños no deberá explotar la ingenuidad, inmadurez, inexperiencia o credulidad natural de los niños o adolescentes, ni abusar de su sentido de la lealtad. No deberá contener declara-
50 ciones o presentaciones visuales que puedan producirles perjuicio mental, moral o físico.
Protección de la salud.
La publicidad evitará incitar a sus receptores, en especial a los adolescentes, a la adquisición de pau-
55 tas o comportamientos que puedan resultar nocivos para su salud.

Adaptado del *Código de Conducta Publicitaria*

4.1.2. 👥 📖 **¿Crees que puede existir una ONG publicitaria? ¿En qué consistiría su trabajo? ¿Qué tipo de profesionales podrían participar en ella?**

4.2. 👤 🎧 **Escucha y contrasta la información que te proporciona la audición con tus afir-**
[14] **maciones anteriores.**

4.2.1. 👥 👥 **Analiza estas dos informaciones extraídas del texto y contesta a las siguientes preguntas:**

A. *Para esto tenemos que darle el mail y el teléfono a la organización.*

    1. ¿Cuál es el complemento indirecto de la frase? ....

    2. ¿Este complemento indirecto aparece en la frase con otra forma? ¿Cuál? ....

    3. ¿A qué es debido este fenómeno reduplicativo? ....

    4. ¿Es obligatorio utilizar esta estructura? ¿Es frecuente? ¿En qué contextos? ....

B. *Los premios los ganan otros.*

    1. ¿Cuál es el complemento directo de la frase? ....

    2. ¿Este complemento directo aparece en la frase con otra forma? ¿Cuál? ....

    3. ¿A qué es debido este fenómeno reduplicativo? ....

    4. ¿Es obligatorio utilizar esta estructura? ¿Cuándo? ....

4.2.2. 👤 📓 **Lee la información del cuadro y comprueba tus respuestas.**

Los pronombres personales objeto

La función de los pronombres personales átonos es hacer referencia a un elemento que ha aparecido en la información o que puede aparecer más tarde (antecedente o consecuente).

- Una peculiaridad importante del sistema pronominal español es la tendencia a usar siempre una forma átona de pronombre complemento indirecto, incluso cuando este está explícito en la oración. Su función es recoger o anticipar el complemento indirecto. Su ausencia se considera anómala.

- Con el complemento directo es obligatorio el uso del pronombre en el caso de que el complemento aparezca precediendo al verbo y si se trata de un elemento ya anunciado inmediatamente antes. La intención del hablante en estos casos es precisar y aclarar, especialmente cuando se ha mencionado más de un elemento: *Ayer vi a Luis y a María. Yo a María la veo casi todos los días, porque es mi vecina, pero a Luis no lo veo casi nunca.*

- Es frecuente el uso de pronombres átonos de complemento indirecto con verbos en construcción reflexiva para indicar la involuntariedad de una acción por parte del sujeto y que el suceso fortuito afecta directamente al hablante: *Se me ha roto el jarrón.*

4.2.3. 👥 👥 **¿En cuál de los fenómenos que se describen a continuación enmarcarías la frase "Le veo a usted muy entusiasmado con el proyecto"?**

Leísmo, laísmo y loísmo

Hemos de tener en cuenta que en el centro peninsular, incluido Madrid, los errores en el uso de los pronombres átonos son muy frecuentes, y que de ahí han pasado también a ser frecuentes en muchos de nuestros medios de comunicación.

1. Leísmo

Se denomina leísmo al fenómeno de utilizar los pronombres átonos *le* y *les* cuando lo correcto sería *lo* y *los* o *la* y *las*: *Al caballo le mataron después de la carrera.*

Debería decirse: *Al caballo lo mataron después de la carrera,* ya que el pronombre átono hace la función de complemento directo.

CONTINÚA ••••⁝

El uso generalizado de *le* como complemento directo cuando se refiere a un nombre masculino de persona ha terminado por ser admitido por la Real Academia Española de la Lengua. De esta manera, son correctos: *A Juan lo encontré en la puerta del cine - A Juan le encontré en la puerta del cine.* Pero no si se refiere a un nombre femenino: *A Inés la encontré a la puerta del cine.*

Así, sería incorrecto decir: *A Inés le encontré a la puerta del cine.*

Tampoco está admitido el uso de *les* como complemento directo masculino plural de personas. Muchos de los ejemplos de leísmo que se mencionan en las áreas distinguidoras entroncan con una tendencia que es común a todo el mundo hispanohablante: la de emplear *le* referido al oyente en el tratamiento de respeto con *usted*: se denomina 'leísmo de cortesía'.

Una razón profunda del leísmo es la distinción entre las personas y las cosas en los complementos directos (donde se da realmente la necesidad de distinguir, pues los complementos indirectos son casi siempre personales). *Le vio/lo vio, le llevó/la llevó.* Por otra parte, es interesante resaltar lo extendido de *le/les* para complementos directos personales (aunque estén en plural) en las construcciones impersonales con *se*: *Se les regañó* (a los niños).

2. Laísmo

El laísmo, por su parte, consiste en la utilización de los pronombres átonos *la* y *las* en lugar de *le* y *les* como complemento indirecto. El hablante, de este modo, se siente en la obligación de marcar el género del referente: *A Inés la gusta mucho ir al cine.*

Debería decirse, ya que se trata de un complemento indirecto: *A Inés le gusta mucho ir al cine.*

No está admitido como normativo por la Real Academia de la Lengua.

3. Loísmo

Por su parte, el loísmo consiste en la utilización de *lo* y *los* en lugar de los pronombre átonos de complemento indirecto: *le* y *les*. No está admitido por la Real Academia de la Lengua y, de los tres fenómenos reseñados, es el que se considera más vulgar.

A Juan lo ofrecieron trabajo la semana pasada.

Lo correcto sería: *A Juan le ofrecieron trabajo la semana pasada.*

4.3. Selecciona, de esta lista de productos, dos de ellos y elabora un anuncio publicitario para insertar en prensa con un eslogan, describiendo la imagen que lo acompaña. Debe atenerse al código ético que has visto más arriba.

- un juguete bélico
- un coche
- un perfume de mujer
- una bebida alcohólica
- un sujetador
- unos calzoncillos
- un producto supuestamente "light"
- un producto de limpieza

4.3.1. Analiza los anuncios de tus compañeros y di si se ajustan a las normas deontológicas de la publicidad.

5 El Equipo Crónica

5.1. ¿A qué te remite la palabra "pop"? Anota objetos, sensaciones, ideas, etc., que asocies a esta palabra.

Pop

5.1.1. Con todas las ideas que han surgido de la actividad anterior, escribe una definición de la palabra "pop" situándola en un contexto histórico preciso.

5.1.2. Fíjate en las definiciones que da el diccionario de la RAE y compáralas con la tuya. ¿En qué se parecen? ¿En qué se diferencian?

> **pop.** (Del ingl. *pop*, y este acort. de *popular*, popular). **1.** adj. Se dice de un cierto tipo de música ligera y popular derivado de estilos musicales negros y de la música folclórica británica. U. t. c. s. m. **2.** adj. Se dice de una corriente artística de origen norteamericano que se inspira en los aspectos más inmediatos de la sociedad de consumo. U. t. c. s. m.

5.1.3. Vuelve a leer la segunda definición que da el diccionario. ¿Sabes cómo se llama la corriente artística a la que hace referencia? ¿Conoces el nombre de alguno de sus artistas más representativos?

5.1.4. Lee el siguiente texto sobre la corriente artística denominada "Pop-Art"

Pop, pop...

Una palabra breve, asociada con la alegría del descorche, con la sorpresa agradable de un genio que surge de la lámpara. Una palabra como el Arte que tras ella se oculta: consumible, divertido, descreído y nada ingenuo.

Para muchas personas que pasaron su adolescencia en los años sesenta, pop venía a significar dos cosas: nueva música y nuevo arte. Es decir, una música y un arte que habrían de conocerse masivamente a través de
5 su reproducción mecánica. Pop es lo popular contemporáneo, la absoluta democratización del sonido y la imagen. La temática es extraída del medio ambiente urbano de las grandes ciudades, de sus aspectos sociales y culturales: cómics, revistas, periódicos sensacionalistas, fotografías, anuncios publicitarios, cine, radio, televisión, música, espectáculos populares, elementos de la sociedad de consumo y del bienestar (alimentos enlatados, neveras, coches, autopistas, gasoli-
10 neras, etc.).

La idea del movimiento es simple: ¿por qué no recoger un objeto hallado en la calle o en la misma vida y decidir que sus cualidades son susceptibles de ser consideradas artísticas? Una rueda de bicicleta, la sombra de un perchero, la bandera norteamericana, una foto de periódico o una lata de cerveza podían ser recogidas, transformadas
15 y presentadas como "el arte que nos rodea". Los fundadores del movimiento pensaban que utilizar esos motivos, esos objetos por todos conocidos, era una posible vía para relacionar el arte y la vida de las gentes. El humor y el apoliticismo son dos características bien visibles de este movimiento. Desde el punto de vista técnico, el movimiento se caracteriza por el uso de una iconografía estilizante, principalmente formas
20 planas y volumen esquemático y por el empleo de colores puros, brillantes y fluorescentes, inspirados en los empleados en la industria y los objetos de consumo.

El artista más representativo de esta corriente artística es, sin duda, Andy Warhol.

Adaptado de José Manuel Costa, "El nuevo realismo", Suplemento cultural de ABC

5.1.5. 👥 💬 **Rectifica las siguientes afirmaciones sobre el texto que has leído, si es necesario.**

1. La música y el arte pop se dan a conocer de manera elitista, en círculos cerrados, solo para entendidos.
....

2. La publicidad sirve de fuente de inspiración, entre otros elementos del mundo urbano contemporáneo, para los artistas de la corriente de arte pop. ....
....

3. Para estos artistas, algunos objetos de la vida cotidiana pueden ser susceptibles de convertirse en arte. Solo hay que analizarlos cuidadosamente y deducir de sus características si son o no elementos artísticos. ....
....

4. Se trata de un arte comprometido con la sociedad de su tiempo, con una fuerte carga de crítica social.
....
....

5. Formas planas, colores puros y estética de trazos simples son algunas de sus características formales.
....
....

5.2. 👥 💬 **¿Qué sabes de la España de los años sesenta? Anota todo lo que sepas y añade lo que digan tus compañeros.**

5.2.1. 👤 📖 **En el siguiente texto, se expone, de manera muy resumida, lo que fue la década de los sesenta en España desde distintos puntos de vista. Compara las notas que hayas tomado anteriormente con la información que te proporciona el texto.**

A partir de los años sesenta, una vez roto el aislamiento internacional y en pleno desarrollo económico, la represión se relajó y el gobierno quiso dar muestras de cierta apertura y flexibilización. En cuanto a la sociedad, España entra definitivamente en la sociedad consumista debido al desarrollo económico; el aumento de los salarios produjo un aumento de la demanda de bienes de consumo. El consumismo se produjo primero en las ciudades, seguido a gran distancia del mundo rural. Las clases medias fueron las grandes protagonistas de este fundamental cambio; el porcentaje de los ingresos dedicado a la alimentación disminuyó drásticamente y aumentó el dirigido a la adquisición de la vivienda, del automóvil, los electrodomésticos, la ropa –la minifalda–, los espectáculos de masas –el fútbol o el cine–, el ocio –los bares y restaurantes– o las vacaciones –Benidorm– ... Este consumismo de las clases medias va a ser fundamental en los cambios que acarreó en el terreno de la moral, de la familia, de la juventud o de la economía... Cambios que vinieron acompañados de la modificación sustancial de las características propias de una sociedad tradicional como la española, en la que habían predominado las formas culturales y las pautas de comportamiento de tradición rural. En poco más de una década la sociedad se hizo mucho más moderna, más secularizada, abierta y tolerante.

Aunque el régimen ejercía un férreo control sobre las pautas socioculturales, se fue implantando una nueva mentalidad, también en el terreno religioso. Se reivindicó la libertad de pensamiento y disminuyó la práctica religiosa. Se produjo un lento fenómeno de laicización, la religión católica va perdiendo progresiva y lentamente poder social. La familia se consolida como nuclear (padre-madre e hijos), el carácter patriarcal empieza a discutirse (solo un conato de inicio) por parte de los hijos y de la mujer. La juventud se lanza a dos procesos; el consumista, que los homogeniza y la politización...

Al mismo tiempo que se producían estos cambios, seguían existiendo una serie de límites y obstáculos que impedían la total modernización y equiparación al mundo occidental, el más importante, el político. A partir de 1969, el franquismo entra en crisis y el régimen reacciona volviendo a utilizar de nuevo la represión e intentando dejar todo bien "atado" con una dictadura continuista con una monarquía como forma política, una vez que Franco muriera. Los cambios sociales y económicos fueron muy importantes, pero políticamente, aunque con intentos de apertura, se abundó en el continuismo.

Adaptado de http://www.juntadeandalucia.es/averroes/rescasasviejas/cviejas1/cviejas3/socifran/tema4.htm

5.3. 🔲 📱 **Según lo que sabes del Pop-Art y de la sociedad española de los sesenta, ¿crees que se daban en España las condiciones necesarias para que se desarrollara este movimiento artístico? ¿Por qué?**

5.3.1. 📱 🎧 **Escucha lo que dice Luis Gordillo, uno de los representante de esta corriente [15] artística en España y compara sus conclusiones con las tuyas. ¿Coincidís?**

5.4. 👥 📱 **¿Qué cambiarías en el cuadro de *Las Meninas* de Velázquez para convertirlo en un cuadro de Pop-Art?**

5.4.1. 🔲 📱 **Fíjate en la versión de *Las Meninas*, que hizo un grupo de pintores que representan la corriente del Pop-Art en España. Se trata del Equipo Crónica. Compara los dos cuadros y tus hipótesis del ejercicio anterior y encuentra todas las similitudes y diferencias. ¿Qué valores te transmite la versión moderna de *Las Meninas*? ¿Qué crees que quieren transmitir los autores?**

5.4.2. 📱 📖 **En el siguiente texto, tienes una reseña del grupo y sus presupuestos artísticos.**

El Equipo Crónica es el grupo artístico más representativo del Pop-Art en España. Estaba formado en un principio por Manuel Valdés, Rafael Solbes y Juan Antonio Toledo (que abandonará pronto el grupo) a partir de los presupuestos teóricos de Tomás Llorens. Toma del Pop-Art el uso de las tintas planas, el dibujo despersonalizado y el arte como medio de comunicación de masas. Su pintura surge como crítica al individualismo y sus obras se caracterizan por ser realizadas en serie. La obra encierra un contenido político-social, 5
pues coincide un momento del expansionismo americano (Vietnam) y de la dictadura española. Muchos de sus temas están inspirados en la pintura española del siglo de oro, pero insertados en la sociedad contemporánea. Siguen la técnica de la "parodia crítica": consiste en la descontextualización de un elemento conocido (histórico, cultural, de consumo de masas o elitista) de manera que quede invalidado el sentido, significado o valor original atribuidos al mismo. Por ejemplo, en la parodia crítica de una obra famosa se man- 10
tiene la forma, pero se altera su contexto cultural e histórico; esto le confiere un sentido diferente que invalida, critica o "parodia" el sentido normal de la obra original. El grupo tenía como objetivo crear con sus pinturas "una crónica de la realidad como manera de dar a la pintura una finalidad elevada, una razón de ser en nuestra sociedad y en el marco histórico de los valores positivos contemporáneos". Revisar la obra y la creación del 15
Equipo Crónica, es también hacer un recorrido histórico-crítico por la sociedad y la cultura de la España de esos años, plasmada de modo irónico y atrevido por estos dos artistas comprometidos con su tiempo, quienes creían en la capacidad del arte para agitar las conciencias. Ese era su objetivo al abordar con espíritu crítico, tanto momentos históricos, como símbolos nacionales. 20
Sin miedo a desvirtuar viejas glorias, hacen uso de mitos artísticos (como las recurrentes *Meninas* o el *Guernica* de Picasso), cinematográficos (sobre todo del cine negro), o incluso del cómic (*El guerrero del antifaz*) y la publicidad (tabaco, prensa) para lograr alcanzar un estilo, un carácter propio, singular y genuino que los distinguirá de cualquier corriente establecida. 25

5.4.3. 👥 📱 **¿Cuál es la principal diferencia entre el grupo español y la corriente de Pop-Art norteamericana? ¿A qué crees que son debidas las peculiaridades del Pop-Art español?**

Unidad 5

La magia

El Colacho, fiesta típica de Castrillo de Murcia, Burgos

Contenidos funcionales
- Expresar relaciones de contemporaneidad y secuencialidad entre las acciones
- Establecer relaciones de anterioridad y posterioridad entre las acciones
- Expresar el modo y la actitud

Contenidos gramaticales
- Conectores temporales
- Conectores modales
- Adverbios y locuciones adverbiales de tiempo y de modo
- Contraste entre el lenguaje infantil y el adulto
- Contraste lenguaje oral/escrito

Contenidos léxicos
- Supersticiones
- Magia
- Conjuros
- Recetas y pócimas
- Astrología
- Expresiones idiomáticas temporales y modales

Contenidos culturales
- La Queimada
- María Luisa Bombal
- El rey Felipe II
- La fiesta de El Colacho
- La leyenda de María Lionza de Venezuela

1 Lagarto, lagarto

1.1. ¿Sabes a qué país pertenece esta fotografía? En la antigua cultura maya la gente se vestía con colores llamativos porque pensaba que los dioses solo los verían si llevaban ese tipo de ropa, dado que para ellos esa vestimenta les hacía visibles ante la divinidad. De ahí que el traje típico de la cultura maya esté siempre hecho de bordados de colores. Esta es una antigua superstición de aquellas tierras. ¿Conoces alguna costumbre de este tipo en tu país? ¿Sabes si hay algún color que esté relacionado con alguna superstición? ¿Lo consideras una superstición o una tradición?

1.1.1. ¿Crees que, con el tiempo, una superstición se convierte en una tradición? Escribe una definición de superstición, y compara después tu definición con las que te ofrecemos a continuación.

1. Creencia irracional que atribuye el origen de los efectos (buenos o malos) a causas que no tienen que ver con ellos: "Las flores amarillas traen suerte".
2. Creencia en cosas sobrenaturales o paranormales (como la brujería, la magia, el ocultismo…): "En la casa, existía la superstición de que el alma de aquel hombre cruel flotaba por las habitaciones".
3. Creencia en cosas que no pueden ser explicadas por la razón: "Se instaló en la superstición de que no existe lo que no se dice".
4. Miedo excesivo o irracional a algo: "Se dio cuenta de que una superstición lo paralizaba".
5. Falsa religión o creencia: "La superstición es la desviación de la fe verdadera hacia creencias falsas".

1.1.2. La primera definición hace alusión a la creencia irracional en algo. El texto que tienes a continuación ha sido escrito por una estudiante y habla precisamente sobre este tipo de creencias populares.

> Yo conozco un gran número de supersticiones, ya que varios de mis familiares son supersticiosos. Se dice que **cuando** sientes un escalofrío repentino es que alguien acaba de pisar la que será tu tumba y que **después de** haber ido a un entierro tienes que bañarte. **Antes de que** venga una visi-
> 5 ta que no te guste, pon una escoba detrás de la puerta, saldrá pronto de tu casa. Se dice que estas dos últimas son supersticiones que vienen de Asia. Existe también una superstición que viene de Cuba que dice que **cuando** quieras olvidar a alguien, porque su recuerdo te hace daño, tienes que escribir su nombre con lápiz en un papel negro y meterlo en el congelador.
> 10 No se te olvidará **hasta que** no hayas olvidado que lo congelaste.

CONTINÚA ·····

Existen también muchas supersticiones en cuanto a verrugas y lunares; por ejemplo, si tienes una verruga, pásate una patata por ella y ponla encima del armario de tu habitación donde no puedas verla, **a**
15 **medida que** se vaya secando la patata, se irá secando tu verruga.

La sal era moneda de cambio en culturas anteriores a la nuestra. **Cuando** se te cae, pierdes parte de tu riqueza y además es un poco engorroso porque siem-
20 pre quedan granitos de sal por algún lugar; no sé si es por eso o por qué, pero recuerda que **siempre que** se te derrame la sal tienes que coger un poco de la sal derramada y tirarla hacia atrás sobre tu hombro izquierdo, porque de lo contrario, tendrás muy mala
25 suerte.

Respecto a los espejos, siempre ha habido muchas leyendas. Se decía que eran la puerta a otras dimensiones, a mundos desconocidos, por eso, inmediatamente **después de que** se te rompa un espejo, tienes que meter los pedazos en agua durante siete días y siete noches o tendrás siete años de
30 mala suerte. Si quieres empezar bien el día, **al** levantarte, procura hacerlo con el pie derecho, si no, es posible que tengas un día horrible. Y, por último, recuerda que un juramento no tiene valor si, **mientras** lo haces, cruzas los dedos, y que se pide un deseo **cuando** se ve una estrella fugaz.

Adaptado de http://www.augustobriga.net/memoria/supersticiones.htm

1.1.3. 👫👥 **En el texto anterior, están resaltados en negrita algunos conectores temporales. Clasifícalos según el cuadro que tienes a continuación.**

	Indicativo	Subjuntivo	Infinitivo
Simultaneidad/secuencialidad			
Anterioridad			
Posterioridad			
Inicio o límite de una acción			

1.1.4. 👫👥 **Teniendo en cuenta tu clasificación anterior, completa el cuadro con las palabras que aparecen desordenadas.**

anterioridad • presente • absolutos • límite • relativos • futuro

Cuando pensamos en **el tiempo verbal**, tenemos que hacerlo desde dos puntos de vista. Por una parte, los **tiempos** [1] _____ (indefinido, presente y [2] _____ simple) que se ordenan respecto al punto en que se sitúa el hablante, lo que identificamos con el [3] _____ ; y por otra, los **tiempos** [4] _____ , que dependen de otro tiempo verbal, dando lugar a relaciones temporales entre dos o más acciones (relaciones de [5] _____ , posterioridad, simultaneidad, inicio o [6] _____ de la acción, etc.).

1.1.5. 👥 👥 **Vamos a ocuparnos de algunos conectores que relacionan una oración subordinada temporal respecto a una oración principal y, en consecuencia, tiene carácter relativo. Completa el siguiente cuadro con los conectores que te ofrecemos y, después, escribe un ejemplo de cada uno.**

> a medida que • al • antes de • antes de que • así que • cada vez que • conforme • cuando • cuanto más • desde hace + periodo de tiempo • desde que • después de • después de que • en cuanto • entretanto • hasta • hasta que • hace + periodo de tiempo + que • mientras • mientras tanto • mientras que • nada más • no bien • según • siempre que • tan pronto como • todas las veces que • una vez • una vez que

Intención del hablante	Conectores	Modo verbal	Ejemplo
Presentar un suceso como contemporáneo de otro o en el que el espacio de tiempo transcurrido entre los dos sucesos es muy breve.	(1)	→ Indicativo	*Mientras termino este trabajo, tú podrías poner la mesa, ¿no?*
	(2)	→ Indicativo	
	(3)	→ Indicativo	
	(4)	→ Indicativo/subjuntivo	
	(5)	→ Indicativo/subjuntivo	
	(6)	→ Indicativo/subjuntivo	
	(7)	→ Indicativo/subjuntivo	
	(8)	→ Infinitivo	
	(9)	→ Infinitivo	
	(10)	→ Indicativo/subjuntivo	
Presentar un suceso como contemporáneo de otro estableciendo el contraste opositivo entre las acciones.	(11)	→ Indicativo	*Tú te tumbas a la bartola mientras que yo tengo que trabajar todo el día.*
Presentar un suceso progresivo.	(12)	→ Indicativo/subjuntivo	*Según terminaba, lo entregaba.*
	(13)	→ Indicativo/subjuntivo	
	(14)	→ Indicativo/subjuntivo	
	(15)	→ Indicativo/subjuntivo	
Subrayar que un suceso se produce cada vez que se produce otro.	(16)	→ Indicativo/subjuntivo	
	(17)	→ Indicativo/subjuntivo	
	(18)	→ Indicativo/subjuntivo	

Nota: *Mientras* expresa mayor simultaneidad que *cuando* y *al*. **Cuando** + sustantivo, *cuando* + adjetivo (*de* + adjetivo, restringido a adjetivos que se refieren a etapas de la vida): se refieren a un periodo de tiempo. **Cuando** niño, me dejaban hacer todo lo que quería.

Intención del hablante	Conectores	Modo verbal	Ejemplo
Marca el acontecimiento que sirve como punto de partida u origen de algo.	(1)	→ Indicativo/subjuntivo	*Dijo que, desde que llegara, se pasaría las horas durmiendo.*
	(2)	→ Indicativo	
	(3)	→ Indicativo	
Presentar un suceso como límite de una acción.	(4)	→ Indicativo/subjuntivo	
	(5)	→ Infinitivo	
Indicar una fase que ha de superarse para realizar la acción principal.	(6)	→ Indicativo/subjuntivo	*Una vez terminado el informe, entrégamelo, por favor.*
	(7)	→ Participio	

CONTINÚA ····

Intención del hablante	Conectores	Modo verbal	Ejemplo
Expresar que la acción principal es anterior a otra.	(1) ____ →	Subjuntivo	
	(2) ____ →	Infinitivo	
Expresar que la acción principal es posterior a otra.	(3) ____ →	Subjuntivo	*Después de llegar, nos tomamos un café.*
	(4) ____ →	Infinitivo	

1.2. Piensa en las supersticiones que hay en tu país y describe aquellas que creas que han pasado a ser de uso común incluso entre las personas que no se consideran supersticiosas.

1.3. España es un país plurilingüe. ¿Recuerdas cuántas lenguas oficiales hay? ¿Sabes cuántas de ellas derivan del latín?

1.3.1. La superstición, a veces, está relacionada con la magia y la brujería. El texto que tienes a continuación es un conjuro que se hace mientras se elabora la Queimada, una receta muy antigua que se prepara en Galicia. Trata de completarlo. Las palabras que faltan están escritas en el texto original en gallego.

Conjuro

Búhos, lechuzas, sapos y (1) ____. Demonio, duendes y diablos, (2) ____ de los senderos nebulosos. Cuervos, salamandras y brujas, hechizos de las curanderas. Podridas cañas agujereadas, (3) ____ de gusanos y (4) ____, fuego de las Santas (5) ____, mal de (6) ____, negros hechizos, olor pestilente de los (7) ____, truenos y (8) ____. Aullido de perro, pregón de la (9) ____, hocico del sátiro y pie del conejo. Pecadora lengua de la mala (10) ____ casada con hombre viejo. Averno de Satán y Belcebú, fuego de los (11) ____ ardientes, (...), (12) ____ de la mar embravecida. (...) Con este cazo levantaré las (13) ____ de este fuego que asemeja al del Infierno, y huirán las (14) ____ a caballo de sus escobas, yéndose a bañar bien la (15) ____ de las arenas gordas. ¡Oíd, oíd! los (16) ____ que dan las que no pueden (17) ____ de (18) ____ en el (19) ____ quedando así purificadas. Y cuando este (20) ____ baje por nuestras gargantas, quedaremos libres de los males de nuestra alma y de todo (21) ____. (22) ____ del aire, (23) ____, mar y fuego, a vosotras (24) ____ esta (25) ____: si es verdad que tenéis más poder que la (26) ____ terrena, aquí y ahora, haced que los (27) ____ de los amigos que están (28) ____ participen con nosotros de esta Queimada.

Moucho, curuxas, sapos e **bruxas**. Demos, trasnos e dianhos, **espritos** das nevoadas veigas. Corvos, pintigas e meigas, feitizos das mencinheiras. Podres canhotas, furadas, **fogar** dos vermes e **alimanhas**. Lume das Santas **Companhas**, mal de **ollo**, negros meigallos, cheiro dos **mortos**, tronos e **raios**. Oubeo do can, pregón da **morte**, foucinho do sátiro e pe do coello. Pecadora lengua da mala **muller** casada cun home vello. Averno de Satán e Belcebú, lume dos **cadavres** ardentes, (...), **muxido** da mar embravescida. (...) Con este fol levantarei as **chamas** deste lume que asemella ao do inferno, e fuxirán as **bruxas** a cabalo das súas escobas, indose bañar na **praia** das areas gordas. ¡oide, oide! os **ruxidos** que dan as que non poden **deixar** de **queimarse** no **agoardente** quedando así purificadas. E cando este **brebaxe** baixe po las nosas gorxas, quedaremos libres dos males da nosa alma e de todo **embruxamento**. **Forzas** do ar, **terra**, mar e lume, a vós **fago** esta **chamada**: si é verdade que tendes máis poder que a humana **xente**, eigui e agora, facede cós **espritos** dos amigos que estan **fóra**, participen con nós desta Queimada.

Adaptado de http://www.internet.com.uy/moebius/queimada.htm

1.3.2. 🎎 🧩 **¿Cómo has encontrado las palabras? Marca las estrategias que te han servido.**

1. ☐ Me he servido del contexto.

2. ☐ Me he ayudado de mi conocimiento de palabras derivadas de estas.

3. ☐ Me he guiado de las semejanzas morfológicas entre las dos lenguas.

4. ☐ Otra: ....

1.3.3. 🎎 🧩 **Las palabras con las que has completado el texto, han evolucionado de forma diferente en castellano y en gallego. En el siguiente cuadro tienes los fenómenos más frecuentes; trata de clasificar en cada uno de los cuadros las palabras según el fenómeno por el que se han visto afectadas.**

x por **j/g**	caída de vocal	**nh** por **ñ**	**ll** por **j**	**o** por **ue**

i por **y**	**f** por **h**	metátesis	**ch** por **ll**	**e** por **ie**

1.3.4. 🎎 ✏️ **A continuación tienes la historia de la Queimada y la forma de prepararla; solo tienes que completar, con tu compañero, lo que falta con los conectores que has aprendido.**

Junto con Albariños y Ribeiros (vinos), la Queimada es la más tradicional de las bebidas gallegas asociada a lo misterioso. Esta bebida ancestral proveniente de las tribus celtas ha pasado a ser consumida siempre en compañía y preferiblemente en las noches de san Juan, de luna llena, de difuntos y en aquellas en las que se sospecha la cercanía de la "Santa Compaña". Enraizada en la fábula y el misticismo gallegos, su consumo es toda una celebra-
5   ción alrededor de una fuente en la que se prepara la bebida, que no es otra cosa que aguardiente aderezado con azúcar, limón, café y frutas al que se le prende fuego para rebajar su alto grado de alcohol y para alejar a los malos espíritus; (1) .... se pronuncia el conjuro. Son muchos los estudiosos que establecen los orígenes de la Queimada en los siglos XI o
10 XII coincidiendo con la construcción de la Catedral de Santiago.

Para preparar la Queimada usaban un barreño y una cuchara de barro cocido. La preparación se hacía (2) .... el maestro de ceremonias pronunciaba el conjuro que se decía (3) .... las llamas consumían el alcohol del aguardiente. Ponían azúcar, aguardiente, una corteza de limón y algunos granos de café (la proporción era de 120 gra-
15 mos por cada litro de líquido), a continuación ponían el aguardiente y el azúcar en el cazo y les prendían fuego, acercaban poco a poco el cazo al barreño (4) .... el fuego del cazo prendía en el aguardiente de la fuente. (5) .... las llamas pasaban del cazo al barreño, el maestro de ceremonias comenzaba a pronunciar el conjuro, (6) .... removía despacio (7) .... se consumía el azúcar. (8) .... consumido este, se
20 ponía otro poco de azúcar seco en el cazo, colocándolo encima de las llamas del barreño y (9) .... el azúcar se convertía en almíbar, se añadía al total de la mezcla. (10) .... volverse las llamas azules, se soplaban de un golpe y así se podía dar por terminada la preparación del brebaje al que se le atribuían efectos mágicos.

1.4. 👤 ✏️ **En la cultura mexicana, la sopa tiene el poder de calmar, de subir el ánimo, de tranquilizar. ¿Conoces alguna receta relacionada con la comida o con la bebida que espante los males, que cure alguna enfermedad o que tenga algún poder? Explica cómo se hace.**

¡Qué bruja! 2

2.1. ¿Sabes qué significa esta expresión? ¿Sabes cuándo se dice? Haz un retrato de cómo es una bruja para ti. ¿Coincides con tus compañeros?

2.1.1. Vas a escuchar el fragmento de un documental que habla sobre las brujas. Toma notas de las ideas principales.
[16]

2.1.2. Con las notas que has tomado, contesta las siguientes preguntas.

1. ¿Por qué a las brujas se las asocia a la maldad y a la oscuridad?
2. ¿Qué papel desempeñaba la mujer en las sociedades primitivas? ¿Y el hombre?
3. ¿Qué relación hay entre el papel que la mujer desempeñaba en la sociedad primitiva y la brujería?
4. ¿Por qué crees que daban miedo las capacidades de la mujer en las sociedades antiguas?
5. ¿Por qué fueron perseguidas las supuestas brujas?

2.2. Busca en el diccionario el término "hada" y compáralo con el de "bruja". ¿En qué se parecen y en qué se diferencian?

2.2.1. ¿Crees en las hadas? Aunque nunca hayas visto una, existen. Son pequeños seres luminosos que aparecen frecuentemente en los bosques profundos, las aguas de los arroyos y los centenarios árboles y llevan una varita que despide infinidad de chispas luminosas. Han estado presentes en nuestra cultura desde tiempos inmemoriales.

La palabra "hada" significa encantamiento y se representa como un ser pequeño y sobrenatural que posee poderes mágicos e intercede para bien o para mal en nuestros asuntos. Se desconoce su origen cultural, pero en la Edad Media van adquiriendo la forma que ha llegado a nuestra época. Desde tiempos ancestrales, en todas las tradiciones de todos los pueblos del mundo entero se ha creído en la existencia de estos seres.

5   La materia de que están hechas las hadas es sutil y etérea, traslúcida, y es así, bajo esta apariencia, como se las puede ver cuando se dignan mostrarse a los humanos; sin embargo, **en un abrir y cerrar de ojos** pueden situarse en el plano astral, haciéndose invisibles y pudiendo vernos ellas y nosotros, no.

En opinión de los teósofos, que se han ocupado de investigar el tema, la función general de las hadas es absorber la vitalidad del sol y distribuirla entre lo físico. O sea, que viene a ser un enlace entre el mundo invisi-
10 ble y el mundo visible.

En tiempos pretéritos, pero cristianizados, se afirmaba que las hadas eran ángeles caídos o bien paganos muertos y por ello no aptos ni para subir al cielo ni para descender al infierno, por lo que estaban obligados a vivir por toda la eternidad en las oscuras regiones del "reino intermedio", es decir, nuestra Tierra.

Los escandinavos cuentan de forma mitológica que fueron los gusanos que surgían del cuerpo muerto del
15 gigante Imir los que se convertían en elfos claros, las elfinas, y en elfos oscuros. Las elfinas viven en el aire, los elfos oscuros, en el subsuelo.

Según se puede apreciar, el norte de Europa sabe de hadas, así como las islas británicas, pero de igual manera no son ignoradas en Alemania ya que allí se las conoce bajo el nombre de "Nornes", hilanderas al estilo de las Parcas griegas, y a las que podríamos denominar como una suerte de "madres" de las hadas, su fuente creadora.
20   Estas hadas son las que, en el nacimiento de los niños, se acercan a sus cunas para concederles dones o maleficios, en virtud de cómo sean estas hadas, buenas o malas. Cuando son malas, se las conoce bajo el nombre de brujas.

En Francia, nos encontramos con el hada Abonda o Abonde, que procura abundancia. En Italia, con Aia o Ambriane, hada que pertenece al grupo de las llamadas Damas Blancas. Sin movernos de Italia, nos tropezamos
25 asimismo con la famosa Befana que trae regalos a los niños por Navidad, fórmula que se repite en Francia con el hada Arie. En Venecia, tenían a la Dona Bruta y, en Brescia, a la Besola.

En España, en Cataluña, en la reserva forestal del Montseny, existe un lago en el cual, las noches de luna llena, se afirma que salen de sus aguas las hadas para bailar al claro de luna; hay quien asegura haberlas visto.

Adaptado de http://rincondelashadas.webcindario.com/indexhadas.htm

2.2.2. 🧑‍🤝‍🧑💬 **¿Qué características tienen las hadas según el texto que has leído? ¿Qué hadas famosas conoces? ¿Responden a la descripción que has leído? ¿Hay en tu país hadas conocidas como las que se mencionan en el texto?**

2.3. 🧑‍🤝‍🧑 🧑‍🤝‍🧑 **Fíjate en la frase que está en negrita en el texto. ¿Qué significa? ¿De qué elementos está formada?**

2.3.1. 🧑‍🤝‍🧑 🧑‍🤝‍🧑 **Completa la siguiente información, teniendo en cuenta tus conclusiones anteriores.**

> Las locuciones adverbiales de valor [(1) _____] son expresiones idiomáticas que están formadas por una [(2) _____] seguida de un sintagma nominal o por otra expresión idiomática. Equivalen a un [(3) _____] de tiempo y, a veces, pueden ser sustituidas por uno de ellos.

2.3.2. 🧑‍🤝‍🧑 🧑‍🤝‍🧑 **Las expresiones que tienes a continuación son este tipo de locuciones adverbiales. Clasifícalas en las cajas, según el adverbio por el que pueden ser sustituidas y, luego, haz una frase con cada una de ellas, contextualizándolas.**

☐ En un abrir y cerrar de ojos.
☐ A/hasta las mil/tantas.
☐ A buenas horas.
☐ En un suspiro.
☐ De higos/guindas a brevas.

☐ En menos que canta un gallo.
☐ En un santiamén.
☐ De Pascuas a Ramos.
☐ En un pis pas/periquete.

Muy tarde	Rápidamente	De vez en cuando

2.4. 👥💬 **¿Puedes contestar a la pregunta final de la audición 16? ¿Crees en las brujas? ¿Crees que hay mujeres u hombres que tienen poderes? ¿Cuál es el concepto que tenemos de brujas hoy día? ¿Es el mismo que tenían antaño o piensas que ha cambiado?**

2.4.1. 🧑 ✏️ **¿Conoces historias de brujas o hadas? ¿Sabes alguna leyenda que hable sobre ellas? Escribe un relato que tenga como personaje una bruja, o un hada o ambas. Puede ser una historia que conozcas o te la puedes inventar.**

1. **Busca en esta sopa de letras la palabra correspondiente a esta definición.**

```
T A M A L D A D C V A J F D O H A S T R O
B N I S P M U D E G N T F F V U L R H N L
R L T S U P E R S T I C I O N I I R O Z A
U E O U P E R R O E B O F S I C M O G O G
J N L J R U R L I M A N A T T R A P U O A
E I O I G O A T L A L J N R L U Ñ A E D R
R S G A V D G O E M R U T T U N A A R N T
I N I Ñ A W S N V S A R A A R R E H A A O
A L A M A R E S S I N O S B R U J A U N O
E D I N U M E N B R M T M O R O G D Y R D
F E N O M E N O S P A R A N O R M A L E S
J E S I Y V G I R A S O L O S A S O E F S
S H X L N B F U E G O E S C A L O F R I O
```

son aquellos que no tienen explicación científica convincente o son completamente inexplicables. Los métodos convencionales son insuficientes para poder hacer una comprobación adecuada de estos por considerarse extraños, no comunes y frente a los cuales todos los razonamientos actuales quedan invalidados. Un ejemplo son las apariciones, los poderes mentales de intuición, telequinesia, telepatía y muchos otros fenómenos que nos causan asombro, miedo o temor.

En www.laplazavirtual.com/paranormal

¿Se te ocurren otros ejemplos relacionados con este tema? Descríbelos.

Explica en qué consisten estos fenómenos paranormales.

EL JUEGO DE LA OUIJA:

LAS PSICOFONÍAS:

LOS FANTASMAS:

Escucha la siguiente entrevista realizada a Alejandro Parra, que coordina el Instituto de Psicología Paranormal, fundado en 1994, y la Agencia Latinoamericana de Información Psi. Te ofrecemos las preguntas que le realiza el periodista para que anotes un resumen de las respuestas que el investigador da. Después, comprueba si tus descripciones anteriores son correctas.

¿Cuándo comenzaste en la parapsicología?

¿Qué hay de cierto en el peligro de utilizar la Ouija?

¿Qué concepto tienes sobre las psicofonías?

¿Los fantasmas son hologramas o entidades pensantes?

¿Entonces esto indicaría que existe un mundo o dimensión de los espíritus?

¿Hay vida después de la muerte?

3.2.2. 👥 ❄️ **¿Te ha resultado fácil resumir las opiniones del investigador Alejandro Parra? Di si las siguientes afirmaciones son correctas, argumentando tu respuesta y apoyándote en ejemplos extraídos de la audición.**

	verdadero	falso
1. Las respuestas del parapsicólogo son claras y concisas.	☐	☐
2. Apoya sus opiniones poniendo ejemplos y narrando experiencias personales.	☐	☐
3. Contrasta sus argumentos como parapsicólogo con otros expertos conocedores de estos temas.	☐	☐
4. Hace comparaciones para explicar algunos conceptos.	☐	☐
5. Deja ver claramente su opinión.	☐	☐

3.3. 👥 💬 **¿Qué relaciones puedes encontrar entre la muerte y los fenómenos paranormales?**

3.3.1. 👤 📖 **Lee el siguiente texto de la escritora chilena María Luisa Bombal. Antes de leer, relaciona estas palabras con su correspondiente significado.**

1 Cirio. •		**a** Delgada y graciosa.
2 Franja. •		**b** Espacio comprendido dentro de unos límites.
3 Lecho. •		**c** Vela gruesa y larga.
4 Grácil. •		**d** Perder la frescura de la juventud, o bien de la salud física o espiritual.
5 Batón. •		**e** Desenredar.
6 Sosegado. •		**f** Cabellera abundante.
7 Mata de pelo. •		**g** Tranquilo.
8 Desenmarañar. •		**h** Vestido largo.
9 Marchitar. •		**i** Cama.

Novelista chilena nacida en Viña del Mar (1910) y muerta en Santiago (1980). Se graduó en Filosofía y Letras en la Sorbonne (lo que le permitió conocer el surrealismo en auge en Francia), estudió arte dramático y violín. Introdujo el surrealismo en la novelística chilena, mostrando, con pluma segura, mundos inexplorados, como la naturaleza femenina, y ejerciendo modos narrativos consecuentes: imaginativos, simbólicos, sugerentes, patéticos. Obras principales: *La última niebla* (1935), historia de la vida entre real y onírica de una mujer en busca del amor perfecto; *La amortajada* (1938), retrospección de la existencia de una mujer muerta. Es justamente célebre su cuento *El árbol*, aparecido con la primera de ellas. Obras de la escritora merecieron premios de la Municipalidad de Santiago y de la Academia Chilena de la Lengua; sus obras han sido traducidas al inglés, francés, alemán, sueco, portugués, japonés y checo.

Y luego que hubo anochecido, se le entreabrieron los ojos. Un poco, muy poco. Era como si quisiera mirar escondida detrás de sus largas pestañas. A la llama de los altos cirios, cuantos la velaban se inclinaron, de manera que podían observar la limpieza y la transparencia de aquella franja de pupila que la muerte no había logrado empañar. Respetuosamente maravillados se inclinaban, sin saber que
5   ella los veía. Porque ella veía y sentía.

Y es así como se ve inmóvil, tendida boca arriba en el amplio lecho revestido ahora de las sábanas bordadas, perfumadas de espliego –que guardan siempre bajo llave– y se ve envuelta en aquel batón de raso blanco que solía volverla tan grácil.

Levemente cruzadas sobre el pecho y oprimiendo un crucifijo, vislumbra sus manos; sus manos que
10   han adquirido la delicadeza frívola igual que dos palomas sosegadas.

Ya no le incomoda bajo la nuca esa espesa mata de pelo que durante su enfermedad se iba volviendo, minuto por minuto, más húmeda y más pesada. Las mujeres la desenmarañaron y la alisaron de modo que, al fin, consiguieron dividirla sobre la frente.

Han descuidado, es cierto, recogerla.
15   Pero ella no ignora que la masa sombría de una cabellera desplegada presta a toda mujer extendida y durmiendo un ceño de misterio, un perturbador encanto.

Y de golpe se siente sin una sola arruga, pálida y bella como nunca.

La invade una inmensa alegría, que puedan admirarla así, los que ya no la recordaban sino devorada por fútiles inquietudes, marchita por algunas penas y el aire cortante de la hacienda.

Adaptado de María Luisa Bombal, La amortajada

3.3.2. 🔳🗨 **Después de leer el texto, discute las siguientes cuestiones con tus compañeros.**

1. ¿Cuál de los temas tratados en la entrevista que has escuchado antes tiene relación con esta historia?
2. Busca indicios (palabras, frases...) en el texto que justifiquen tu respuesta.

3.3.3. 👤👥 **Relaciona las frases teniendo en cuenta su significado.**

1 Expresa la condición para que se cumpla la acción que expresa el verbo principal. •
2 Expresa el porqué de la acción del verbo principal.
3 Expresa el modo en que se realiza la acción del verbo principal. •

• **a** Se fue como alma que lleva al diablo.
• **b** Como eres un experto en temas para-normales, te llamarán para el programa "Otros mundos".
• **c** Como oiga algún ruido extraño en la casa, pensaré que hay espíritus.

3.3.4. 👤👥 **Las oraciones que expresan modo tienen como elemento introductorio más frecuente el conector *como*, pero también existen otros nexos introductorios de este tipo de oraciones. Busca en el texto que acabas de leer ejemplos en donde se exprese este valor modal.**

3.3.5. 👤👥 **Analiza el siguiente cuadro y pon ejemplos de cada una de las informaciones que te ofrece.**

1. Las oraciones subordinadas adverbiales de modo equivalen a un adverbio modal como, por ejemplo, *así* o adverbios acabados en *-mente*:
   - *Se fue como alma que lleva al diablo* ➜ [   ]

2. Otros conectores modales, además de *como*, son: *según, conforme, tal y como, así como, según y como, de acuerdo con lo que, del mismo modo que, igual que, tal cual*:
   - [   ]

   Estos conectores se construyen con indicativo o subjuntivo, dependiendo de si tratan una información conocida o desconocida por parte del hablante:
   - [   ]

3. Los conectores *como* e *igual que* se unen a la conjunción *si* cuando la intención del hablante es comparar algo con un referente imaginario. En este caso, el modo verbal utilizado es siempre el **subjuntivo**:
   - [   ]

4. También actúa como conector de modo la preposición *sin*, con infinitivo cuando el sujeto de los dos verbos es el mismo:
   - [   ]

   Por el contrario, este nexo va acompañado por *que* + subjuntivo cuando hay dos sujetos diferentes:
   - [   ]

5. Cuando los sustantivos *modo, manera* se combinan con el intensificador *tal*, y van en indicativo, la oración adquiere un matiz claramente consecutivo:
   - [   ]

   Cuando *de (tal) modo/manera/forma que* van con subjuntivo, la oración adquiere un sentido final (la consecuencia se entiende como intencional):
   - [   ]

3.3.6. 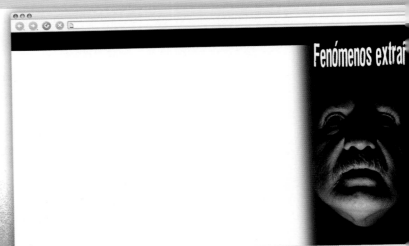 Completa esta historia sacada de una página de Internet dedicada a narraciones de fenómenos extraños; intenta no usar dos veces el mismo conector modal. Luego, compara tu versión con la de tus compañeros.

Todo comenzó en el año 1999, cuando fui reclutado en el servicio militar de Cuba. Estaba recién graduado de enfermero universitario. Teníamos **(1)** .... instructor a un capitán que había peleado en Angola que nos narró la siguiente historia que le sucedió durante la revolución del 59:

5 Un día, después de haber cenado, habíamos puesto las bandejas de comer en forma vertical **(2)** .... escurriera el agua; apagamos las luces y nos acostamos a dormir **(3)** .... solíamos hacer cada día. Eran las 11.55 de la noche. Pasados 5 minutos, se sintió **(4)** .... todas las bandejas de metal se hubieran caído al piso del comedor, produciendo un estrépito tremendo.

10 **(5)** .... se prendieron las luces, algunos fuimos corriendo, pensando que era algún animal husmeando, pero al llegar la sorpresa fue grande. Todas las bandejas estaban en su sitio y las ventanas del comedor estaban cerradas y no había animal alguno. Entonces todos nos fuimos a dormir, pero, al rato, se volvió a sentir nuevamente el ruido **(6)** .... había sucedido antes y de nuevo todo estaba en orden **(7)** ....

15 no hubiera pasado nada. Durante cinco noches seguidas todo pasó **(8)** .... lo narrado anteriormente. La gente, atemorizada, abandonaba, y **(9)** .... lo hacía, iban entregando el carné del partido. Al final quedaron solo 25 personas que también estaban a punto de marcharse, porque la situación se estaba volviendo insoportable, hasta que mandaron a un haitiano que sabía de fenómenos extraños. Estuvo mirando el comedor y de pronto dijo "Levanten esa losa". Alguien lo hizo **(10)** .... rechistar.

20 Debajo de la misma, había un hueso humano con unas tiras rojas y un clavo negro enterrado en él. El haitiano lo tomó y se lo dio a uno de los principales y le dijo que lo tirara lejos de allí y por encima del hombro izquierdo. ¿Espíritus o almas que no descansan? La cuestión es que nunca volvió a pasar nada más.

3.4. 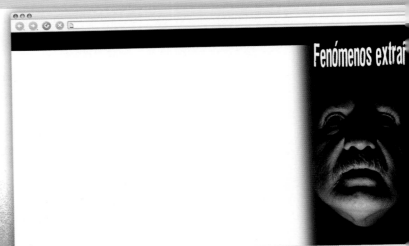 Imagínate que eres una de las personas que estuvo en el velatorio del personaje de María Luisa Bombal. Decides meterte en una página de Internet dedicada a fenómenos extraños y contar lo que pasó en ese velatorio. Inventa el pasado de ese personaje, explica las causas de su muerte, qué pasó en el velatorio y cómo acabó la historia. Usa conectores modales.

3.5. 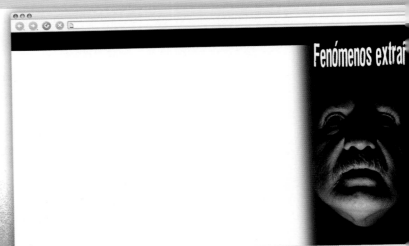 Lee esta pequeña historieta. ¿Sabes lo que significa la expresión marcada en negrita? Ayúdate del contexto para deducir su significado.

3.5.1. 👥 🅰️ **La expresión anterior se incluye dentro de un numeroso grupo de expresiones idiomáticas que hacen referencia a la muerte. Coloca las siguientes debajo de las frases que vienen a continuación, según creas que sea su significado.**

1. Pesar como un muerto.
2. Ir/salir como alma que lleva el diablo.
3. No poder con su alma.
4. Entregar el alma a Dios.

5. Estar con/tener el alma en vilo.
6. Quitarse el muerto de encima.
7. Cargarle o echarle el muerto a alguien.

a. ☐ Hoy ha sido un día muy estresante, estoy agotada.

b. ☐ Pero... ¿qué llevas en esta maleta? No hay quien la levante.

c. ☐ Este trabajo ha sido una verdadera pesadilla, pero por fin me he deshecho de él.

d. ☐ Desde que se quedó viudo, va siempre solo y como pensando en lo suyo.

e. ☐ Mi difunto abuelo murió hace 10 años.

f. ☐ El mejor ordenador de la empresa ha desaparecido y como yo soy el último en irme de allí todos los días, ahora todos me culpan a mí.

g. ☐ Le pedí que se casara conmigo, pero no me dio la respuesta hasta que pasó lo menos una semana, así que estuve por aquellos días muy nervioso e intranquilo.

3.6. 👥 🗨️(BLA) **¿Crees que hay hechos inexplicables desde la razón? ¿O es que simplemente aún no existen los conocimientos científicos necesarios para desentrañarlos? ¿Has tenido alguna vez alguna experiencia extrasensorial? Si es así, o conoces a alguien que la haya tenido, cuéntasela a tus compañeros.**

Eres mi talismán **4**

4.1. 👥 🗨️(BLA) **¿Sabes quién era Felipe II? Anota todas las aportaciones de tus compañeros y, entre todos, confeccionad un retrato físico y psicológico de este personaje histórico.**

4.1.1. 👤 📖 **Felipe II reinó en España en el siglo XVI. Si hay una característica que describa a este rey es su catolicismo a toda prueba que marcó su personalidad y cada uno de sus actos y de sus decisiones.**

Su imagen clásica, vestido siempre de negro desde la muerte de su esposa Isabel de Valois, o el recuerdo macabro de sus últimos días en el lecho de muerte, apestando por las llagas que tenía por todo el cuerpo y envuelto en todas las reliquias que se pudieron reunir para garantizar su tránsito a la Gloria, nos transmite la imagen de un ser con el alma distorsionada por una fe radicalmente fetichista y supersticiosa.   5

Felipe II casaba su catolicismo a ultranza con su confianza en los saberes arcanos; su espíritu cristiano no se empapaba únicamente de devoción, sino también de magia, a través de su obsesiva fe en la influencia taumatúrgica de los santos despojos de las reliquias. Llevó siempre consigo el horóscopo que se mandó hacer en su juventud y lo consultaba antes de tomar cualquier decisión. El rey fomentó en su entorno la discreta presencia de hermetistas, astrólogos y alquimistas.   10

Tenía un gran afán coleccionista. Guardaba toda clase de objetos, desde reliquias hasta mapas, plantas exóticas e incluso cajas que contenían huesos. Por supuesto, también coleccionaba muchas pinturas y libros, y podríamos preguntarnos si lo hacía por amor al arte o por simple afán coleccionista.

Todos estos rasgos indican que Felipe II tenía una personalidad obsesivo-compulsiva. Sufría profundos desequilibrios, aunque hay que destacar que también tuvo grandes aciertos. No olvidemos la profundidad   15
de su conciencia y su responsabilidad como rey, además de su sencillez.

4.1.2. ¿Coincide el retrato que has hecho en 4.1. con el que hace el texto? Extrae del texto las frases que hacen referencia a la personalidad supersticiosa de Felipe II.

4.1.3. Elabora una lista de palabras del texto que te hayan dificultado su comprensión y trata de inferir qué significan sin usar el diccionario. Aquí te proponemos algunas estrategias para poder descubrir el significado de una palabra. Después, reflexiona sobre cuál te parece más útil y propón las tuyas propias.

1. ☐ Averiguar la clase de palabra a la que pertenece: sustantivo, adjetivo, verbo.
2. ☐ Deducir la palabra por el contexto.
3. ☐ Inferir el significado a partir de la raíz de la palabra.
4. ☐ Proponer sinónimos y ver si tienen significado en el contexto.
5. ☐ Deducir la palabra buscando términos similares en tu propia lengua.
6. ☐ Otras: ....

4.1.4. Comprueba tus respuestas buscando las palabras en el diccionario.

4.2. Lee las siguiente frases y deduce el significado de las expresiones en negrita. Cambia cada expresión por un sinónimo. ¿Cómo se llaman este tipo de expresiones?

1. Cada día se lee **de cabo a rabo** su horóscopo.
2. Lee estas cosas **a hurtadillas,** no vaya a ser que le digan: *¿Y tú crees en esto?*
3. Cree **a pies juntillas** que se va a cumplir lo que allí dice, por eso, se sugestiona.
4. No compres un libro de horóscopos **sin ton ni son**, busca uno fiable y científico.
5. Si sale a la calle sin su amuleto de la suerte, lo hace **a regañadientes** y **a la fuerza** porque cree que todo le va a salir mal.
6. Se sabe **de carrerilla** su carta astral.
7. Si tiene un amigo que le ha traído suerte en algún asunto, lo defenderá **a capa y espada** y le dirá: *Ven conmigo que eres mi talismán.*

4.2.1. ¿Puedes completar este cuadro con las siguientes palabras?

modo • preposición • obligadamente • adverbio

En español existen muchas expresiones compuestas por [(1)_____] + sintagma nominal, adjetivo o adverbio que funcionan exactamente igual que un [(2)_____] e indican el [(3)_____] en que se realiza la acción expresada por el verbo. Son las locuciones adverbiales de modo. Por ejemplo, *Hacer algo a la fuerza* significa "[(4)_____]". Por otro lado, la expresión *matar + de +* estado físico, emotivo o anímico (una enfermedad, pena, hambre, tristeza, sed, sueño) indica que el sujeto actúa voluntariamente mientras que con *morir de* se indica la involuntariedad del sujeto. Lo mismo se expresa con la preposición *A* + un verbo que exprese acto repetido (*Murió a palos, Salió de la discoteca a empujones*).

4.2.2. Escribe las siguientes locuciones adverbiales de modo contextualizadas en una frase.

☐ A tontas y a locas.   ☐ A gatas.   ☐ A duras penas.   ☐ De *pe* a *pa*.
☐ A ultranza.   ☐ A muerte.   ☐ De golpe.   ☐ En fila india.
☐ A pie.   ☐ A gusto/disgusto.   ☐ De mala gana.
☐ A oscuras.   ☐ A tientas.   ☐ De oídas.

4.2.3. ¿Cómo definirías a una persona supersticiosa? ¿Qué rasgos predominarían en ella? ¿De qué modo influye la educación en ser o no ser supersticioso?

5.1. Observa la foto que tienes a la izquierda, pertenece a una tradición popular que se celebra en un pueblo de Castilla-León. ¿Qué crees que representa? ¿Has visto alguna vez algo parecido?

5.2. Pablo nos ha escrito esta redacción en la que explica la fiesta. ¿Cuántos años tiene? ¿De dónde es? ¿En qué te basas?

> El colacho es un señor disfrazado que representa las fuerzas del mal. El colacho tiene una cola de caballo con un palo y va por las calles azotando a los niños que lo insulten. Los cofrades le sigen y tambien el atabalero con un tambor.
>
> Aparecio en castrillo de murcia hace mucho tiempo. A principios de junio se celebra la tradicion del colacho con su pueblo. Despues lo hacen los niños de 4 a 13 años. A los pequeños la mascara les da mucho miedo porque es muy fea. El colacho tambien hace mas cosas, ponen a unos niños en colchones con pétalos de rosa, despues los salta a todos de golpe. Antes de empezar tocan en la iglesia con un tambor y unas castañuelas. Despues en el ayuntamiento dan orejuelas gratis y vino con pan. Los pequeños en las corridas se ponen tan alante que no les pilla nunca en cambio los mallores se ponen muy delante y su truco es saltar para que no les den porque da por abajo.

5.2.1. Lee ahora el siguiente texto sobre el mismo tema.

Las fiestas de El Colacho se celebran en la pequeña localidad de Castrillo de Murcia situada en las cercanías de Burgos, en la comunidad autónoma de Castilla-León y su origen se pierde en la noche de los tiempos. La celebración comienza la víspera del **Corpus** y termina seis días después. Como primera consideración, se hace necesario decir que este personaje es alegórico y que representa al demonio; y como corresponde a la imagen de la época en que fue concebido, su actuación es
5 una pantomima en la que el sátiro remeda en todo al Príncipe del mal. La celebración tiene varias partes:

- **Actuación en el templo:** los **cofrades** se reúnen en la casa de la cofradía y los niños esperan impacientes en la puerta. Cofrades, colacho, **atabalero** y chiquillos salen hacia el templo donde se celebra el canto de Vísperas. Previa reverencia, entran en el templo para la celebración del rito, que se verá interrumpido en sus momentos más solemnes por las enormes **terrañuelas** que porta el sátiro y el sonoro tambor que toca el atabalero.

10 - **Las corridas** (símbolo del escarnio): todos estos personajes, representaciones del mal, merecían el escarnio y las burlas de los participantes en la fiesta, por tanto las corridas por las calles del pueblo cumplen esta función; es por ello por lo que cofrades y atabalero desfilan solemnes por las calles mientras el diablillo es insultado y azuzado por los pequeños que corren a su alrededor al tiempo que este trata de azotarles con la única arma de la que dispone: un palo del que pende una cola de caballo.

15 - **La procesión religiosa:** es la parte más importante de la celebración. El pueblo se viste con sus mejores galas: colchas en los balcones y ventanas, altares con flores frente a las puertas y en la calle, colchones adornados con pétalos de rosas. La costumbre es colocar a los niños nacidos ese año en los colchones para que sean saltados por El Colacho, y espantar así el **mal de ojo**. La procesión termina con la bendición del sacerdote que viene detrás acompañado de la cofradía y del mayordomo que toca el atabal.

20 - **Pregón final:** es el final. Una vez concluida la procesión religiosa, los participantes se reúnen en torno a un escenario al aire libre donde el atabalero se dirige a la concurrencia con un discurso que recuerda la tradición y el origen de las fiestas de El Colacho. La festividad termina con una invitación a degustar los productos típicos de la tierra.

Por último, se hace necesario destacar que este tipo de ritos tiene relación con otros que se celebran en todo el mundo, como los Roques catalanes, los Diablos Cojuelos de Santo Domingo, los Entremeses valencianos... En conclusión, estas far-
25 sas alegóricas de origen medieval prepararon el terreno para espectáculos tan singulares como el que podemos disfrutar ahora en tierras burgalesas.

1. **Corpus:** jueves, sexagésimo día después del domingo de Pascua de Resurrección, en el cual celebra la Iglesia católica la festividad de la institución de la Eucaristía.
2. **Cofrade:** persona que pertenece a una congregación o hermandad que forman algunos devotos, para un fin determinado.
3. **Atabalero:** persona que se ocupa de tocar un tambor en las fiestas públicas.
4. **Terrañuelas:** local, especie de castañuelas gigantes.
5. **Mal de ojo:** influjo maléfico que, según vanamente se cree, una persona puede ejercer sobre otra mirándola de determinada manera.

5.2.2. 👥 🌐 **¿Cómo se habla en cada texto del mismo tema? Busca ejemplos en los dos textos y compara tus respuestas con las del resto del grupo.**

	Texto de Pablo	Texto adaptado
Conectores del discurso	Después Y	
Repetición de la misma palabra		
Oraciones simples		
Organización del discurso: introducción, desarrollo y conclusión.		
Catáforas: pronombres y adverbios que se refieren a términos que están después en el texto.		
Estructuras complejas		
Anáforas: pronombres y adverbios que aluden a palabras que están antes en el texto.		

Se entiende por madurez sintáctica la capacidad de producir oraciones complejas. Lo que caracteriza más notoriamente la sintaxis infantil o la adulta inmadura es el uso casi exclusivo de oraciones simples, que se colocan una tras otra. El español dispone de mecanismos lingüísticos que permiten combinar dos, tres y más oraciones simples en una oración única, más elaborada sintácticamente y más precisa desde el punto de vista semántico. Este es el tipo de oración que se debe utilizar en la redacción informativa y en la norma culta formal escrita.

Humberto López Morales

5.3. 👤 🎧 **El siguiente diálogo se desarrolla en una clase en la que una profesora mantiene una conversación con sus alumnos. Escucha lo que dicen y toma nota de las**
[18] **respuestas de los niños. Después, compara tus notas con las de tus compañeros.**

5.3.1. 👤 ✏️ **Ahora, con las notas que has tomado, escribe un texto sobre María Lionza. Tienes que reelaborar la información que te han dado los niños para que el texto que escribas tenga un lenguaje maduro. Consulta el cuadro que te aportamos.**

	Código oral	Código escrito
Lenguaje	• Uso de estructuras sintácticas simples. • Abundancia de léxico informal.	• Uso de estructuras sintácticas complejas: subordinación. • Léxico formal y preciso. Recurso a la sinonimia y polisemia.
Coherencia	• Poca rigidez en la estructura del discurso. • Recurso a la redundancia, las repeticiones y las digresiones.	• Estructura más rígida que responde a determinados esquemas según el tipo de escrito. • Se huye de la redundancia.
Cohesión	• Se recurre frecuentemente a las pausas y a la entonación para hacerse entender. • Adquiere especial relevancia el paralenguaje y la comunicación no verbal. • Conectores poco formales.	• Profusión de conectores formales para estructurar el discurso.
Adecuación	• Uso de dialectos. • Lenguaje informal y subjetivo.	• Uso de la lengua estándar. • Lenguaje formal y objetivo.

5.3.2. 👥 💬 **Hemos hablado de El Colacho y de María Lionza. ¿Hay alguna fiesta en tu país en la que intervengan personajes fantásticos, mágicos o míticos? Descríbela.**

Unidad 6
La memoria

Che Guevara

Contenidos funcionales
- Expresar lo inevitable del cumplimiento de una acción y/o el convencimiento que tenemos sobre algo
- Expresar insistencia o intensidad en algo para luego no obtener los resultados deseados
- Expresar una mínima intensidad en algo que facilitará los resultados deseados
- Presentar o tener en cuenta un hecho que no impide otro hecho o tener en cuenta una idea pero no dejarse influir por ella

Contenidos gramaticales
- Verbo A (subjuntivo) + relativo + Verbo A repetido (subjuntivo)
- Verbo A (subjuntivo) + *o no* (+ Verbo A repetido (subjuntivo))
- *Por mucho,-a,-os,-as* (+nombre) + *que* + indicativo/subjuntivo
- *Por más* + (sustantivo) + *que* + indicativo/subjuntivo
- *Por* + adjetivo + *que* + subjuntivo
- *Por muy* + adjetivo/adverbio + *que* + subjuntivo
- *Y eso que* + indicativo
- *Y mira que* + indicativo
- *Por poco, -a,-os,-as* (+ nombre) + *que* + subjuntivo
- *Aunque* + indicativo/subjuntivo
- *A pesar de que* + indicativo/subjuntivo
- *Pese a que* + indicativo/subjuntivo
- *Pese a* + infinitivo/nombre
- *A pesar de* + infinitivo/nombre
- *Aun* + gerundio

Contenidos léxicos
- Campo léxico relacionado con la memoria como algo físico. Léxico relacionado con la memoria colectiva: mitos
- Trabajo de léxico del español de América: Cuba y Argentina

Contenidos culturales
- Dos mitos hispanoamericanos: Che Guevara y Eva Perón

1 Haz memoria

1.1. Chateaubriand, pensador que vivió La Revolución Francesa, escribió:

"Sin la memoria, ¿qué seríamos? Olvidaríamos nuestras amistades, nuestros amores, nuestros placeres, nuestros negocios; la mente no podría reunir sus ideas; el corazón más afectuoso perdería su ternura si perdiera sus recuerdos; nuestra existencia se reduciría a los momentos sucesivos de un presente que se va constantemente; ya no habría pasado. ¡Pobres de nosotros! Nuestra vida es tan vana que no es más que un reflejo de nuestra memoria".

François René de Chateaubriand,
Memorias de ultratumba

1.2. ¿Qué tres definiciones harías de "memoria" si la tuvieras que asociar a:

- 1. algo físico.
- 2. vivencias.
- 3. la historia.

1.2.1. Relaciona estas frases de intelectuales que han dejado huella en nuestra memoria con los tres tipos de memoria: memoria física, memoria individual, memoria colectiva. ¿Con cuáles estás de acuerdo? ¿Hay alguna a la que pondrías alguna objeción?

1

La ventaja de la mala memoria es que disfrutas varias veces de las mismas cosas como la primera vez.

Friedrich Nietzsche

2

Hay que tener buena memoria después de haber mentido.

Pierre Corneille

3

La vida de los muertos perdura en la memoria de los vivos.

Marco Tulio Cicerón

4

El que no tiene memoria se hace una de papel.

Gabriel García Márquez

5

Los pueblos que tienen memoria progresan.

Anónimo

6

Sepan que olvidar lo malo tambien es tener memoria.

José Hernández

7

En política, nada es más admirable que tener una memoria corta.

John Galbraith

8

La adolescencia solo deja un buen recuerdo a aquellos adultos que tienen mala memoria.

François Truffaut

9

La riqueza y la gloria ahuyentan la memoria.

Proverbio griego

¡Ni regalado! 2

2.1. Lee esta frase y relaciónala con una de estas personas; debes argumentar tu decisión.

No volvería a los 20 ni aunque me los regalaran

Lucía   José   Montse

2.1.1. ¿Y tú? ¿Volverías a vivir alguna época de tu vida?

2.2. 📱 🎧 Escucha a Montse y a José que comparten piso y que tienen que resolver algunas diferencias para llegar a un acuerdo. Les ha tocado un premio para compartir un poco extraño: por un lado, hay un millón de euros, que no es moco de pavo, y por otro, hay dos premios (una tarántula y una operación de estética de nariz) de los que tienen que elegir obligatoriamente uno si quieren optar al dinero. De las diez afirmaciones de abajo, di a quién corresponden: al chico, a la chica, o a ninguno de los dos.

[19]

	José	Montse	Ninguno
1. A pesar de que no le guste demasiado que la tarántula viva con ellos, la acepta.	☐	☐	☐
2. En ningún caso acepta la tarántula en casa.	☐	☐	☐
3. No le importa que viva con ellos la tarántula.	☐	☐	☐
4. Propone una posible solución para tener la tarántula.	☐	☐	☐
5. Solo acepta la tarántula si hay una fórmula para que la araña esté siempre dormida.	☐	☐	☐
6. En ningún caso se haría la operación de nariz.	☐	☐	☐
7. No le hace gracia operarse de la nariz pero se lo haría.	☐	☐	☐
8. Está contento de la operación porque puede operarse varias veces.	☐	☐	☐
9. Propone una solución para el tema de la operación estética de la nariz.	☐	☐	☐
10. Solo acepta la operación si al final le ponen la nariz de Brad Pitt.	☐	☐	☐

2.2.1. 📱📱 💬 Reflexiona y responde:

A. ¿Qué ideas o argumentos no le sirven en absoluto ni a José ni a Montse?

B. ¿Qué hechos no les importan demasiado?

C. ¿Hay algún obstáculo para que el cuidador de tarántulas trabaje con ellos? ¿Quién conocía ese obstáculo él, ella o los dos?

D. ¿Qué formas verbales han usado en cada uno de los puntos?

2.2.2. 📱📱 ✴ ¿Qué elementos o indicios te han llevado a elegir tus respuestas en 2.2.1.?

2.2.3. 📱📱 👥 Ahora, con el texto, reflexiona y subraya los elementos lingüísticos de la frase que justifican tu respuesta.

2.2.4. 📱📱 👥 En las viñetas que tienes a continuación, aparecen más usos de *aunque*. Subráyalos y, después, con toda la información, relaciona estas formas verbales que acompañan a *aunque* con la intención comunicativa del hablante que aparece en el cuadro.

diálogo 1

Pobre Pedro, vive fatal.

Ya, ya lo sé, aunque es millonario, ¿sabes?

¡¿Qué me dices?!

Lo que oyes.

diálogo 2

¿Vas a ir a ver la última de James Bond? Pues no ha gustado nada a la crítica.

Sí, ya lo sé, ¿y qué? Aunque no tenga buenas críticas, yo pienso ir a verla. Nunca se sabe.

diálogo 3

Tu novia te engaña con otro, yo la dejaría hoy mismo.

Bueno, bien. Eso no me lo creo y, además, aunque me engañara con otro, no la dejaría, es la mujer de mi vida.

diálogo 4

Ayer no fuiste al cumpleaños.

Ya, es que me quedé dormido en el sofá. Pero, vamos, aunque me hubiera despertado con tiempo, no creo que hubiera ido porque estaba agotado.

Aunque + formas verbales:

Aunque +
- indicativo
- presente de subjuntivo
- pretérito perfecto de subjuntivo
- imperfecto de subjuntivo
- pluscuamperfecto de subjuntivo

Qué puedes comunicar con *aunque*:

1. No sabes si la información es verdad o no pero de todas formas no te importa. (¡Es igual!).
2. Das una información que crees que es nueva para tu interlocutor y que contrasta con otra información.
3. Compartes, aceptas y asumes la información y dices que no es importante. (No pasa nada).
4. Das una información o una idea sobre un momento pasado que encuentras de muy difícil realización o de creer o porque simplemente no sucedió y que no impidió la realización de una acción.
5. Das una información o una idea que encuentras muy difícil de realizar o de creer.
6. Rechazas una información porque simplemente no te vale como argumento para cambiar de opinión.

2.3. **Os ha tocado un paquete de regalos en un sorteo, solo que hay unas condiciones especiales.**

Una vuelta al mundo en bicicleta con alojamiento en hoteles de lujo

Un cocodrilo peligrosísimo como mascota

Una operación de estética

Cinco millones de euros

Un Porsche que contamina un montón porque tiene problemas con el carburador

Presenciar el rodaje de una película de tu actor favorito

Condiciones especiales:
- O lo aceptáis todo u os quedáis sin nada.
- El cocodrilo debe vivir con vosotros.
- No podéis meter la bici en otro transporte para dar la vuelta al mundo.
- El Porsche no puede ser revisado por ningún mecánico.
- Los regalos son para toda la vida y no se pueden regalar a nadie.

Solamente podéis desprenderos de un regalo, exceptuando el cocodrilo; negociad entre vosotros. Intentad buscar argumentos y contraargumentos y convenceros el uno al otro. ¿Cuáles aceptáis gustosos y cuáles no querríais ni aunque os los regalaran —como es el caso?

2.4. 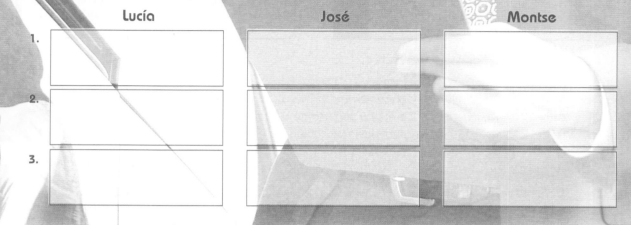 **José, Montse y Lucía han respondido a una encuesta sobre "sus viejos tiempos" para una empresa de estadística. Toma nota e identifica los usos comunicativos de *aunque* en sus respuestas.**
[20]

1. ¿Volverían a vivir la niñez?
2. ¿Creen que cualquier tiempo pasado fue mejor?
3. Dicen que el hombre es el único animal que tropieza dos veces en la misma piedra, ¿será por falta de memoria?

	Lucía	José	Montse
1.			
2.			
3.			

2.4.1. **Plantea estas preguntas a tres personas más para después elaborar un informe sacando conclusiones generales a partir de las respuestas de los seis informantes.**

3 ¡Patata!

3.1. **Escucha y responde después a las preguntas argumentándolas.**
[21]

1. ¿Cuál es la profesión de Lucía?
2. ¿Por qué está allí la clienta?
3. ¿Cuál es el estado de ánimo de la clienta?

3.1.1. **¿De qué forma has escuchado el texto para contestar a las preguntas de 3.1.? ¿Has aplicado alguna técnica? ¿Recuerdas alguna palabra que no hayas entendido? ¿Ha impedido que realizaras la actividad?**

3.1.2. **Según lo dicho en 3.1.1., ¿qué tipo de escucha has debido realizar para contestar a las preguntas de 3.1.? Mira el cuadro de reflexión.**

Cuando escuchamos, no siempre aplicamos el mismo grado de atención. Este grado depende de muchos factores como el estado físico y psíquico, la motivación, las condiciones de la escucha, etc. Cuando escuchamos, aplicamos dos tipos de estrategias:

1. Global: la aplicamos cuando lo que se persigue es obtener una idea general, los puntos básicos de lo que escuchamos.
2. Selectiva: nuestra atención es selectiva ya que lo que nos interesa es una información específica, un dato.

3.2.  👥 💬 **Busca cuatro razones por las que nos hacemos fotos y escríbelas en un papel por orden de importancia.**

3.2.1. 👥 💬 **Intercambiad las cuatro razones con la pareja de al lado y rectificad su orden de importancia según vuestra opinión. Entre los cuatro, discutid la clasificación con uñas y dientes, y que las opiniones contrarias no os hagan cambiar de idea.**

3.3. 👥 💬 **A la hora de buscar empleo, ¿qué harías para que los seleccionadores no se olvidaran de ti?**

3.3.1. 👥 💬 **Dentro de los pasos a seguir, la carta de presentación es un punto importante para que el seleccionador pase a leer tu CV o no. La carta de presentación debe ser un documento correcto, pero que a la vez tenga un toque original para que a la persona que la lea le llame la atención y, por lo tanto, la retenga en su memoria. Aquí tienes dos cartas de presentación que responden a unas ofertas de trabajo de la revista *National Geographic* y que pertenecen a dos fotógrafos. Léelas y haz una crítica constructiva de ellas. Dinos qué les falta o qué les sobra, si el lenguaje y el contenido son los adecuados, etc.**

> National Geographic
> Paseo de la Castellana, n.º 28, 2.º -D
> 28046 Madrid
> A/A de D.ª María Eugenia Wingeyer
>
> Estimada Sra.:
>
> Me dirijo a usted con el objeto de que se me tenga en cuenta tanto para el puesto de fotógrafo como para el de redactor, por los que han presentado los anuncios aparecidos en *El País*, el 24 de enero del presente año.
>
> Creo firmemente que reúno todas y cada una de las características de los perfiles que ustedes detallan en su anuncio. En primer lugar, es importante señalar que la aventura es una de mis pasiones, soy adicto a los safaris; de hecho, he ido, como fotógrafo oficial de una agencia de viajes, a "capturar" animales y turistas con mi cámara tres veces a Kenia. En segundo lugar, soy miembro de cuatro asociaciones que defienden a los animales; les señalo precisamente que para una de estas asociaciones realicé una serie de fotos de perros para su calendario benéfico. En tercer lugar, he seleccionado de los múltiples trabajos que he tenido, todos mencionados en el currículum, los que a mi criterio son los más importantes: he sido el responsable de las campañas publicitarias de Navidad de El Corte Inglés durante los últimos cinco años; he cubierto varias temporadas los desfiles de la Pasarela Gaudí, y retraté a la familia real en su residencia de Mallorca en el verano del año 2001. En último lugar, me encanta viajar y conocer diferentes culturas; he estado por razones laborales y personales infinidad de veces en Nueva York, Londres y París, entre otros sitios, de los que conservo imágenes realmente preciosas. Por cierto, debo decirle que odio los abrigos de piel y entre mis aficiones está la pintura a la acuarela de paisajes naturales.
>
> Me sentiré honrado de poder concretar la fecha y hora de nuestra entrevista, que espero ansiosamente, en la que se dará cuenta de que estoy muy capacitado para los dos puestos de trabajo.
>
> A la espera de una respuesta favorable me despido con un cordial saludo.
>
> *Fdo.: Modesto López Paz*
>
> Modesto López Paz
> C/ Serrano, n.º 13. 28005 Madrid
> Tfno.: 91 523 67 98
> e-mail: ModesPaz@ya.com

National Geographic
Paseo de la Castellana, n.º 28, 2º -D
28046 Madrid
A/A de D.ª María Eugenia Wingeyer

Estimada Sra.:

Le escribo en respuesta al anuncio del puesto de fotógrafo aparecido en *El País*, el 24 de enero del presente año.

Acabo de terminar mis estudios universitarios de Imagen y sonido y me he especializado en fotografía de exteriores. Les menciono que, gracias a mi excelente expediente académico, este verano he sido favorecida con una beca concedida por la Concejalía de Medio Ambiente de la Comunidad Autónoma de Andalucía. El trabajo consistía en fotografiar en el parque de Doñana las parejas de linces ibéricos, que, como ustedes saben, es una especie en extinción; el trabajo, además de gratificante, me ha permitido perfilar cuál debe ser mi camino profesional, de ahí que responda a su oferta de trabajo. Creo que mis ganas de continuar haciendo cosas en este ámbito repercutirían muy positivamente en el quehacer de su revista.

Estoy a su disposición para realizar la entrevista en el momento que crean oportuno.

Sin otro particular, le saluda atentamente,

Fdo.: Laura González Prieto

Laura González Prieto
C/ Balmes, n.º 81. 08008 Barcelona
Tfno.: 93 235 69 00
e-mail: Laura67@intranet.es

3.3.2. 👤 ✍️ **Hay muchas *guías de búsqueda de empleo* en las que se orienta sobre cómo hacer que la búsqueda de trabajo dé los resultados esperados. Las formas varían mucho de un país a otro; aquí te presentamos algunos consejos para escribir una carta de presentación en España. Hay algunos gazapos, localízalos. A continuación, agrega otros consejos que creas convenientes.**

1. Ha de ser un lenguaje claro y conciso, breve pero convincente, cordial y respetuoso, siempre suplicante.
2. Redacta una carta tipo que te sirva para todas las ofertas.
3. En caso de carta de contestación a un anuncio, debes incluir la referencia del anuncio.
4. No debes solicitar dos puestos de trabajo diferentes en la misma empresa a menos que se pueda justificar.
5. Envía siempre los originales firmados.
6. Describe tus aptitudes y logros sin pedantería. No debes repetir lo que ya aparece en el currículum vítae, sino resaltar aquellos aspectos que consideres más destacables.
7. La carta debe ser personalizada y dirigida a la persona que ofrece el puesto de trabajo.
8. No debes contar tu vida y mucho menos si se trata de penas, ansiedades, etc.
9. La carta debe ser escrita a ordenador a menos que se pida manuscrita en el anuncio.

3.3.3. 👥✏️ **Las dos cartas han sido redactadas siguiendo un esquema básico, ¿puedes deducirlo?**

3.3.4. 👥💬 **Ahora que conoces el esquema para escribir las cartas de presentación, ¿a cuál de los dos candidatos llamarías para una entrevista? Argumenta tu elección.**

3.4. 👤📖 **Y en la época de nuestros bisabuelos, ¿por qué se hacía la gente fotos? ¿Qué buscaban? Lee este fragmento del relato de la cubana Zoé Valdés y haz un retrato físico y psicológico de la protagonista. ¿Cómo es Juana?**

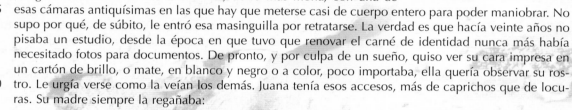

↕ 4 cm.
↔ 3'5 cms.

Nombre de la empresa
Dirección
Localidad
A/A de D. D.ª

Estimado Sr./Sra.:

Primer párrafo: motivo de la carta.

Segundo párrafo: consideraciones, resumen de las características de tu historial que más se aproximen al perfil requerido.

Tercer párrafo: objetivo, indica tu disponibilidad para mantener una entrevista.

Saludo final,

Firma
Nombre
Dirección
Localidad
Teléfono
E-mail

↕ 3-4 cms.

Juana se despertó con tremendas ganas de retratarse. Hacía mil años que no se hacía una foto. Ni siquiera de carné. Esa noche había soñado que en el Parlamento Central un fotógrafo ambulante tiraba una fotico, de lo más mona, con una de
5 esas cámaras antiquísimas en las que hay que meterse casi de cuerpo entero para poder maniobrar. No supo por qué, de súbito, le entró esa masinguilla por retratarse. La verdad es que hacía veinte años no pisaba un estudio, desde la época en que tuvo que renovar el carné de identidad nunca más había necesitado fotos para documentos. De pronto, y por culpa de un sueño, quiso ver su cara impresa en un cartón de brillo, o mate, en blanco y negro o a color, poco importaba, ella quería observar su rostro. Le urgía verse como la veían los demás. Juana tenía esos accesos, más de caprichos que de locu-
10 ras. Su madre siempre la regañaba:

– Juanita, mi vida, ¿por qué te encaprichas con lo imposible? ¿Por qué pides la luna en lugar del sol, mi hijita? Si aquí lo que sobra es sol.

Pero Juana es así, cariño, ¿qué le vamos a hacer? A ella se le tuvo que ocurrir soñar con retratos en
15 el justo momento en que ningún fotógrafo habanero tenía papel, ni quimicales, ni siquiera rollos. Y cámaras quedaban de milagro. Oye, porque mira que esas cámaras de tres patas, de los años treinta, son huesos duros de roer, ellas sí que han sobrevivido a todos los gobiernos. No me pregunten lo de las piezas de repuesto y de talleres, y esos detalles aparentemente sin relevancia, aquí funciona todo por brujería, y lo demás es cuento chino.
20 Juana es una mujer de cuarenta años, que se conserva muy bien, sin una arruguita, como una puerta, lisa como Liz, la Taylor. Un verdadero prodigio, porque no es menos cierto que aquí en el Trópico la gente no dura. Nos pudrimos en un santiamén, adversidades de la humedad. Ella es sumamente coqueta, y como había decidido salir a la calle a ripiarse hasta con Terminator con tal de que le hicieran una foto, pues decidió darse un baño de altura, porque ¿qué es eso de retratarse sucia? Se restre-
25 gó bien duro, con una piedra pómez, toda la piel, y hasta que no se vio casi en carne viva no paró. Una vez que su cuerpo, todavía semejante al de una gacela, estuvo seco, entalcado y perfumado con agua de violetas, enfundó sus piernas en uno de esos pantalones campana de los años setenta, auténticos. Eso bueno tiene vivir aquí, nada se bota, y menos la ropa, es reciclable, y por necesidad caes en la moda que toca. Abotonó su camisa de encaje, ajustada con pinzas, adornó su pecho con un collar
30 hippy de cuentas de santajuana y un medallón peruano, sacó de debajo de la cama las plataformas de corcho, algo gastadas por los treinta años de traqueteo sobre el chapapote derretido. Delante del espejo peinó su pelo con un moño de antaño llamado cebolla, y que hoy vuelve a ser el último grito, sacó unas patillas de tirabuzón y el buscanovios con el peine de pincho, repintó sus párpados con brillo dorado, la boca de discreto color naranja, en las orejas enganchó unas argollas en las cuales podían
35 anidar bandadas de cotorras. Juana volvió a estudiarse en el azogue y se encontró majestuosa, divina, regia... Y sobre todos esos adjetivos dignos de pajaritas en noches de ballet clásico. En resumen, colosal, lista para el zoom, el lente de una cámara. Y claro está, para la pupila insomne de un fotógrafo. Juana agarró la cartera comando de vinil con un gracioso nudo en el asa y se lanzó al color encegue-cedor de Centro Habana a fajar una instantánea, a matar si fuera necesario por un clic. Porque era de
40 la opinión de que lo único que no se podía contradecir en la vida eran los sueños. Y si ella había soñado con que la retrataban, por algo sería. Y con esa tarea metida en la cabeza se había levantado y no iría a renunciar así como así.

CONTINÚA ▸▸▸

¡Qué casualidad, caballero, en la misma esquina de la casa un tipo, clásico extranjero, apretaba el obturador de una soberbia Canon!

45   El fotógrafo acabó el ángulo e investigó otro motivo de inspiración. Juana corrió hacia él, se paró delante, sacó nalgas y humedeció la bemba con la lengua enarcando una ceja a lo Bette Davis, pero él no reparó en ella o no quiso. Juana no lo inspiraba, y el hombre se perdió por la puerta de un palacete apuntalado. La cuarentona se dio ánimo diciendo que no importaba, que algún turista encontraría que quisiera retratarla, que era temprano todavía, y que la mejor luz, como afirmaba un fotógrafo
50   de renombre universal, es la de las cinco de la tarde junto al Malecón. Allí estamparían su figura, junto al mar plateado, refulgiendo intenso, como papel de aluminio. Y ella en el centro de la foto, como una diva, como una sirena.

Observó las calles de manera diferente, poniendo distancia, queriendo extrañarse en ellas, como si las descubriera por vez primera. Eran lindas, aunque estuvieran descojonadísimas, esas calles eran la
55   vida misma, con sus esquinas confluyendo, y las paredes descascaradas como un paisaje después de la batalla, huecos por doquier, y de un golpe se asomó una mujer de pañuelo y rulos en la cabeza, con las manos entre las piernas, esperando que pasara cualquiera para conversar, la madre de los tomates, un fotógrafo tal vez, y le dijera mira aquí, el pajarito, muñeca, sonríe, así, a lo cortico, perfecto... Clic. Y por unos segundos fue bella, tan solita en alma en su puerta de cortina de acero. Juana continuó
60   chancleteando su deseo de ser captada, o raptada, por un extraterrestre que le dispare a boca de jarro con una polaroide.

Adaptado de *El Semanal*

3.4.1. 👥🗨 **Ahora, pasa tu retrato de Juana a tu compañero y marca aquello con lo que no estés de acuerdo de un modo parcial o total. Defiende tus argumentos.**

3.4.2. 👥🗨 **El texto se podría dividir en cuatro partes; encuentra esa división y defiéndela ante la clase.**

3.4.3. 👤🔤 **Localiza en el texto frases sinónimas de las que te ofrecemos.**

1. Juana se levantó de la cama con unas ganas horribles de hacerse una foto.

2. De pronto, sin más, le entró la locura de hacerse una foto.

3. Los fotógrafos no contaban con nada de material, ni siquiera con carretes.

4. Juana cogió el bolso y salió a las calurosas calles del centro a hacerse una foto a cualquier precio.

5. La habanera se dirigió hacia él, se le puso enfrente en actitud sensual, humedeció sus carnosos labios y levantó una ceja a lo actriz de Hollywood.

6. Como a ella le encanta ir bien arreglada y dispuesta como estaba a darle rollo a cualquiera para conseguir que le hicieran una foto, pensó en darse un buen baño.

7. Cuando la cuarentona vio su imagen reflejada en el espejo, se vio espléndida, maravillosa, imponente...

8. Lo bueno de este sitio es que aquí no se tira nada de nada, todo se recicla.

3.4.4. 👥🔤 **De las frases sinónimas que has encontrado en el texto, localiza las palabras y expresiones que creas que son propias del español de Cuba.**

3.4.5. 👤✏ **Escribe un final para la historia. ¿Se sacará Juana la foto al final?**

4.1. ¿Conoces estas expresiones? Todas están relacionadas con la memoria. Aventura una definición para cada una y escucha las instrucciones de tu profesor.

1. Lo tengo en la punta de la lengua: ....

2. Esto me suena: ....

3. Tiene una memoria de elefante: ....

4. Se quedó en blanco: ....

5. Ahora no me viene: ....

6. Se lo sabe de memoria: ....

7. Tiene muy mala cabeza: ....

8. Tiene una memoria de mosquito: ....

4.2. Lee este texto de Rosa Montero.

Llevo unos cuantos días habitando en un mundo raro y movedizo: resulta que, de pronto, he empezado a extraviar todo tipo de objetos. Primero, fue la correa del perro, y luego, unos
5 papeles de trabajo muy importantes, y después, las gafas graduadas, y unas horas más tarde, la novela manuscrita que me había dejado para que la leyera, un buen amigo (de resultas de lo cual he estado en un tris de
10 perder también nuestra amistad).

Todas estas cosas desaparecieron de golpe y para siempre, como si en mi casa hubiera estallado un motín de la materia inerte y
15 los elementos se estuvieran vengando de no sé qué maltrato por mi parte; o bien como si en mitad del pasillo, es un poner, se hubiese abierto un agujero
20 negro e invisible, una fisura mágica a través de la cual los objetos se deslizaran hacia la nada. Aunque a lo peor, no quiero ni pensarlo, lo que está empezando a agujerearse es mi cerebelo, y la memoria se
25 me escapa por ahí como el vapor por las junturas de una cafetera estropeada.

Sea como fuere, me he pasado tres días buscando como una posesa, por todas partes, los malditos entes escapados. Primero,
30 miré en los lugares previsibles, después, en los imprevisibles, más tarde, en los improbables, y al final, me empleé bien a fondo con los lugares imposibles, que siempre suelen dar unos resultados estupendos (las gafas, por ejemplo, tienen
35 la curiosa costumbre de aparecer en el congelador de la nevera; las llaves, en el cajón de los calcetines, y la pluma, dentro del florero de la

sala), pero en esta ocasión todos los esfuerzos han sido infructuosos.

No hay nada que hacer: las cosas se han esfu- 40 mado para siempre. De modo que cobra más y más cuerpo cada día la teoría del agujero pérfido y vampírico agazapado en alguna baldosa de mi casa. Tal vez a través de ese invisible pozo los objetos se trasladen a otra parte, (...) tal 45 vez mis objetos perdidos simplemente se han materializado en algún otro punto de la tierra; quizá estén llegando ahora a Pénjamo, o a Tegucigalpa, o al desierto de Gobi, por citar lugares bien exóti- 50 cos; o incluso al Congreso de los Diputados, que es un sitio aun más raro, además de que allí, por lo menos, hay un buen 55 puñado de políticos que podrían ponerse la correa de perro como corbata. Con el manuscrito de la novela, en cambio, dudo que hicieran mucho, porque son una manada que lee poco. 60

Desordenada y desmemoriada como soy, siempre he presentido que el caos nos persigue como una sombra mala. Eso es lo que más desespera de estos extravíos domésticos: la sensación de derrota frente a la bestia. Cómo 65 no sospechar, en fin, que somos tan poco perdurables, como personas, que cualquiera de esos objetos fugitivos; y que acabaremos cayendo, como ellos, por el agujero de la completa pérdida. Pues los humanos no somos sino un 70 grumo de memoria luchando contra la vastedad del absoluto olvido, contra lo que no es ni será ni nunca fue, contra el despeñadero de todas las cosas, contra el caos y el silencio.

4.2.1. 🔲✏️ **Elige una palabra que represente al texto y explica tu elección. Si tienes otra mejor, apórtala.**

- ☐ la brujería
- ☐ las cosas
- ☐ lo inexplicable
- ☐ la locura
- ☐ el caos
- ☐ la memoria
- ☐ el olvido
- ☐ ....

4.2.2. 🔲📖 **La autora, al escribir este texto, pasa por diferentes momentos anímicos. Ordénalos de forma cronológica y localiza en el texto los fragmentos que te llevan a ese orden.**

- ◯ Resignada
- ◯ Pesimista
- ◯ Desconcertada
- ◯ Surrealista
- ◯ Desesperada
- ◯ Irónica
- ◯ Filosófica

4.2.3. 🔲✏️ **De todos esos estados anímicos, elige dos que representarían en general al texto, es decir, si tuvieras que resumir el texto en tres líneas, ¿en cuáles de estos estados anímicos te detendrías? Resume el texto después de elegirlos. Compara con tu compañero. ¿Coincidís?**

4.2.4. 🔲 ⒶⒷ **Rosa Montero hace referencia en numerosas ocasiones a "objetos" que ha perdido. Busca en el texto cuatro sinónimos que la autora usa para no repetir siempre la palabra: "objeto".**

a. [   ]   c. [   ]

b. [   ]   d. [   ]

4.2.5. 🔲 **Elige las afirmaciones que se ajusten a lo que dice el texto y justifica tu elección.**

- ☐ a. Ella busca esos objetos perdidos, pero estos parece que la esquivan escondiéndose en lugares insospechados.
- ☐ b. Según parece, por mucho que intenta buscar en todas partes, no logra encontrar nada.
- ☐ c. Saca una conclusión: son los políticos los que esconden cosas.
- ☐ d. En realidad, todo esto que está contando es un sueño que tuvo hace unos cuantos días.
- ☐ e. Acaba pensando que por más que busque esos objetos no los encontrará nunca porque han desaparecido como por arte de magia.
- ☐ f. A pesar de que el manuscrito sea uno de los objetos perdidos que más le interesa recuperar por no pertenecerle a ella, lo que más teme es que alguien encuentre la correa del perro.
- ☐ g. Aun aceptando que es una desmemoriada, ella cree que la culpa de todo no la tiene ella, sino el caos y el silencio.
- ☐ h. Al principio, cree que los objetos están en contra de ella, pero luego cae en la cuenta de que por muy duro que sea, quizás el problema no venga de los objetos, sino de su cerebro, que pierde memoria.

4.3. 🔲 **En algunas afirmaciones de 4.2.5. es posible sustituir algunos de sus elementos por *aunque*, inténtalo sin que cambien la estructura y el significado de la frase.**

4.3.1. 👥 👥 **Todos esos elementos que has sustituido por** *aunque* **son sus sinónimos, pero algunos de ellos matizan la intención comunicativa del hablante. Completa el cuadro y ejemplifica con las frases de 4.2.5.**

1. Expresar insistencia o intensidad en algo para luego no obtener los resultados deseados.

- [_____] + **indicativo/subjuntivo**
- [_____] + **indicativo/subjuntivo**

  - [_____]
  - [_____]

- *Por* + adjetivo + *que* + **subjuntivo**
- [_____] + **subjuntivo**

  - [*Por importante que sea lo que me tienes que decir, deberás esperar porque tengo una reunión urgentísima ahora mismo.*]
  - [_____]

- *Y eso que** + **indicativo**
- *Y mira que** + **indicativo**

  * Siempre van después de la oración principal y suponen un comentario de reproche sobre lo que se ha dicho antes. Las dos se usan en la lengua hablada más que en la escrita, aunque "Y mira que" es más informal que la primera.
     – *Se ha quedado dormido otra vez, y eso que le regalé un despertador ayer para que fuera puntual.*
     – *No ha venido y mira que se lo dije.* (Insistí muchísimo).

2. Expresar una mínima intensidad en algo que facilitará los resultados deseados.

- *Por poco,-a,-os,-as* (+nombre) + *que* + **subjuntivo**

  - [*Por poco que estudie aprobará el examen.*]

3. Presentar o tener en cuenta un hecho que no impide otro hecho o tener en cuenta una idea, pero no dejarse influir por ella.

- *Aunque* + **indicativo/subjuntivo**
- [_____] + **indicativo/subjuntivo**
- *Pese a que* + **indicativo/subjuntivo**

  - [*Aunque tengas que levantarte mañana temprano, puedes venir a la fiesta, ¿no?*]
  - [_____]
  - [*Pese a que se lo hemos dicho varias veces, no nos hace caso.*]

- *Pese a* + **infinitivo/nombre**
- *A pesar de* + **infinitivo/nombre**
- [_____] + **gerundio**

  - [*Pese a los problemas que hayan tenido, siempre se han llevado muy bien.*]
  - [_____]
  - [*A pesar de haber trabajado como un loco en esa empresa, lo echaron.*]

4. Expresar la determinación de realizar el objetivo independientemente de las actuaciones de otros.

- *Pese a quien pese.*   • *Dijera lo que dijera.*   • *Haga lo que haga.*

Son construcciones idiomáticas que se forman:

subjuntivo + (preposición) + (artículo) + pronombre relativo + repetición de forma verbal en subjuntivo

  - [*Hiciera lo que hiciera, siempre lo castigaban.*]
  - [*Comiera lo que comiera, se manchaba.*]
  - [*Digan lo que digan, no iré.*]

4.3.2. 👤 ✏️ **A continuación, te presentamos una serie de situaciones para las que tienes que escribir una frase concesiva. Debes interpretar cuál es la intención del hablante para elegir el conector más apropiado a esa intención comunicativa.**

1. Todo el mundo insiste en que vaya a ver la última película de Amenábar. Ha ganado varios premios, pero no puedo perder ni un minuto porque tengo las oposiciones a la vuelta de la esquina.

   ....

2. Juan llegó ayer a trabajar en coche. Lo aparcó en doble fila y le pusieron una multa. Sus compañeros ya le habían advertido de que debía ir a trabajar en transporte público, ya que en esa zona es imposible encontrar aparcamiento.

   ....

3. ¿Sabes?, a Raquel solo le falta un tema para saberse el examen al dedillo.

   ....

4. Juanjo se pasa la vida protestando porque no le gusta cómo le tratan sus compañeros de trabajo. Su mujer, Marta, le dice que no proteste tanto porque no va a conseguir nada ya que su situación en estos momentos no le permite cambiar de trabajo.

   ....

5. Luisa le pide dinero a su padre. Este no lo tiene y piensa que, de todas formas, nunca le prestaría dinero porque es una manirrota.

   ....

6. Pilar tiene que comprar los libros del cole de su hijo. Cuando llega a la librería, ve que exceden su presupuesto y piensa que son demasiado caros. Su amiga, que la acompaña, le dice que no tiene más remedio que comprarlos.

   ....

7. Marisol es muy cabezota. Cuando una idea se le mete en la cabeza, no hay forma de convencerla de lo contrario. Ahora quiere irse a escalar sola y todos sus amigos le dicen que es muy peligroso porque si le pasara algo, no podrían localizarla.

   ....

8. El ordenador del dibujante estaba estropeado y se veía obligado a repetir continuamente las ilustraciones sin conseguir que le quedaran bien.

   ....

9. Estábamos de vacaciones en un pueblo junto al mar. El tiempo era magnífico, pero mi padre no pisaba la playa ni por casualidad.

   ....

10. Antonio se compró el libro que yo le iba a dejar. Ahora se queja de que era carísimo y de que no le sirve de mucho.

    ....

11. Era el cabeza de turco... No importaba lo que pasara a su alrededor ni quién fuera el culpable. Siempre se las cargaba él.

    ....

12. Es una pena. No consiguió ese magnífico trabajo. Un mínimo de entusiasmo y lo habría conseguido.

    ....

4.4. 👤 📖 **Lee estos fragmentos de artículos periodísticos sobre la memoria.**

Nadie nace con buena o mala memoria, solo es cuestión de ejercitarla correctamente. Aunque se sabe que existen genes que aportan mayor o menor habilidad a la hora de memorizar, recordar mejor es una cuestión de entrenamiento, como ocurre con los músculos.

Sin memoria, ¿qué seríamos? En California, durante la década de 1990, los candidatos a la criogenización se plantearon el mismo interrogante. Sus cuerpos iban a ser conservados por el frío, en espera de ser reanimados un día; pero ¿y sus recuerdos? ¿Se conservarían durante la congelación o, por el contrario, se desvanecerían? Para tranquilizar a sus clientes, los institutos de criogenia formularon una rocambolesca oferta: se almacenarían en una memoria informática los recuerdos de los muertos criopreservados, con el objeto de que los mismos pudiesen reinstalarse en el futuro.

Según ciertos estudios, lo que más despierta la memoria son las emociones que están asociadas a los recuerdos. A principios de los años 80, Gordon Bower y sus colegas descubrieron que el estado de ánimo influye cuando intentamos estudiar o memorizar una narración; si estamos felices, recordamos momentos felices, y si estamos tristes, los tristes. Otros estudios demuestran que los hechos con una carga emocional muy fuerte se almacenan con más facilidad en la memoria. Aunque cuando la persona que protagoniza o asiste a un acontecimiento demasiado trágico y experimenta miedo, pánico o desesperación, tiende a olvidar lo sucedido.

Aunque sea una ilusionista genial, la memoria es poco fiable. A veces, se deja influir y nos confunde; en ocasiones, nos da la impresión engañosa de haber vivido antes el momento presente, lo que los franceses llaman el "déjà vu".

Fragmentos extraídos de dos artículos de El Semanal

4.4.1. 👥 🗨 **¿Estás de acuerdo en que nadie nace con buena o mala memoria? ¿Crees que el estado emocional te influye a la hora de recordar? ¿Olvidas lo malo con facilidad? ¿Qué piensas de la criogenización? ¿Crees en el "déjà vu" como algo extrasensorial o estás de acuerdo con lo que dice el texto? Vamos a debatir. Elige uno de los temas que se plantean sobre la memoria en 4.4. y defiende tu punto de vista.**

Dos mitos hispanos | 5

5.1. 👨‍👩‍👧 📖 **Fíjate en esta viñeta humorística basada en una tira del famoso humorista catalán Romeu. ¿Cuál es el mensaje de Romeu? ¿Estás de acuerdo con él?**

5.2. **Tienes diez minutos para pensar en las condiciones que debe reunir una persona para ser mito, además de "morir joven" y permanecer en la memoria colectiva. Para elaborar la lista de condiciones, piensa en mitos del siglo XX.**

5.3. **Aquí tienes un extracto de un poema de la escritora argentina María Elena Walsh, reconocida autora de libros, canciones y obras de teatro para niños, dedicado a Evita. Léelo y resume en una idea lo que cuenta el poema.**

Calle Florida, túnel de flores podridas.
Y el pobrerío se quedó sin madre
llorando entre faroles con crespones.
Llorando en cueros, para siempre, solos.
(...)
Y el amor y el dolor que eran de veras
gimiendo en el cordón de la vereda.
Lágrimas enjugadas con harapos,
Madrecita de los Desamparados.
Silencio, que hasta el tango se murió.
Orden de arriba y lágrimas de abajo.
En plena juventud. No somos nada.
No somos nada más que un gran castigo.
Se pintó la República de negro
mientras te maquillaban y enlodaban.
En los altares populares, santa.
Hiena de hielo para los gorilas,
pero eso sí, solísima en la muerte.
Y el pueblo que lloraba para siempre
sin prever su atroz peregrinaje.
Con mis ojos la vi, no me vendieron
esta leyenda, ni me la robaron.

Días de julio del 52.
¿Qué importa dónde estaba yo?

(...)
No sé quién fuiste, pero te jugaste.
Torciste el Riachuelo a plaza de Mayo,
metiste a las mujeres en la historia
de prepo, arrebatando los micrófonos,
repartiendo venganzas y limosnas.
(...)
Cuando los buitres te dejen tranquila
y huyas de las estampas y el ultraje,
empezaremos a saber quién fuiste.
Con látigo y sumisa, pasiva y compasiva,
única reina que tuvimos, loca
que arrebató el poder a los soldados.
(...)
Cuando hagamos escándalo y justicia,
el tiempo habrá pasado en limpio
tu prepotencia y tu martirio, hermana.
Tener agallas, como vos tuviste,
fanática, leal, desenfrenada
en el candor de la beneficencia,
pero la única que se dio el lujo
de coronarse por los sumergidos.
Agallas para hacer de nuevo el mundo.
Tener agallas para gritar basta
aunque nos amordacemos con cañones.

Léxico aclaratorio de argentinismos y conceptos culturales:

– **vereda:** acera.
– **gorila:** forma peyorativa para designar a alguien conservador, de derechas.
– **el Riachuelo:** río de Buenos Aires.
– **plaza de Mayo:** plaza emblemática de Buenos Aires, en ella se encuentra la Casa

Rosada, sede del gobierno. Ha sido el centro de las manifestaciones populares más importantes del siglo XX en Argentina.
– **te jugaste:** te arriesgaste por los demás.
– **de prepo:** por narices.
– **los sumergidos:** los pobres.

5.3.1. **A partir del poema, busca los elementos que hacen de Evita un mito.**

....

....

....

5.4. **Escucha la canción *Hasta siempre, comandante* de Carlos Puebla cantada por** [22] **varios grupos y erigida en himno por muchos. ¿A quién va dirigida la canción? Después, busca los elementos que hacen del Che un mito.**

Teatro Español, antiguo corral de comedias de *El Príncipe,* Madrid

Contenidos funcionales
- Describir de forma detallada: el retrato
- Resaltar características físicas y morales
- Caricaturizar
- Valorar subjetivamente una actitud o comportamiento
- Evocar un recuerdo
- Establecer relaciones temporales
- Opinar, valorar y contrastar opiniones
- Expresar estados de ánimo y sentimientos

Contenidos gramaticales
- Contraste ser/estar
- Contraste de pasados
- Oraciones subordinadas sustantivas
- Oraciones subordinadas concesivas
- Oraciones subordinadas temporales y modales

Contenidos léxicos
- Léxico relacionado con el humor
- Caracterización de personas
- Léxico relacionado con el teatro

Contenidos culturales
- El teatro español
- La España del siglo XX

1 El gran teatro del mundo

1.1. 👥🗨(BLA) **¿Qué te sugiere la frase _El gran teatro del mundo_? ¿Estás de acuerdo con Oscar Wilde en que** la vida imita al arte**, o quizás la vida en sí es teatro? Busca, con los compañeros que estén de acuerdo contigo, algunos argumentos que sostengan vuestra postura y exponedlos a la clase.**

> Los personajes de ficción están siempre recogidos de la realidad. La realidad supera siempre a la ficción.

> La ficción literaria y en los últimos tiempos el cine, nos presentan unos modelos, unos personajes o estereotipos a los que imitamos consciente o inconscientemente.

1.2. 👥🗨(BLA) **_El gran teatro del mundo_ es una obra de Pedro Calderón de la Barca, autor que ya has visto en la segunda unidad. ¿A qué época pertenece? ¿Cuáles son las características de ese siglo XVII en España? ¿Qué recuerdas de su obra _La vida es sueño_? ¿Encuentras alguna posible relación entre los títulos _La vida es sueño_ y _El gran teatro del mundo_?**

1.3. 👥✎ **Durante el siglo de oro, el teatro cobra una especial relevancia al ser vehículo de propaganda política. Se desarrollan así diferentes géneros. Relaciona cada género con su definición, pero, antes, completa las definiciones con las palabras del recuadro.**

☐ acto   ☐ desenlace   ☐ humorísticos   ☐ loor   ☐ reír
☐ alegóricos ☐ destino   ☐ jocosa   ☐ necesidad   ☐ ridículas
☐ compasión ☐ espada   ☐ jornada   ☐ placenteros
☐ conflictos ☐ extravagantes ☐ libertad   ☐ purificar

a. → ☐ Composición dramática de breves dimensiones, en la que aparecen, por lo general, personajes bíblicos o (1) .... y que está escrita en (2) .... de la eucaristía.

b. → ☐ Obra dramática, teatral o cinematográfica, en cuya acción predominan los aspectos (3) ...., festivos o (4) .... y cuyo (5) .... suele ser feliz. Pueden ser de capa y (6) ...., de carácter, de costumbres, de enredo...

c. → ☐ Pieza dramática (7) .... y de un solo (8) .... que solía representarse entre una y otra (9) .... de la comedia, y primitivamente alguna vez en medio de una jornada.

d. → ☐ Obrilla dramática muy breve, para hacer (10) ...., en que se introducen figuras (11) .... y (12) ....

e. → ☐ Obra dramática cuya acción presenta (13) .... de apariencia fatal que mueven a (14) .... y espanto, con el fin de (15) .... estas pasiones en el espectador y llevarle a considerar el enigma del (16) .... humano, y en la cual la pugna entre (17) .... y (18) .... termina generalmente en un desenlace funesto.

> **1.** Comedia; **2.** Tragedia; **3.** Auto sacramental; **4.** mojiganga; **5.** entremés

1.4. *El gran teatro del mundo* es un auto sacramental alegórico, es decir, sus personajes representan algo distinto de sí mismos, tienen un valor simbólico y metafórico. En esta obra, el Mundo reclama de distintos personajes alegóricos las prendas (los dones) que les otorgó durante la vida. Por una parte, la idea de la muerte como igualadora de todos los hombres, por otra, la justicia divina, ya que al final el creador dará a cada uno lo que realmente merece. ¿Qué personajes crees que serán los interlocutores del Mundo? Descríbelos brevemente. ¿Cuál será la moraleja de la historia?

> **Ejemplo:** *Quizás uno de los interlocutores sea la Justicia. La Justicia es importante en el mundo, pero se dice de ella que es ciega, o sea, que no existe. A lo mejor, el Mundo le pide cuentas a la Justicia por su ineficacia.*

1.4.1. Un portavoz de cada grupo hará una pequeña relación de personajes y conclusiones.

1.5. Ahora que conoces el tema, vamos a trabajar un poco sobre el texto; para ello, la mitad de la clase saldrá del aula y la otra mitad permanecerá dentro.

grupo a

1.5.1. [23] Vas a escuchar un fragmento de la obra, adaptada por José Tamayo, dos veces. Contesta a las preguntas.

> **1.** ¿Con quién habla el Mundo? ¿Qué palabras te han dado la clave para deducirlo?
> ....
> ....
>
> **2.** ¿Qué dice el Mundo? Recoge cuantas palabras puedas e intentad, después, entre todos, hacer una reconstrucción que tenga sentido.
> ....
> ....
>
> **3.** ¿Qué dice el interlocutor?
> ....
> ....

grupo b

1.5.2. Lee la copia del texto que te ha facilitado tu profesor y contesta a las preguntas. Tienes para ello el tiempo que tarden tus compañeros en escucharlo dos veces.

> **1.** ¿Con quién habla el Mundo? ¿Qué palabras te han dado la clave para deducirlo?
> ....
> ....
>
> **2.** ¿Qué dice el Mundo? Recoge cuantas palabras puedas e intentad, después, entre todos, hacer una reconstrucción que tenga sentido.
> ....
> ....
>
> **3.** ¿Qué dice el interlocutor?
> ....
> ....

1.5.3. Haced una puesta en común de la información con que contáis. ¿Qué grupo está más seguro de su información? ¿Por qué?

1.6. 🧍📖 **Vamos a profundizar ahora en el sentido del texto que has escuchado/leído. Lee atentamente el fragmento, asigna el papel del interlocutor del Mundo según las conclusiones a las que hayas llegado con tu grupo y, después, señala las partes que no entiendas bien. Presta especial atención a los signos de puntuación para descifrar el texto.**

💬 **MUNDO**

¡Corta fue la comedia! Pero ¿cuándo
no lo fue la comedia de la vida,
y más para el que está considerando
que todo es una entrada, una salida?
Ya todos el teatro van dejando
a su primera materia reducida
la forma que tuvieron y gozaron.
Polvo salgan de mí, pues polvo entraron.
Cobrar quiero de todos con cuidado
las joyas que les di con que adornasen
la representación en el tablado,
pues sólo fue mientras representasen.
Me pondré en esta puerta, y, avisado,
haré que mis umbrales no traspasen
sin que dejen las galas que tomaron.
Polvo salgan de mí, pues polvo entraron.
Di, ¿qué papel hiciste tú, que ahora
el primero a mis manos has venido?

💬 [_____]

¿El Mundo lo que fui tan pronto ignora?

💬 **MUNDO**

El Mundo lo que fue pone en olvido.

💬 [_____]

Yo fui aquel que mandaba cuanto dora
el sol de luz y resplandor vestido
desde que en brazos de la aurora nace
hasta que en brazos de la sombra yace.
Mandé, juzgué, regí muchos estados;
hallé, heredé, adquirí grandes memorias;
vi, tuve, concebí cuerdos cuidados;
poseí, alcancé, gocé varias victorias.
Formé, aumenté, valí varios privados;
hice, escribí, dejé varias historias;
vestí, imprimí, ceñí en ricos doseles
las púrpuras, los cetros y laureles.

💬 **MUNDO**

Pues deja, suelta, quita la corona;
la majestad aquella pierde, olvida;
vuélvase, torne, salga tu persona
desnuda de la farsa de la vida.
La púrpura de quien tu voz blasona
pronto de otro se verá vestida,
porque no has de sacar de mis crueles
manos, púrpuras, cetros ni laureles.

💬 [_____]

¿Tú no me diste adornos tan amados?
¿Cómo me quitas lo que ya me diste?

💬 **MUNDO**

Porque dados no fueron, no; prestados,
sí, para el tiempo que el papel hiciste.
Déjame para otro los estados,
la majestad y pompa que tuviste.

💬 [_____]

¿Cómo de rico fama solicitas
si no tienes que dar, si no lo quitas?
¿Qué puedo yo sacar en mi provecho
de haber al mundo el rey representado?

💬 **MUNDO**

Esto, el Creador, si bien o mal lo has hecho,
premio o castigo te tendrá guardado;
no, no me toca a mí, según sospecho,
conocer tu descuido o tu cuidado;
cobrar me toca el traje que sacaste,
porque me has de dejar como me hallaste.

1.6.1. 🧑‍🤝‍🧑 🗨️ **El discurso del Mundo se resume en un verso que se repite: "Polvo salgan de mí, pues polvo entraron", ¿qué significa? La función del Mundo se expresa un poco más tarde: "Me pondré en esta puerta, y, avisado, / haré que mis umbrales no traspasen / sin que dejen las galas que tomaron". ¿En qué consiste dicha función?**

1.6.2. 🧍✏️ **Haz un pequeño resumen del sentido de cada intervención.**

1.6.3. 👤✏️ **Ahora, busca en el texto la información que te sirva para terminar las frases siguientes. Reescríbelas con tus propias palabras. Da la información de la forma más detallada que puedas.**

    a. El Mundo le pregunta al Rey... ...que cuál fue el papel que le tocó representar durante... su vida..

    b. El Rey hace un repaso de su vida y le explica al Mundo cómo... ....
....

    c. El Mundo reclama del Rey sus atributos y le pide que... ....
....

    d. Al Rey le frustra que otro... ....
....

    e. El Rey no entiende por qué... ....
....

    f. El Mundo informa al Rey de que por muchas cosas que... ....
....

    g. El Mundo, por último, anuncia que será Dios quien... ....
....

1.7. 👥✏️ **La escena continúa con la llegada de la Belleza, a la que el Mundo pregunta: "¿Qué has hecho tú?". Con tu compañero, trata de imaginar la continuación del diálogo en que el Mundo le anuncia a la Belleza que ha llegado la hora de devolver lo que le había sido prestado.**

💬 MUNDO: ¿Qué has hecho tú?

💬 LA BELLEZA: La gala y la hermosura...

💬 MUNDO: ¿Qué te entregué?

💬 LA BELLEZA: ....

💬 MUNDO: ....

💬 LA BELLEZA: ....

....
....
....

1.7.1. 👥🗨️ **Representad ante vuestros compañeros el diálogo que habéis escrito.**

1.7.2. 👥🗨️ **De los diálogos que habéis oído, ¿cuál os parece mejor? Argumentad vuestras opiniones. Podéis tomar nota de las distintas actitudes de la Belleza para contrastarlas y ver luego cuál de ellas se aproxima más a la del texto original.**

1.7.3. 👤📖 **Ahora puedes leer el magnífico diálogo que imaginó Calderón entre el Mundo y la Belleza en *El gran teatro del Mundo*.**

💬 MUNDO:
¿Qué has hecho tú?

💬 BELLEZA:
La gala y la hermosura.

💬 MUNDO:
¿Qué te entregué?

💬 BELLEZA:
Perfecta una belleza.

💬 MUNDO:
Pues, ¿dónde está?

💬 BELLEZA:
Quedó en la sepultura.

💬 MUNDO:
Me ha defraudado la naturaleza
viendo cuán poco la hermosura dura,
que no viene a quedarse donde empieza,
pues al querer cobrarla, ya no puede;
ni la llevas, ni yo con ella quedo.
El rey la majestad en mí ha dejado;
en mí ha dejado el lustre, la grandeza.
La belleza no puedo haber cobrado,
que expira con el dueño la belleza.
Mírate a ese cristal.

💬 BELLEZA:
Ya me he mirado.

CONTINÚA ┄┄┄⫶⫶➤

MUNDO:
¿Dónde está la beldad, la gentileza
que te presté? Volvérmela procura.

BELLEZA:
Toda la consumió la sepultura.
Allí dejé matices y colores,

perdí jazmines y corales;
allí desvanecí rosas y flores;
allí quebré marfiles y cristales.
Allí turbé afecciones y primores;
allí borré designios y señales;
allí eclipsé esplendores y reflejos;
de ellos no encontrarás sombras ni dejos.

1.7.4. Busca en el diccionario qué significan estas palabras y anota cuáles son sinónimas de *"belleza"*. Señala los diferentes matices de significado que puede haber entre ellas.

☐ 1. Gala: ....

☐ 2. Hermosura: ....

☐ 3. Lustre: ....

☐ 4. Beldad: ....

☐ 5. Gentileza: ....

☐ 6. Afección: ....

☐ 7. Primor: ....

☐ 8. Designio: ....

☐ 9. Esplendor: ....

1.7.5. ¿Has encontrado en el diccionario algún comentario acerca de los registros en que se usan estas palabras? ¿Crees que todas ellas se usan en el español moderno y en un registro coloquial y que, además, conservan el mismo significado que tenían en el s. XVII?

1.7.6. Desde el Renacimiento y a lo largo de todo el siglo de oro, los autores, para la descripción de la belleza femenina, se sirven de un amplio repertorio de metáforas y símiles que constituyen todo un tópico literario. Por ejemplo, el cabello suele ser equiparado a los rayos del sol, y los dientes, a las perlas. ¿A qué crees que alude la Belleza cuando habla de...?

1. Jazmines: ....
2. Corales: ....
3. Rosas: ....
4. Flores: ....
5. Marfiles: ....
6. Cristales: ....

1.7.7. ¿Recuerdas lo que estudiaste en la unidad 1 acerca del retrato, de las descripciones detalladas? ¿Por qué no lo aplicas para imaginar cuál sería el retrato actual de la Belleza? Y, ya que esto apareció en la unidad sobre el Humor, trata de imaginar, en clave humorística, cuál sería el diálogo entre el Mundo y una Belleza que, gracias a la cirugía estética, llega intacta a su último encuentro con el Mundo.

2 El gran mundo del teatro

2.1. Hemos trabajado hasta ahora con un texto literario; pero el teatro no es solo literatura, es espectáculo cuando ese texto se lleva al escenario. Empieza aquí el trabajo del actor, quien dispone de diferentes códigos teatrales para desarrollar su labor. ¿Qué aspectos de su trabajo relacionarías con cada código?

Texto pronunciado	Expresión corporal	Imágenes externas

2.2. Con estos códigos, trata de caracterizar junto a tus compañeros a los personajes del auto sacramental *El gran teatro del Mundo*.

1. Mundo: ....
2. Rey: ....
3. Rico: ....
4. Pobre: ....
5. Labrador: ....
6. Belleza: ....
7. Discreción: ....
8. Niño: ....

2.3. ¿Recuerdas la definición de caricatura que estudiaste en la unidad 1? ¿En qué se diferenciaba del retrato? Pues bien, antes has hecho el retrato escénico de los personajes, ahora elige a uno de ellos y haz, a través del lenguaje, una caricatura de él. Por supuesto, puedes también dibujarla.

Arriba el telón **3**

3.1. Por fin levantamos el telón sobre la escena española del siglo XX. ¿Crees que una obra como *El gran teatro del Mundo* podría haberse escrito en nuestra época? ¿Por qué?

3.1.1. Ya habéis conocido con **PRISMA** bastantes aspectos de la historia contemporánea de España; teniendo esa información en cuenta, ¿de qué pensáis que habla el teatro español del siglo XX?

3.1.2. Ahora, fíjate en estos cuatro títulos; se corresponden con obras de teatro escritas entre 1936 y 1952.

3.1.3. 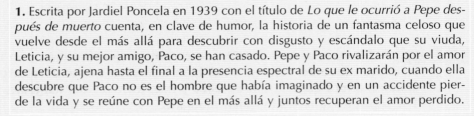 **¿Qué te sugieren estos títulos? ¿Te atreverías a imaginar el género teatral al que pertenecen?**

3.1.4. **Aquí tienes cuatro resúmenes de estas obras; relaciónalos con los títulos.**

a.

1. Escrita por Jardiel Poncela en 1939 con el título de *Lo que le ocurrió a Pepe después de muerto* cuenta, en clave de humor, la historia de un fantasma celoso que vuelve desde el más allá para descubrir con disgusto y escándalo que su viuda, Leticia, y su mejor amigo, Paco, se han casado. Pepe y Paco rivalizarán por el amor de Leticia, ajena hasta el final a la presencia espectral de su ex marido, cuando ella descubre que Paco no es el hombre que había imaginado y en un accidente pierde la vida y se reúne con Pepe en el más allá y juntos recuperan el amor perdido.

b.

2. Terminada por Federico García Lorca poco antes de morir en 1936 es, según palabras del propio autor, "un drama de mujeres en los pueblos de España". Cuenta la historia de una mujer que, a la muerte de su marido, impone un luto de ocho años a sus cinco hijas, todas ellas en edad casadera, pero que ya no lo estarán al cabo de esos ocho años. Esto las lleva a obsesionarse con el único hombre que se acerca a la casa, Pepe el Romano, novio de la mayor de ellas. La tragedia se fragua cuando se descubre que Adela, la menor, mantiene una relación clandestina con Pepe y éste es alejado definitivamente de la casa. Adela, desesperada, se suicida, dando inicio a un nuevo luto que dejará enclaustradas a sus hermanas durante mucho más tiempo.

c.

3. Obra de Buero Vallejo estrenada en 1949 en el Teatro Español de Madrid, convertida en la pieza más representativa del teatro social de posguerra, relata la vida sórdida de un patio de vecinos, que representa un microcosmos de la sociedad española de entonces. Seguimos a tres generaciones en su viaje de la ilusión de la juventud al desencanto de la madurez. El inmovilismo de sus vidas y la pérdida de horizontes quedan perfectamente reflejados en la escena final, en que Fernando hijo y Carmina hija sueñan las mismas cosas y se hacen las mismas promesas que, inútilmente, se hicieron en otros tiempos sus padres.

d.

4. Esta obra de teatro experimental escrita por Fernando Arrabal en 1952 cuenta la insólita visita que unos padres hacen a su hijo soldado en el campo de batalla durante una tarde de domingo con el desenfado y la naturalidad de quien visita un hospital o un internado. Tras una serie de diálogos que bordean el absurdo a propósito de la guerra, una bomba acabará con sus vidas y con la de un prisionero que se ha sumado a la reunión.

3.2. **Ahora que ya sabes cuál es el argumento de cada obra, elige una de ellas y busca por la clase a otros compañeros que quieran trabajar con la misma obra que tú. Explicad las razones de vuestra elección.**

Obra:	
Motivaciones:	

3.3. **Una vez hechos los grupos, lee varias veces el fragmento de la obra que has elegido proporcionado por tu profesor hasta entender completamente su significado.**

Anotad las palabras que no conozcáis. Volved a leer y buscad en el diccionario las que de ninguna manera podáis deducir. Para aseguraros de que el significado está completamente descifrado, lo mejor es que os contéis los unos a los otros el contenido con vuestras propias palabras.

3.3.1. Discute ahora en qué momento crees que ocurre lo que se narra en el fragmento (inicio, trama, desenlace). ¿Qué piensas que ha ocurrido antes? ¿Qué va a ocurrir a continuación?

3.4. Tenemos la situación, pasamos ahora a trabajar con los personajes. ¿Recuerdas los códigos de los que hablamos en el epígrafe 2? De acuerdo con ellos, caracteriza con detalle a cada uno de los personajes que aparecen en el fragmento y describe la escena.

> Escenario
>
> Luz
>
> ◯ Objetos
>
> Entorno, decorado
>
> Colocación de los personajes

> Personajes
>
> Voz, tono, movimientos
>
> Descripción física y de carácter
>
> Vestuario, maquillaje, peinado

3.5. Ahora, repartíos los papeles. Una vez que ya sabes qué personaje vas a representar tienes que profundizar en su conocimiento. Vamos para ello a utilizar el método Stanislavsky, del que ya oíste hablar en la unidad 2. ¿Recuerdas en qué consiste?

3.5.1. Piensa un poco y busca en la memoria experiencias propias que te sirvan para construir a tu personaje.

> Recuerdo una vez que...

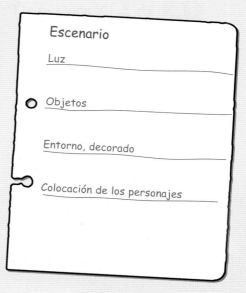

3.6. Trabajado el personaje, tenemos que enfrentarnos ahora a la dicción: entonación y expresividad. Anota en un trozo de papel la primera frase de tu fragmento y léela en voz alta. Vuelve a leerla como si:

- Acabara en puntos suspensivos (la entonación se mantiene)
- Fuera una pregunta directa (entonación ascendente)
- Estuviera entre exclamaciones (enfatiza mucho una palabra)

3.6.1. Ahora, trabajemos el sentimiento. Lee la frase de nuevo:

- Estás muy triste
- Estás nervioso
- Estás preocupado
- Estás enfadado
- Estás contento
- Estás desesperado

3.7. Ya estás casi preparado. Vuelve sobre tu papel e intenta memorizarlo. Cambia con libertad las palabras que te resulten difíciles de pronunciar por otras sinónimas, expresa los conceptos difíciles de forma más fácil. Haz, en fin, todos los cambios que consideres necesarios para poder aprender tu papel.

3.7.1. Representad vuestro fragmento dentro del grupo.

3.7.2. Dejad los papeles. Vamos a improvisar. Representad ante vuestros compañeros la situación tal y como la recordáis.

3.8. Y ahora es el tiempo de las conclusiones. ¿Queréis votar? Demos entonces los premios **PRISMA**:

⭐ al mejor actor

⭐ a la mejor actriz

⭐ al mejor fragmento improvisado

⭐ a la situación más verosímil

¡Enhorabuena a todos!

AUTOEVALUACIÓN

1. Completa con *ser* o *estar* en su tiempo y modo adecuados.

En esta vida (1) .... francamente importante (2) .... simpático. (3) .... bien (4) .... guapo, o tener dinero, (5) .... inteligente o (6) .... a la última moda, pero sobre todo se valora la simpatía. (7) .... simpático ayuda a que los que (8) .... a tu alrededor (9) .... de buen humor y (10) .... más felices. No (11) .... de más en cualquier ocasión tener un buen repertorio de chistes y anécdotas para (12) .... como pez en el agua en toda reunión social. Siempre simpatía: que tu jefe (13) .... que se sube por las paredes, tú sonríe, que tu padre te echa la bronca por (14) .... por ahí hasta las tantas, tú sonríe, que te encuentras a esa vecina que (15) .... para que la encierren, tú sonríe. Siempre habrá quien dirá que (16) .... un cínico o un hipócrita, pero qué importa, tú sonríe. (17) .... fácil.

2. Completa las frases con la expresión correcta. Atención a los tiempos y modos verbales.

• Estar a la altura	• Estar sobre alguien
• Estar al caer	• Estarle bien empleado algo a alguien
• Estar en todo	• No estar en sus cabales
• Estar por los huesos de alguien	• No ser para menos
• Estar por ver	• Ser de lo que no hay

1. .... si crees que voy a aceptar esas condiciones, ¡qué locura!
2. Eso no se hace, así que pienso que lo que le pasó ...., por egoísta.
3. Creo que Pascual .... de las circunstancias cuando le dijo a su jefe que se estaba extralimitando.
4. Está nerviosísima, pero es que ¡....................................! Después de haber conseguido un premio tan importante.
5. .... que lo haga. Todavía no ha hecho ningún amago.
6. .... desde que eran pequeños. Es un amor imposible.
7. Es que siempre tengo que .... ti para que recojas la habitación.
8. No he conocido a nadie parecido, la verdad es que tu hija ....
9. Prepáralo todo que los invitados ....
10. No es cierto que ...., ni que nunca se le pase nada.

3. Enfatiza los elementos en negrita.

1. Nos conocimos **en un hotel de la Costa Brava.**
Fue en un hotel de la Costa Brava donde nos conocimos.

2. Le dieron el alta **tres días después de su ingreso**.
....

3. Le dijo **al juez** que renunciaba a la custodia.
....

4. Nos dijo que lo encontraríamos **en un hotel de Matalascañas**.
....

5. Marta se irá de vacaciones **con unos compañeros de la universidad**.
....

6. Se retiró **porque ya no le interesaba el trabajo**.
....

4. Di si los siguientes pares de palabras son homónimas (tienen diferente procedencia, pero una misma forma, significante) o polisémicas (más de un significado aunque provienen de la misma palabra) y explica los significados. Si es necesario, usa el diccionario.

1. Desde luego, es que tú siempre la **armas** dondequiera que vayas.
....

Los guerrilleros han depuesto las **armas**.
....

2. El **vino** que me trajiste está buenísimo.
....

No **vino** a perder el tiempo.
....

3. Date prisa, que nos cierran el **banco**.
....

No te sientes en ese **banco**, que está manchado de tierra.
....

4. Que no te extrañe que no **haya** comida en esta casa.
....

¿Has visto esa **haya**?
....

5. ¡Ten cuidado, no te **pinches**!
....

Vamos a que **pinches** algo antes de clase, que no has comido.
....

5. Completa el texto con la forma adecuada del pasado.

A Diego Alatriste se lo (*llevar*) (1) .... los diablos. (*Haber*) (2) .... comedia nueva en el corral de la Cruz, y él (*estar*) (3) .... en la cuesta de la Vega, batiéndose con un fulano de quien (*desconocer*) (4) .... hasta el nombre. Estrenaba Tirso, lo que (*ser*) (5) .... gran suceso en la Villa y Corte. Toda la ciudad (*llenar*) (6) .... el teatro o (*hacer*) (7) .... cola en la calle, lista para acuchillarse por motivos razonables como un asiento o un lugar de pie para asistir a la representación, y no por un quítame allá esas pajas tras un tropiezo fortuito en una esquina, que tal (*ser*) (8) .... el caso: ritual de costumbre en aquel Madrid donde (*resultar*) (9) .... tan ordinario desenvainar como santiguarse. [...]
Don Francisco de Quevedo y yo lo (*ver*) (10) .... entrar justo con las guitarras de final de entremés, el sombrero en la mano y el herreruelo doblado sobre el brazo, recogiendo la espada y baja la cabeza para no molestar. [...] (*Salir*) (11) .... por delante de la cazuela baja, (*saludar*) (12) .... al alguacil de comedias, (*pagar*) (13) .... dieciséis maravedís al cobrador de las gradas de la derecha, (*subir*) (14) .... los peldaños y (*venir*) (15) .... hasta nosotros, que (*ocupar*) (16) .... un banco en primera fila, junto al antepecho y cerca del tablado.

El caballero del jubón amarillo. Arturo Pérez Reverte

5.1. **Contesta ahora a las preguntas:**

> **1.** ¿A qué se refiere con la expresión Villa y Corte?
>
> ....
>
> **2.** ¿Qué significa "un quítame allá esas pajas"?
>
> ....
>
> **3.** Tirso de Molina y Francisco de Quevedo fueron personajes relevantes del siglo de oro español. Haz una pequeña investigación sobre su vida y obra.
>
> ....
>
> **4.** El corral de la Cruz y el corral del Príncipe fueron los corrales de comedias más afamados del Madrid del Siglo XVII. En la unidad 2 se habló del corral de Almagro. ¿Puedes recordar brevemente qué eran y cómo eran estos lugares de representación?
>
> ....
>
> ....

6. **Con frecuencia, las palabras, además de su significado objetivo, cobran un valor o significado metafórico en un contexto determinado. Vamos a revisar ahora algún léxico aprendido en la unidad 2 sobre el teatro. Define el término y después atiende a su significado metafórico en los ejemplos que te damos. Sustituye, por último, la palabra por otra equivalente en ese contexto.**

> **1. Escenario:** ....
> Nunca olvidaré aquel viaje en el que recorrimos (*escenarios*) .... insospechados y maravillosos.
>
> **2. Orquesta:** ....
> Las manifestaciones del pasado noviembre fueron (*orquestadas*) .... por el gobierno.
>
> **3. Tablas:** ....
> Esta niña ha cogido muchas (*tablas*) ....
>
> **4. Telón:** ....
> El (*telón de fondo*) .... del conflicto fue el hambre.

7. **Explica la intención del hablante en los pasados resaltados en negrita.**

1. Tú **te venías** a casa ahora, ¿no?
2. Lo siento, Carmen no está, pero dijo que **volvía** a la hora de la cena.
3. **No habían pasado** tres minutos cuando ya había vuelto arrepentida.
4. **Quería** pedirle un favor.
5. **Era** una tarde apacible de primavera.
6. **Fue** una tarde apacible de primavera.
7. Como dijo César: "**llegué, vi, vencí**".
8. A las tres de la tarde de ayer miércoles 5 de mayo, los Reyes **tomaban** tierra en Barajas.
9. Si **fueras** más amable, las cosas te irían mucho mejor.
10. Si **hubieras sido** más amable, las cosas te irían mucho mejor.

8. **Como ya sabes, por medio del imperativo, pretendemos influir en el ánimo de nuestro interlocutor, para invitarlo a hacer algo, darle una orden, una instrucción, transmitir una información con urgencia, impaciencia, cortesía, etc. Determina en qué sentido están utilizados los imperativos en las siguientes frases, justifica tu respuesta y, por último, sustituye la expresión en imperativo por otra estructura que refuerce el valor que habéis visto en ella.**

1. Siéntese, siéntese, por favor.
   Intención: _Invitación cortés._...
   Sustitución: _¿Quiere tomar asiento?_...

2. Venga, cómete ya eso.
   Intención: ....
   Sustitución: ....

3. Comuníquenos su llegada con unos días de antelación.
   Intención: ....
   Sustitución: ....

4. Niño, ¡ya está bien!, ¡estate quieto de una vez!
   Intención: ....
   Sustitución: ....

5. Para llegar a la estación, siga todo recto y gire la cuarta bocacalle a la izquierda.
   Intención: ....
   Sustitución: ....

6. Ya le he dicho que esto no puede ser, pero él dale que dale con la historia.
   Intención: ....
   Sustitución: ....

7. Relájese y disfrute de su tiempo libre.
   Intención: ....
   Sustitución: ....

8. Sé un poco más amable y ya verás como todo se arregla.
   Intención: ....
   Sustitución: ....

9. Completa el texto con los pronombres que faltan. Luego, lee la parte resaltada en negrita. ¿Sabes en qué consiste el fenómeno del leísmo? ¿Qué debería haber dicho el personaje?

Varo Borja observó fijamente al cazador de libros, que ahora no tenía nada de conejil, ni de simpático; más bien recordaba a un lobo que enseñara el colmillo de través.

– ¡Sabe lo que (1) .... gusta de su carácter, Corso? La naturalidad con que asume el papel de sicario a sueldo, entre tanto demagogo y cantamañanas que anda por ahí... Parece uno de esos individuos flacos y peligrosos de los que recelaba Julio César. ¿Qué tal duerme?

– A pierna suelta.

– Seguro que no. Apostaría un par de góticos a que es de los que pasan mucho rato con los ojos abiertos en la oscuridad. ¿Quiere que (2) .... diga una cosa? (3) .... recelo por instinto de los hombres flacos voluntariosos y entusiastas. Solo (4) .... sirvo de ellos cuando (5) .... trata de mercenarios bien pagados, gente desarraigada y sin complejos. Desconfío de quien alardea de una patria, una familia o una causa.

El librero introdujo de nuevo el *Poliphilo* en la vitrina. Después soltó una risa seca, desprovista de humor:

– ¿Tiene amigos, Corso? A veces (6) .... pregunto si alguien como (7) .... puede (8) tener...........

– (9) Váya............ a la mierda.

La sugerencia había sido formulada con impecable frialdad. Varo Borja sonrió lenta y deliberadamente. No parecía ofendido.

– Tiene razón. Su amistad no (10) .... interesa lo más mínimo, pues (11) .... compro lealtad mercenaria, sólida y duradera. ¿No es cierto? El pundonor profesional de quien cumple su contrato aunque el rey que (12) .... empleó haya huido, aunque la batalla esté perdida y aunque no haya salvación posible.

Miraba a Corso con aire de guasa, provocador, atento a su reacción. Pero este (13) .... limitó a un gesto de impaciencia, tocando, sin (14) mirar............., el reloj que llevaba en la muñeca izquierda.

– El resto puede (15) escribír......... –dijo– por carta. (16) .... no cobro por reírle a (17) .... las gracias.

Varo Borja pareció meditar aquello. Luego asintió, aún burlón.

– Otra vez tiene razón, Corso. Volvamos a los negocios... –miró alrededor antes de (18) centrar............. en el tema. ¿Recuerda el *Tratado del Arte de la Esgrima*, de Astarloa?

– Sí. Una edición de 1870, muy rara. (19) .... proporcioné un ejemplar hace un par de meses.

El mismo cliente pide ahora, *Académie de léspée*. **¿Le conoce?**

   – **No sé si (20) .... refiere al cliente o al libro... Usted abusa tanto de los leísmos que a veces (21) .... armo un lío.**

   El club Dumas, Arturo Pérez Reverte

10. Completa estas frases con el conector final adecuado.

> Con el propósito de (que) • A (que) • Por (que) • No sea que • No fuera a ser que
> • De modo que • A fin de (que) • Para (que)

1. Fui .... me viera el dentista porque se me había movido una funda.
2. Repartimos las propiedades .... todos los herederos estuvieran satisfechos.
3. Cogí la bufanda y los guantes .... bajase la temperatura.
4. Nos reunimos la semana pasada .... poner fin a este absurdo enfrentamiento.
5. Nada, que te llamaba solo .... charlar un rato.
6. Lo hicieron de esa manera .... quedar bien con todo el mundo.
7. Cerrad las ventanas, ... se rompa alguna con la corriente.
8. Hemos enviado una circular .... esté enterado de la fecha de la reunión.

11. Relaciona las frases con los cuadros que tienes a la derecha.

	El hablante presenta el deseo como realizable	Lo cree de difícil o imposible cumplimiento	Expresa deseos incumplidos en el pasado
1. Ojalá fuera viernes.	☐	☐	☐
2. Así te hubieras atragantado.	☐	☐	☐
3. Quién fuera tú.	☐	☐	☐
4. Espero que te hayas divertido.	☐	☐	☐
5. Que me llame, por Dios, que me llame.	☐	☐	☐
6. Ojalá me lo hubiera dicho.	☐	☐	☐
7. Así te suspendan.	☐	☐	☐
8. Ojalá amplíen el plazo.	☐	☐	☐
9. Quién hubiera estado allí.	☐	☐	☐
10. Ojalá lo supiéramos.	☐	☐	☐

12. ¿Recuerdas los conectores sinónimos de *aunque*? Trata de usarlos en las frases sustituyendo *aunque* y teniendo en cuenta la intención comunicativa del hablante.

1. Déjame algo de dinero, anda... *Aunque* sea poco, me vendrá bien.
2. No ha aprobado el examen *aunque* ha estado dos meses encerrado en su casa estudiando.
3. *Aunque* sea muy simpático, yo es que no le puedo ni ver, me parece un plasta.
4. *Aunque* madrugo cada día más, no consigo llegar puntual al trabajo.
5. *Aunque* sabía que se enfadaría, se lo dije porque, si no, reventaba.
6. Elisa no pierde el ánimo *aunque* lleva ya cuatro operaciones y todavía le queda alguna.
7. El fraude fiscal sigue aumentando *aunque* el Gobierno ha endurecido las penas para quienes defraudan.
8. Oye, *aunque* me lo digas muchas veces, no me lo pienso creer, que no...
9. La policía dijo que, *aunque* hubieran investigado mucho aquel caso, nunca lo habrían resuelto.
10. Su chica le ha dejado plantado *aunque* es muy guapo, simpático e inteligente.
11. *Aunque* sea ridículo, pienso ponerme este traje para la boda de mi hermano.
12. Se ha comprado un coche de segunda mano *aunque* le tocó hace un mes la lotería.

13. Como has estudiado, *aunque* puede comunicar diferentes cosas. Relaciona las frases que tienes a continuación con los usos de *aunque*.

1. Aunque hubiera pirañas en el río, me bañaría igual.

2. Suele ser puntual, pero, aunque llegue tarde, le esperaré.

3. Mira, aunque ese tío sea escritor, a mí me parece un payaso.

4. Aunque soy cubano, no me gustan nada los frijoles.

5. Aunque tuvieras dos días más para prepararte, no aprobarías.

6. No lo haré aunque te enfades...

7. Eso Juan no se lo habría comprado aunque hubiera tenido millones.

8. Aunque le hayan dado nueve Oscar, a mí esa película me parece un rollo.

9. No se lo daría ni aunque me lo pidiese de rodillas.

10. Aunque vaya a bajar los impuestos, no tengo intención de votarle.

11. Aunque solo cueste 5 euros, me parece caro... no puede ser más feo.

12. Silvia me dijo que no le llamaría aunque le apeteciera.

a. No sabes si la información es verdad o no, pero tampoco te importa.

b. Das una información que crees que es nueva para tu interlocutor.

c. Compartes y asumes la información y dices que no es importante.

d. Das una información sobre un momento pasado que consideras difícil de creer y que no pudo impedir la realización de una acción.

e. Das una información o una idea que encuentras muy difícil de realizar o de creer.

f. Rechazas una información solo porque no te vale como argumento para cambiar de opinión.

14. En las unidades has trabajado diferentes técnicas para mejorar la interacción oral. Puntúa de uno a cinco las siguientes estrategias según el grado de utilidad que consideres y argumenta tu respuesta hablando también de los contextos o situaciones en los que pueden resultar más o menos eficaces.

☐ Tomar notas.

☐ Intentar no distraerse en el desciframiento de un término difícil.

☐ Dejarse guiar por los cambios de tono.

☐ No presuponer lo que va a decir el interlocutor.

☐ Pedir aclaraciones si hay interacción.

☐ Usar pausas, muletillas para ganar tiempo y estructurar el discurso.

☐ Acompañar el discurso de lenguaje gestual y analizar el lenguaje gestual del interlocutor.

☐ Otros.

15. En una situación real, para comprender mejor la intención del hablante, ¿cómo reaccionas?

1. Si la palabra y el tono son contradictorios. Me guío más por... ....

2. Si la palabra y el gesto son contradictorios. Me guío más por... ....

15.1. Según la respuesta que has dado, ¿qué crees que influye más en una conversación, el lenguaje verbal o el no verbal?

16. En clase, para una prueba, ¿qué haces antes de leer o escuchar un texto?

☐ Leer con atención las preguntas de la comprensión.

☐ Fijarte en si la información que se pide es global o específica.

☐ Reflexionar sobre el título o enunciado del ejercicio.

☐ Aventurar hipótesis sobre el contenido del texto.

☐ Descifrar con cuidado el contenido de las preguntas, asegurándote de que comprendes todas las implicaciones.

☐ Prestar atención al entorno: fotografías, posibles pies de foto...

☐ Otros.

17. Una forma de deducir el significado de un neologismo es atender a su raíz. En las unidades anteriores has estudiado algunos prefijos y sufijos grecolatinos. Intenta deducir el significado de los siguientes términos y después comprueba tu respuesta en el diccionario.

Genos (origen, estirpe)		*Patos (pasión, emoción)*		*Tele (a distancia)*	
genealogía	primigenio	patología	antipatía	teletipo	telequinesia
genética	eugenio	patético	patógeno	televisión	telepatía
genocidio	primogénito	apatía	ludópata	teléfono	teledirigido
génesis	genital	simpatía	psicópata	teleférico	teleoperadora

18. ¿Cómo se dicen las palabras anteriores en tu lengua? ¿Recuerdas otros términos con los prefijos y sufijos anteriores?

19. Al hablar o escribir, es importante adaptar el registro a la situación (formal, informal) y al tipo de texto (científico, coloquial, literario, periodístico...). Dos personas hacen una descripción de don Quijote. Algunas palabras se han caído. Colócalas en su lugar atendiendo al registro.

A lomos de • amada • arreglar • con una bacina en la cabeza • deshacer • desmedida • Encima de • enorme • entuertos • es ordenado • famélico • flaco • hidalgo • perdiendo el juicio • problemas • querida • se hace • señor • tocado con una bacina • triunfos • victorias • volviéndose loco

1. Don Quijote, ... castellano que por su .... afición a la lectura de novelas de caballería acaba .... y .... caballero andante. .... un caballo .... y ...., sale a recorrer los campos manchegos en busca de aventuras y .... que .... para después ofrecer sus .... a su .... Dulcinea.

2. Don Quijote es un .... castellano que tenía una afición .... a la lectura de novelas de caballerías acaba .... y .... caballero andante. .... un caballo .... y ...., sale a recorrer los campos manchegos en busca de aventuras y .... que .... para después ofrecer sus .... a su .... Dulcinea.

Unidad 7
El medio ambiente

Parque Natural de Doñana, comunidad autónoma de Andalucía

Contenidos funcionales
- Caracterizar e identificar personas, lugares y cosas
- Preguntar por la existencia o no de algo o de alguien
- Reclamar formalmente a un organismo privado o público
- Describir y definir

Contenidos gramaticales
- Oraciones de relativo con indicativo/subjuntivo
- Oraciones de relativo especificativas/explicativas
- Pronombres y adverbios relativos
- Pronombres y adjetivos indefinidos
- El adjetivo calificativo: especificativo/explicativo
- La coherencia y cohesión textual

Contenidos léxicos
- Expresiones idiomáticas con animales
- Léxico específico de los perros de salvamento
- Léxico específico relacionado con el medioambiente
- Los parques naturales
- Léxico específico de la caza

Contenidos culturales
- Miguel Delibes
- El Parque Natural de Doñana

1 El ambiente está recargado

1.1. 👤 🔤 **Define las siguientes palabras y expresiones relacionadas con el medio ambiente.**

1. Contaminación:
2. Tala de árboles:
3. Desertización:
4. Deshielo:
5. Capa de ozono:
6. Residuos:
7. Emanaciones:
8. Degradación:
9. Despilfarro:
10. Biodiversidad:
11. Fauna y flora:
12. Peligro de extinción:
13. Efecto invernadero:

1.1.1. 👤 📖 **¿Qué planeta heredarán nuestros hijos? En el siguiente texto se expone, resumidamente, la situación actual del medio ambiente en nuestro planeta. Toma notas y, luego, contesta a la pregunta.**

Las alarmas ya han saltado. Todos los países son conscientes, la Tierra se empieza a quejar: el efecto invernadero, el calentamiento del planeta, la capa de ozono... Pese a cumbres internacionales y buenos propósitos, la solución no resulta práctica y el enfermo empeora. En este sentido se señala que la capacidad de los ecosistemas empieza a ser alarmante ya que de seguir disminuyendo, estos no podrán dar abasto con
5   todas las necesidades de la población. Para Klaus Töpfer, director ejecutivo del programa de la ONU para el medio ambiente, "cada una de las mediciones realizadas por los científicos para evaluar la salud de los ecosistemas del mundo nos muestra que estamos extrayendo de ellos más que antes y degradándolos a un ritmo cada vez más acelerado".
    Los desastres naturales han existido siempre, volcanes, terremotos, huracanes o tifones, han dejado siempre
10 tras de sí desolación, víctimas, hogares destruidos. El origen de estos fenómenos naturales siempre ha residido en la propia naturaleza, el hombre se limitaba a sufrirlos y prevenirlos lo mejor posible. Pero en los últimos tiempos la humanidad se enfrenta a unas adversidades cuyo origen es el propio hombre. El recalentamiento del planeta o la disminución de la capa de ozono están directamente relacionados con la emisión de cantidades abusivas de CO_2, aerosoles y otras sustancias cuyas consecuencias directas son desajus-
15 tes climáticos traducidos en diferentes catástrofes.

El efecto invernadero
El vapor de agua, el dióxido de carbono, el ozono o el metano, son los gases responsables del efecto invernadero, un fenómeno indispensable para la vida humana en el planeta, ya que a través de este proceso se devuelve al espacio parte de la energía recibida del sol. Si la Tierra devolviera directamente esta energía, la
20 temperatura media sería 30 º C menor, e inhabitable para los humanos.
El problema viene cuando se rompe el equilibrio. El volumen de dióxido de carbono ha pasado de 280 partes por millón, antes de la revolución industrial, a 360 actualmente. Esto reduce de forma considerable la energía que la Tierra tiene que emitir al espacio. Esta no puede almacenarse sin más, y equivale a retener el contenido energético de 3 millones de toneladas de petróleo por minuto. Estos excesos provienen funda-
25 mentalmente de la utilización de carbón, petróleo, gas natural, así como de la desaparición progresiva de bosques que absorben el CO_2.

¿Se está a tiempo?
Todavía se está a tiempo de reparar parte de la productividad natural que se ha perdido; muchas reparaciones son simples. Destacan las iniciativas de reciclado. Aunque no están relacionadas directamente con la
30 reconstrucción de ecosistemas, sí lo están con una manera más sana y ecológica de vivir y no agotar recursos naturales.

Adaptado de http://www.mailxmail.com/curso/vida/medioambiente/

1.1.2. 👥💬(BLA) **¿Te preocupa la situación actual del medio ambiente? Consulta tus notas y haz un esquema con los puntos que te parecen prioritarios. Después, expón tus conclusiones a tus compañeros.**

2.1. 👥💬(BLA) **¿Qué animal es este?, ¿cuál es su país de origen?, ¿existe algún problema con este animal?**

2.2. 👤📖 **En la actualidad, hay muchos animales, entre ellos el lince ibérico, que están en peligro de extinción a causa de la acción humana y de la propagación de gases contaminantes que tienen efectos funestos sobre el medio ambiente.**

A finales del siglo XIX el lince ibérico *(Lynx pardinus)* era un animal abundante en casi todo el país. Sin embargo, a partir de los años 60 su población comenzó a sufrir un declive acelerado. Lo que hasta entonces eran grandes núcleos, que se extendían en algunos casos por áreas de decenas de miles de kilómetros cuadrados, quedaron reducidos a un conjunto de enclaves, que estaban incomunicados
5   entre sí y que, en el mejor de los casos, solo lograban reunir a unos cientos de ejemplares.

La agricultura y las repoblaciones forestales que eran inadecuadas le fueron ganando terreno al matorral, donde este felino busca acomodo. El conejo, que es pieza fundamental en su dieta, comenzó a escasear, diezmado por las enfermedades y los cambios introducidos en su hábitat. Carreteras, vías férreas y pantanos se convirtieron en peligrosas o insalvables barreras. Y las escopetas, cepos y
10   lazos de algunos desaprensivos se sumaron también a esta lista de amenazas.

Hoy día no hay otro felino en el mundo que corra un mayor riesgo de desaparición. En todo el planeta las únicas poblaciones viables de este animal se conservan en Andalucía, estrechamente ligadas a enclaves de monte mediterráneo bien conservado. Su supervivencia depende de un compromiso, individual y colectivo, al que deben sumarse todas las instituciones, todos los ciudadanos.

Adaptado de la Consejería de Medio Ambiente de la Junta de Andalucía

2.2.1. 👥💬(BLA) **¿Qué otras especies animales conoces que estén en peligro de extinción? ¿Hay alguna propia de tu país?**

2.2.2. 👤🔤 **Define las siguientes palabras del texto, haz una frase con ellas para contextualizarlas y, después, búscalas en el diccionario y compara.**

Matorral: 1. m. Terreno inculto, lleno de matas y maleza. 2. Conjunto espeso de matas.

1. Declive: ....
2. Enclave: ....
3. Repoblación: ....
4. Diezmar: ....
5. Cepo: ....
6. Lazo: ....
7. Desaprensivo: ....
8. Viable: ....

2.3. 👤 👥 **Lee la siguiente definición de lo que es una oración de relativo y, siguiendo sus indicaciones, subraya en el texto de 2.2. todas las oraciones de relativo que encuentres.**

Las oraciones de relativo se utilizan para introducir una información que se presenta como secundaria o suplementaria, que no es el punto sobre el que el hablante está más interesado en informar en ese momento, sino que tiene la necesidad de recordar, de aclarar o especificar para ayudar a su interlocutor a identificar (especialmente en la oraciones de relativo especificativas) el sustantivo del que está hablando. El hablante integra la oración (de relativo) con la información que considera secundaria en la que contiene la información que le parece esencial (oración principal). Disponemos de los relativos para integrar una oración en otra y, a la vez, relacionarla con el antecedente y evitar la repetición: *El lince es un animal que está en peligro de extinción.*

2.3.1. 👤 👥 **Ahora, completa con las oraciones que has subrayado los ejemplos de estas definiciones.**

Las oraciones de relativo se pueden dividir en dos grupos:

1. **Oraciones especificativas:** permiten identificar el elemento en cuestión o distinguirlo de otros elementos de la misma categoría, como si se seleccionara uno o un pequeño grupo, es decir, lo definen.

   Ejemplos del texto:

   a.

   b.

   c.

2. **Oraciones explicativas:** añaden una información más que el hablante desea dar sobre el sustantivo.

   Ejemplos del texto:

   a.

   b.

   c.

   d.

   e.

   f.

2.4. 👤 🎧 **Escucha la siguiente audición en donde encontrarás expresiones fijas que contienen nombres de animales. Completa el cuadro y, luego, explica el significado de cada expresión según el contexto y cuáles son las expresiones equivalentes en tu lengua.**
[24]

Expresión	Características del animal	Significado
Ser un zorro.	Ser astuto.	Persona astuta, disimulada o hipócrita, y maligna.

2.4.1. 👤 🗺 **¿Cómo buscarías estas expresiones en el *Diccionario de uso* de María Moliner? Lee el siguiente texto y busca las expresiones anteriores, siguiendo las indicaciones que te da.**

Lo corriente es que quien se ve precisado a buscar una expresión fija dentro de un diccionario lo haga en el artículo correspondiente a la primera palabra de la frase y, si no aparece en esta, proceda a hacerlo en la segunda y así sucesivamente hasta que, al fin, termina encontrándola; se trata de un procedimiento efectivo, pero lento y pesado. Desconocen quienes así proceden que existe toda una normativa,
5   generalmente aceptada, según la cual la expresión habrá de buscarse en la primera palabra de la frase perteneciente, por orden de preferencia, a las categorías de sustantivo, verbo, adjetivo, pronombre y adverbio, exceptuándose en el caso de sustantivo las palabras *persona y cosa* y en el de los verbos, los que actúan como auxiliares. Así pues, expresiones fijas como *cabello de ángel* debe ser buscada en *cabello* y no en *ángel; a ojos vista*, en *ojos; cantarlas claras*, en *cantar; poner pies en polvorosa*, en *pie*, etc.
10   Cuando, por otro lado, en un mismo artículo se registran varias expresiones fijas, estas aparecen ordenadas entre sí alfabéticamente. No es necesario, pues, como procede frecuentemente, ir leyendo una por una las frases fijas hasta encontrar la que se busca. Así pues, si queremos buscar, por ejemplo *parque natural,* bajo el vocablo *parque,* lo encontraremos después de *parque nacional* y antes que *parque zoológico.*
15   Conviene tener además en cuenta que, tratándose de expresiones incluidas en el artículo de un sustantivo, tales expresiones están ante todo divididas en dos grupos: en primer lugar aparecen las constituidas de locuciones sustantivas, esto es, formadas por el sustantivo en cuestión y un adjetivo o complemento, ordenadas entre sí alfabéticamente y, a continuación, las demás frases hechas, también en orden alfabético. Así pues, bajo la entrada *piel,* aparecerán antes locuciones como *piel de gallina* y *piel*
20   *de seda* que la expresión *dejarse la piel.* (...)
Todavía conviene añadir que el *María Moliner* restringe la elección del verbo cuando la expresión fija carece de sustantivos, exceptuándose no solo los verbos que actúan como auxiliares, sino también los que ofrecen función atributiva. Así pues, una frase como *dejar plantada a una persona,* en vez de estudiarse en *dejar,* se hace en *plantado.*

(Adaptado de http://cvc.cervantes.es/actcult/mmoliner/diccionario/manejo.htm)

2.4.2 👪 🗺 **Analiza el diccionario que utilices habitualmente en clase. ¿Sigue el mismo método de clasificación de este tipo de expresiones? ¿Cuál te parece más útil?**

2.4.3. 👤 ✏ **Piensa en tres animales que te gusten, analiza sus características e inventa expresiones que se refieran o tengan relación con algunas del ser humano.**

2.5. 👪 🗨(BLA) **Ya sabemos que, en todos los países, existen animales en peligro de extinción. ¿Cuáles crees que son las posibles causas? Lee el siguiente texto en donde se detallan algunos factores de contaminación y de deterioro medioambiental. Señala y justifica aquellos que creas que afectan, más directamente, a la fauna y flora.**

☐ 1. **Emanaciones industriales,** en forma de humo o polvo, las cuales son lanzadas a la atmósfera y contaminan el aire.

☐ 2. **Aguas residuales de origen industrial,** que constituyen la principal fuente de contaminación de las aguas.

☐ 3. **Aguas albañales** procedentes de la actividad humana.

☐ 4. **Productos químicos procedentes de la actividad agropecuaria,** los cuales son arrastrados por las aguas; entre ellos, plaguicidas, fertilizantes, desechos de animales, etc.

☐ 5. **Residuos sólidos** provenientes de la industria y de las actividades domésticas.

☐ 6. **Emanaciones gaseosas** producidas por el transporte automotor.

☐ 7. **Dispersión de hidrocarburos en las vías fluviales y marítimas,** causadas por la transportación a través de estas vías.

☐ 8. **El ruido.** Con el desarrollo de la civilización industrial y urbana, el ruido, que se define como un *sonido inarticulado y confuso más o menos fuerte,* ha tomado gran importancia. Está incluido dentro de los elementos contaminantes que influyen desfavorablemente en el medio ambiente y, en algunos casos, resulta nocivo para la salud del hombre.

☐ 9. **El calor.** El calor producido por hornos mal ubicados, por la actividad industrial, el transporte, las quemas forestales y, en general, todo proceso de combustión, ocasiona problemas ambientales debido al incremento de la temperatura.

(Adaptado de http://www.imarcano.com/recursos/conta.html)

2.5.1. 👥👤✏️ **¿Qué leyes deberíamos promulgar para acabar con el deterioro medioambiental? Formula tu propio manifiesto institucional para acabar con la contaminación. Recuerda las oraciones de relativo estudiadas en 2.3. y 2.3.1.**

1. Necesitamos crear unos espacios que estén libres de humos por medio de la promoción de la bicicleta como vehículo habitual de los ciudadanos.

3 El perro de san Roque no tiene rabo

3.1. 👤📖 **La SVPAP es la Sociedad Valenciana Protectora de Animales y Plantas. Sabiendo esto, di si las siguientes afirmaciones son verdaderas o falsas y, después, comprueba tus respuestas leyendo el texto.**

	verdadero	falso
1. La SVPAP busca un tipo de actuación rápida y eficaz, independientemente de la legalidad de dichas acciones.	☐	☐
2. La SVPAP considera que este problema es generacional transmitido de generación en generación a través de la educación, por lo que es necesario solucionarlo por medio de programas donde se corrijan estos defectos educacionales.	☐	☐
3. La SVPAP es un grupo independiente no gubernamental, por lo que funciona independientemente a cualquier organismo similar. Aunque es posible un trabajo coordinado con otra institución si las circunstancias así lo requieren.	☐	☐
4. La SVPAP se siente en la obligación de solucionar todos los problemas que se le planteen, en caso contrario, estarían dispuestos a devolver las cuotas pagadas hasta ese momento.	☐	☐

Los objetivos de la SVPAP (Sociedad Valenciana Protectora de Animales y Plantas) son los que se recogen en el capítulo I de sus Estatutos y que se resumen en la realización de todo tipo de actividades y acciones legales que se crean necesarias para mejorar las condiciones de vida de los animales y el medio ambiente.

5 La SVPAP considera que los problemas de malos tratos, abandonos y crueldades que se cometan con los animales son una cuestión educacional, por lo que lleva a cabo un programa, cuyo objetivo es la creación de campañas educativas e informativas para esta clase de personas.

Los malos tratos y abandonos de los animales por los que nos preocupamos todos son contrarios a la ley y sus autores deben abonar sanciones como creamos conveniente y necesario, res-
10 petando la ley vigente. Nadie que cometa este tipo de atrocidades con los animales puede quedar impune.

Los nacimientos que no sean deseados deben comunicarse a este organismo cuando se efectúen para evitar el exceso de animales cuyos dueños abandonan.

La SVPAP está abierta a la colaboración con las instituciones donde se presenten problemas de
15 similar envergadura y con grupos y asociaciones afines para realizar un trabajo más coordinado.

La SVPAP quiere recordar a todos los ciudadanos que se benefician o se beneficien de estos servicios que es una sociedad privada y altruista, por lo que tienen la intención, y no la obligación, de solucionar los problemas relacionados con los animales y el medio ambiente.

Adaptado del Manifiesto de la Sociedad Valenciana Protectora de Animales y Plantas.

3.1.1. **Vuelve al texto, extrae las oraciones de relativo que aparecen, clasifícalas en el cuadro de abajo según la información que transmiten y completa el cuadro.**

1. Con el modo [   ], nos referimos a algo o a alguien cuya existencia se desconoce, no existe o se niega. Preguntamos por la existencia o no de algo, usando, como antecedente, *algo*, *alguien*, *nada* y *nadie*. Las preguntas con *algo* o *alguien* indican una actitud abierta a cualquier respuesta por parte del hablante. En las preguntas con *nada* o *nadie*, el hablante presupone una respuesta negativa. Las respuestas con *nada* o *nadie* implican la inexistencia del antecedente. Hay que tener en cuenta que, en este último caso, se puede usar el modo indicativo cuando el antecedente es específico: *No ha hecho nada de lo que prometió.*

Oraciones de relativo: ....
....
....
....

2. Con el modo [   ], informamos de algo o alguien conocido o cuya existencia suponemos.

Oraciones de relativo: ....
....
....
....

3.1.2. **Piensa en el problema del maltrato a los animales y crea una asociación destinada a resolverlo. Describe cuáles son sus objetivos principales.**

3.2. **Lee la siguiente carta en la que se denuncia el maltrato de animales.**

Madrid, 2 de febrero de 2005
Estimados señores,

Me llamo Juan Rodríguez Sánchez y soy un amante de los animales. Les escribo para denunciar la actuación ilícita de un miembro de mi comunidad. En mi casa hay una colonia de perros callejeros y esta persona se dedica a atropellarlos con el coche a altas horas de la madrugada. Todos sabemos quién es, pero la policía se niega a actuar porque no hay testigos de tales actuaciones y si los hubiera, no pasaría nada, dado que estos perros son callejeros, por lo que estoy completamente indignado por tal comportamiento.

El otro día, atropellaron a uno de ellos y estuvo tres días metido en una caja de cartón. Los vecinos le bajábamos agua y comida, pero tardaron tres días en venir a por él, y eso que llamamos varias veces a la perrera municipal. Cuando llegaron, le tuvieron que sacrificar. Estoy convencido de que se hubiera salvado si hubieran llegado cuando les llamamos.

A nosotros no nos gustaría que hicieran eso con nuestros familiares, ¿por qué lo vamos a permitir con los animales? Por favor, les ruego que tomen cartas en el asunto y lo intenten solucionar por el bien de estos animales y de las personas que los queremos.

En espera de sus noticias, les saluda atentamente,

3.2.1. **¿El lenguaje de la carta es formal o informal? ¿Por qué? ¿Qué estructuras lo demuestran? Justifica tu respuesta.**

3.2.2. 🧑 ✏️ **Escribe una carta de protesta a la asociación, cuyo manifiesto hemos leído anteriormente. Te ofrecemos, a continuación, otras estructuras que pueden ayudarte a redactar cartas formales.**

Saludos
Muy señores míos,
Señores,
Distinguido/a señor/a,

Cuerpo
Por la presente deseo...
Le escribo en respuesta a...
Me dirijo a ustedes en relación con...

Despedida
A la espera de sus noticias,
En espera de su pronta respuesta,
Dándole las gracias por anticipado,
Sin otro particular,
(Muy) Atentamente,

3.3. 🧑 ✏️ **Se dice que el perro es el mejor amigo del hombre. A continuación, tienes un texto que habla sobre los perros de salvamento. Señala, antes de leer, qué características son, en tu opinión, las que debe tener un perro de este tipo.**

PERROS DE SALVAMENTO EN LA NIEVE

Dispuesto a intervenir las 24 horas del día
Muy resistente, de gran tamaño, cuyo subpelaje es muy lanoso. Es sociable y perfectamente equilibrado, bien adiestrado... Este es el perfil ideal del perro de salvamento en la nieve.
Debe ser eficaz y no dejarse perturbar por las piruetas de los helicópteros, las cuales pueden ser muy violentas en periodos invernales fuertes, y el vaivén de los socorristas, quienes deben estar perfectamente sincronizados con dichos 5 perros, lo que asegura el éxito en la misión encomendada. No todos los perros pueden realizar tareas de salvamento en la nieve, donde el ambiente y la situación son muy rigurosos. Antes de participar en operaciones reales, el tándem hombre-perro debe seguir un curso de formación muy estricto. Se impone un perfecto dominio de uno mismo.

Hurga en todas partes
Conducido al lugar del accidente, frecuentemente en helicóptero, y bajado suspendido en el extremo de un cable, 10 el perro debe dominar su miedo al vacío y permanecer tranquilo. La agitación que reina a su alrededor no debe distraerlo de su misión, la cual es primordial. Una vez en el sitio, empieza para él una búsqueda meticulosa y sistemática de cada centímetro de nieve, cuanta más nieve, más ardua se hace la búsqueda. Hunde su hocico, que está completamente activo, en todas direcciones, buscando "focos de olor" (bufanda, gorro, guantes...). 15

¡Huele algo!
Cuando localiza algo, ladra frenéticamente, como alma que lleva el diablo, mueve la cola y se pone a escarbar en la nieve, seguido rápidamente por su dueño, el cual en todo momento lo anima.
Luego, es apartado del lugar para que descanse y empiezan los trabajos de 20 excavación para agrandar el agujero. Más tarde, se le llama de nuevo para que señale en qué dirección han de continuar excavando con una pala, con la que deberán encontrar a la persona sepultada.

CONTINÚA ·····

El San Bernardo, un famoso salvador del siglo XIX

Durante el siglo pasado, cuando empezaron a utilizarse a los perros como método de salvamento, la ilus- 25
tre raza de los barry fue utilizada por los monjes del asilo del paso del Gran San Bernardo para guiar a los
viajeros que cruzaban el puerto en invierno: el ancho pecho del perro excavaba un surco en la nieve que
indicaba el camino que se debía seguir.

Antiguamente, los perros San Bernardo socorrieron a muchos hombres perdidos en la tormenta y encon- 30
traron a numerosas personas sepultadas en la nieve.

Como una imagen reciente, el enorme perro de montaña, cuyo aspecto es tan generoso y tranquilizador,
permanece aún en la memoria de la gente.

El 80 % son pastores alemanes

El valiente San Bernardo, y su pequeño barrilito de ron están pasados de moda. Demasiado pesado, se 35
hunde mucho en la nieve y se cansa rápidamente. Fue destronado por el pastor alemán –el 80 % de los
perros de rescate en la nieve pertenece precisamente a esta raza–, el pastor belga, el beauceron, el labrador, el bóxer, el schnauzer y otras razas de fino olfato y constitución sólida.

Todos los medios son igualmente buenos para transportar al perro al lugar del suceso: el helicóptero, desde
el que se puede avistar mejor el lugar del siniestro, es el más común, pero también debe poder subir a un 40
teleférico, un telesquí, un trineo e incluso una mochila.

Adaptado de *El perro de salvamento*, Planeta De Agostini

3.3.1. 👫 👫 **Observa en el texto la variedad de relativos que podemos utilizar. Pero, ¿qué criterios seguimos para su elección? Completa el siguiente cuadro extrayendo ejemplos del texto.**

Criterios para elegir el relativo:

1. Si el antecedente es una persona o no:

   a. Antecedente personal:

   b. Antecedente no personal:

2. La función gramatical del sustantivo omitido dentro de la oración de relativo:

   a. Sujeto:

   b. Objeto directo:

   c. Complemento circunstancial:

3. Si se trata de oración especificativa o explicativa:

   a. Especificativa:

   b. Explicativa:

4. El registro en el que nos movemos más o menos formal, literario, etc.:

   a. Formal:

   b. Informal:

3.3.2. [icons] **Completa el cuadro de los pronombres y adverbios relativos y pon un ejemplo propio de cada uno.**

> en que • cual • explicativas • que • cuanto • lo que • quien/quienes • especificativas •
> el/la/los/las que • como • cuyo, cuya, cuyos, cuyas • cuando • el/la/los/las que •
> en el/la/los/las que-en el/la/los/las cual/cuales • donde • el/la/lo cual-los/las cuales

Pronombres relativos:

- [(1) **Que**] : es el más usado y el único posible si el sustantivo al que sustituye no va introducido por ninguna preposición.

  Va precedido del artículo correspondiente al sustantivo que sustituye [(2)   ] en los siguientes casos:

  – Cuando no hay un antecedente expreso porque se sobrentiende por el contexto: *Los que leen saben más.* Seguido de subjuntivo, el hablante se refiere a alguien que desconoce o duda de su existencia: [(a) *El que lo sepa, que lo diga, por favor*]
  – Tras preposición, [(b)   ] . Se suele omitir el artículo con las preposiciones *con* y *en*: *Se ha roto el cuchillo con que cortabas la carne.*

- [(3)   ] : se utiliza cuando el antecedente se refiere a un concepto o idea sin noción de género y que el enunciador no quiere o no puede nombrar: [(c)   ]

- [(4)   ] : se refiere solo a personas y nunca lleva artículo ya que remite siempre a un antecedente concreto. Se usa más en registros cultos. Equivale a [(5)   ] :
  [(d)   ]

  – Se usa tras *haber* y *tener*: [(e)   ]

- [(6)   ] : debe ir siempre con artículo determinado [(7)   ] .
  – Su uso en la lengua hablada es menos frecuente que el de *que*.
  – Siempre lleva antecedente expreso.
  – Tras preposición: [(f)   ]

Oraciones especificativas y explicativas:

- – Las oraciones [(8)   ] determinan o precisan el antecedente: *Los jugadores que ganaron el partido salieron por televisión* (algunos).
- – Las [(9)   ] se reconocen porque normalmente van entre comas. Además, llevan siempre el verbo en indicativo y añaden información sobre el antecedente: *Los jugadores, que ganaron el partido, salieron por televisión* (todos).

- [(10)   ] : sustituye a *de* + sustantivo. Va entre dos sustantivos y concuerda con el segundo en género y número. No va precedido nunca de ningún artículo. Expresa una relación genéricamente de posesión con el nombre expresado anteriormente. Se usa en registros cuidados y cultos. [(g)   ] .

  – Puede ir precedido de preposición cuando el antecedente va introducido a su vez por una preposición: *En un lugar de la Mancha de cuyo nombre no quiero acordarme...*

Adverbios relativos:

- – Si el antecedente es un lugar, la oración de relativo va introducida por [(11)   ]
  o [(12)   ] : [(h)   ] .
- – En las oraciones explicativas nunca se puede usar **en que**: *Esa casa, en la que/donde viví de pequeña, la vendimos.*
- – Cuando el antecedente es un nombre propio, solo se puede utilizar **donde** o **en donde**: *Yo nací en Bilbao, donde está el museo Guggenheim.*
- – Cuando se trata de un desplazamiento a un lugar, la oración de relativo se introduce con **adonde, al/a la/a los/a las que** o **al/a la/a los/a las cual/cuales**: *Las pistas de tenis a las que voy a jugar los domingos están muy bien.* En las oraciones explicativas, solo se puede usar **adonde**: *Me dijo que se iba a la playa, adonde iba a reunirse con sus amigos.*

CONTINÚA ⋯⋯

– Cuando el antecedente es temporal, la oración de relativo se introduce con [(13)_____]
si la oración es especificativa: *La mañana en que le dieron el premio fue el hombre más feliz del
mundo* y con [(14)_____] si es explicativa: *El otro día, cuando me viste en la calle, iba a
encontrarme con Marta.*

• [(15)_____]: expresa modo y puede sustituirse por *del modo que* si tiene antecedente
sustantivo: [(i)_____].

• [(16)_____]: expresa cantidad y equivale a *lo que* o *a todo lo que*:
[(j)_____].

La perífrasis de relativo está formada por: **sujeto + cópula + subordinada de relativo sin
antecedente** (el orden puede variar) y tiene la función de enfatizar un elemento del que se ha
hablado con anterioridad y cuyo antecedente está implícito (recuerda esta estructura en la unidad 1, pág. 20): *Fue María la que se lo dijo; Donde lo conocí fue en París; Fue por los años sesenta cuando se pisó la Luna por primera vez; El que me lo regaló fue Luis.*

3.4. **Vas a crear una empresa con tus compañeros en la que se ofrezcan servicios
con animales. Discute con tus compañeros:**

a. Los servicios que vais a ofrecer, haciendo, después, una descripción minuciosa de los mismos.
b. Tipo de animales que se necesitan para dichos servicios.
c. Descripción de las funciones de cada uno dentro de la empresa.

3.4.1. **Redacta las conclusiones del ejercicio anterior cuidando que el estilo sea formal.**

3.4.2. **¡Manos a la obra! Lo primero que necesitáis son los animales. Escribe un anuncio de
trabajo para buscarlos.**

3.4.3. **Eres publicitario y te han contratado
para promocionar la empresa. Escribe un
anuncio para la prensa escrita describiendo la
actividad de la empresa, detallando las características de los animales y sus habilidades.**

4 Doñana

4.1. Comenta qué te sugieren las siguientes fotografías. ¿De qué lugar se trata?

4.1.1. Mira de nuevo la foto 3 y elige de entre las definiciones que te damos a continuación la que te parece que describe mejor ese tipo de paisaje.

☐ **1. Mar** (masc.) Extensión de agua salada que cubre la mayor parte de la corteza terrestre, mayor que un lago y menor que un océano.

☐ **2. Pantano** (masc.) Hondonada natural donde se estanca el agua y la tierra del fondo es cenagosa.

☐ **3. Embalse** (masc.) Lugar en que se cierra el paso de las aguas de un río mediante una presa o un muro de contención haciendo así que el agua se estanque.

☐ **4. Marisma** (fem.) Zona terrestre donde el nivel del terreno es inferior al del mar, cuyas aguas la inundan creando un área pantanosa o de ciénagas saladas.

☐ **5. Lago** (masc.) Gran extensión de agua, generalmente dulce, acumulada de forma natural en una depresión de la superficie terrestre.

4.1.2. Contesta las siguientes preguntas, utilizando las fotos como referencia.

1. ¿Cómo definirías brevemente qué es un parque natural?

2. ¿Cuál crees que es el parque nacional más importante de Europa?

3. ¿Has oído hablar del Parque Nacional de Doñana?

4. ¿Dónde está situado exactamente?

5. ¿Qué tipo de fauna y flora se puede encontrar en el Parque Nacional de Doñana?

6. ¿Crees que es un lugar habitado por el hombre? ¿Tiene un alto índice demográfico?

4.1.3. [25] Escucha el texto y comprueba tus respuestas. ¿Cuál de las informaciones que proporciona te parece más sorprendente?

4.2. En el siguiente texto, el ilustre escritor y académico español Miguel Delibes, conocido además por su preocupación por la naturaleza, escribió, a raíz de la catástrofe ecológica sucedida en 1973 en Doñana, lo siguiente:

Creo que todavía no hace tres meses que emborroné las cuartillas que anteceden a cuenta del Coto de Doñana. Entonces me preocupaba que una reserva de vida natural como esta estuviese a punto de ser encorsetada por una urbanización y una autopista, o sea, la quintaesencia del artificio técnico.
5 [...] Pero el caso es que se presenta en Doñana un nuevo problema que viene a demostrar que en la segunda mitad del siglo XX, hablar de reservas naturales es pura quimera, supuesto que la mano del hombre, sus ingenios y combinaciones químicas alcanzan a todas partes. Quiero decir que a Doñana ha llegado el veneno de los pesticidas, no se sabe si por aire o por el
10 Guadalquivir, y ha liquidado en ocho o diez semanas 30 000 ó 40 000 patos o aves de marisma y una cifra indeterminada de fauna subacuática. [...]

El hombre, en su avidez de progreso, ha puesto en marcha una serie de cosas cuyo envés desconoce. A estas alturas es difícil que las fuerzas que ha desatado pueda, llegado el caso, volver a atarlas. Pasear por las marismas de Doñana durante esos días nos lleva a este convencimiento. Existe concretamente una zona
15 en el Cuartel de Las Nuevas, al este de Isla Mayor (una extensión de marisma de cinco kilómetros de longitud por dos de anchura), que es un gigantesco pudridero de aves. El pájaro suele tener un pudrir higiénico, no hiede, pero en la actualidad, los cadáveres son tantos que la marisma trasciende. [...]

Con el correr de los días, la catástrofe ecológica de Doñana brinda perfiles más inquietantes. Al parecer, varios perros que han ingerido
20 aves contaminadas han muerto. Al propio tiempo, el guarda de Las Nuevas informa de la muerte de media docena de vacas, que pastaban en la marisma, por causas desconocidas. En la estación ecológica de Doñana se hablaba estos días de la muerte de una piara de cerdos el 2 de septiembre, cuatro días después de que una avioneta sobrevolara la
25 marisma fumigando algo. [...]

El "prohibido jugar con el fuego" de nuestros padres ha pasado en pocos años a ser una broma ingenua. El fuego es algo conocido, limitado, visible y hasta controlable. Lo arriesgado en nuestros días es jugar con la química, soltar aquí o allá, en campos cultivados o yermos, pesti-
30 cidas clorados, organofosfatos o isótopos radiactivos; hablando en plata, veneno. [...]

Es preciso vigilar y sancionar. Pero no con sanciones simbólicas que se calculan previamente en el presupuesto y hasta son compensadoras, sino con castigos que hagan daño. Resulta incongruente que en una
35 legislación como la nuestra, tan extremadamente dura para los delitos contra la propiedad personal, los delitos contra la Naturaleza, propiedad de todos, queden impunes.

Adaptado de Miguel Delibes en "La catástrofe de Doñana", La naturaleza amenazada.

4.2.1. En las sociedades altamente industrializadas de nuestro tiempo se ha extendido, desde hace ya algunos años, la preocupación de los ciudadanos por los problemas relativos a la conservación de la naturaleza. ¿Cuál es el problema ecológico más grave en tu opinión? ¿Crees que los poderes públicos responden en igual medida a esta preocupación ciudadana? ¿Estás de acuerdo con Delibes en que se deberían endurecer las sanciones? ¿De qué modo?

4.2.2. ¿Cuál es la catástrofe ecológica más grave que ha sucedido en tu país? ¿Qué medidas se adoptaron para solucionarla?

4.2.3.  **Según tus conclusiones anteriores, escribe un texto en el que aportes soluciones a los problemas ecológicos que más te preocupen. Ten en cuenta estas indicaciones para escribir un texto adecuado.**

La coherencia y la cohesión en los textos

- **Coherencia**

  Es un concepto que se refiere al significado del texto en su totalidad. La coherencia establece la unidad del texto ateniéndose a cuatro reglas: repetición, progresión, no contradicción y relación. Para conseguir un texto coherente se debe:

  1. Ordenar las ideas de acuerdo a las reglas de composición de textos: presentación, nudo y desenlace, para que el receptor llegue a la comprensión global del texto y que la intención comunicativa se cumpla.
  2. Delimitar el hilo conductor que desarrolla el tema.
  3. Determinar la intención comunicativa (convencer, exponer, describir...).
  4. Adecuar el lenguaje a la capacidad de comprensión del receptor.
  5. Adecuar el lenguaje al registro (tratamientos, papeles sociales, etc.).

- **Cohesión**

  Conjunto de recursos lingüísticos que tiene la lengua para enlazar una parte del texto con otra, dotándole de una estructura organizada: palabras, frases, párrafos. Se consigue la cohesión de un texto mediante:

  1. Sustituciones gramaticales y léxicas (pronombres, adverbios, sinónimos, perífrasis...).
  2. El vocabulario del tema que se trate.
  3. Conectores (conjunciones coordinantes y subordinantes, adverbios, etc.).
  4. Tiempos verbales (sucesión cronológica de los hechos).

5 La caza

5.1. ¿Crees que puede existir un ecologista cazador?

5.1.1. A lo largo de su dilatada carrera literaria, **Miguel Delibes** ha dedicado numerosas páginas a la caza, una de sus pasiones favoritas. En *El libro de la caza menor* se puede leer lo siguiente:

El primer día de la temporada

Conforme transcurren los días, los cazadores se muestran inquietos, con una inquietud soterrada, tímida y vergonzante. Algo en la luz, en la fronda decididamente decadente de los inicios del otoño, les encandila. El Cazador le dice a esto la llamada del campo; otros dicen que es la afición.

5   El caso es que desde una semana antes, cuando dos cazadores se cruzan en la calle, se miran el uno al otro como dos chavales que fueran a cometer una fechoría. Los brevísimos días de la codorniz allá, a mediados de agosto, no sirvieron sino para encorajinarles, para comprobar que, positivamente, eso de volar un pájaro y encararse la escopeta, y a la postre, oprimir el gatillo, tiene su aquel. Sin disputa, es un juego que les apasiona. Luego, la pausa otra vez. Lo de la codorniz –y aun lo de la tórtola– no es sino un entrenamiento; la comprobación de que las máquinas –el hombre, el perro y la escopeta– están a punto. [...]

10

El último día de la temporada

     Cuando la pequeña campana de las Siervas de Jesús repica viva tras de la casa del Cazador, el Cazador lleva ya una hora despierto. El Cazador ha tenido suerte esta mañana, último domingo de la temporada. Por regla general, la

15 vigilia del Cazador precede en dos horas –cuando no en tres– al despertar de la campanita de las Siervas de Jesús. Hay una cosa a la que nunca se acostumbrará el Cazador: a esperar la jornada de caza como se espera, habitualmente, la jornada de trabajo. El Cazador, en vísperas de caza, es como un alumno ante el tribunal: un torpe manojo de nervios.

20   La campanita de las Siervas de Jesús sacude cada domingo los tímpanos del Cazador a las seis y media de la mañana. Por los tañidos de la campana de las Siervas de Jesús, el cazador adivina el tiempo que hace: barrunta el cielo despejado, la lluvia, el viento, la nieve o el frío. Si el día es quedo y abierto, el repique de la campanita de las Siervas de Jesús es jubiloso y cristalino; si la lluvia amaga, su tañido es rastrero y serpenteante, como el reptar de una culebra; si el viento bate, la voz de la campana resulta inde-

25 cisa y fugitiva, como una hoja en el aire del otoño; la niebla, en cambio, imprime a sus tañidos una opacidad mate. Y así es como suena, esta mañana de febrero, la campana.

Adaptado de Miguel Delibes en El libro de la caza menor.

5.1.2. Relaciona las siguientes palabras del texto con su sinónimo correspondiente. Ayúdate del contexto para deducir su significado.

1 soterrado	•	•	**a**	oculto
2 fronda	•	•	**b**	enfrentar
3 encandilar	•	•	**c**	oscuridad
4 fechoría	•	•	**d**	sonar
5 encorajinar	•	•	**e**	presentir
6 encararse	•	•	**f**	vegetación
7 repicar	•	•	**g**	conjunto
8 manojo	•	•	**h**	golpear
9 barruntar	•	•	**i**	enamorar
10 quedo	•	•	**j**	quieto
11 amagar	•	•	**k**	travesura
12 rastrero	•	•	**l**	vil
13 batir	•	•	**m**	enfadar
14 opacidad	•	•	**n**	amenazar

5.1.3. Teniendo en cuenta la información que te proporciona el texto:

     a. ¿Cómo se sienten los cazadores antes de que empiece la temporada?

     b. ¿Qué es "la llamada del campo"?

     c. ¿Cómo calificarías el cruce de miradas entre cazadores?

     d. ¿Qué supone el comienzo de temporada para un cazador?

     e. ¿Cómo se describe en el texto el estado del cazador previo a la última jornada de caza?

     f. ¿Cómo deduce el cazador el tiempo atmosférico del último día de la temporada?

5.1.4. 👤👥 **Subraya en el texto todos los adjetivos calificativos que encuentres y anótalos.**

5.1.5. 👤👥 **Completa la información que falta en el siguiente cuadro y añade los adjetivos que has anotado anteriormente en el lugar correspondiente.**

El adjetivo calificativo

Con mucha frecuencia, el adjetivo calificativo acompaña también al *nombre* como constituyente del sintagma nominal. Es su función principal. Se dividen en dos: explicativos y especificativos.

- [(1) _____] : el hablante con el adjetivo selecciona un objeto de entre el conjunto de objetos a que pertenece. Este adjetivo es imprescindible ya que sin él el hablante no habría formulado su pensamiento con precisión y la oración no tendría sentido completo. Va siempre detrás del nombre.

  Ejemplos del texto:

  ....
  ....
  ....
  ....

- [(2) _____] o epíteto: con él el hablante se limita a señalar una de las cualidades del nombre al que acompaña. No es imprescindible y si se suprime el mensaje subsiste. Puede ir delante o detrás del nombre, indistintamente. Variedad del epíteto es el *epíteto constante*, que se asocia de manera fija con ciertos nombres: *la blanca nieve.*

  Ejemplos del texto:

  ....
  ....
  ....
  ....

Algunos adjetivos cambian de sentido según su posición: *gran hombre / hombre grande.* En el primer caso, no se añade elemento nuevo de información y el adjetivo señala una cualidad cuya interpretación es emocional. En el segundo caso, estamos estableciendo un contraste físico entre diferentes hombres.

5.1.6. 👤👥 **Como sabes, las oraciones de relativo se llaman también adjetivas porque en muchas ocasiones pueden ser sustituidas por un adjetivo o cumplen esa función. Busca en el texto de Delibes dos oraciones de relativo que puedas sustituir por un adjetivo. Luego, elige dos de los adjetivos que hayas subrayado anteriormente y transfórmalos en oraciones de relativo.**

- Esa casa que está en ruinas pertenecía a mi familia. ➡ *Esa casa ruinosa pertenecía a mi familia.*
- Los cazadores se muestran inquietos antes de la cacería. ➡ *Los cazadores, que se muestran intranquilos, no duermen la noche anterior a la cacería.*

5.2. 👤✏️ **Piensa en una afición que te apasione como a Delibes la caza y descríbela minuciosamente, como ha hecho el autor en su texto.**

Unidad 8

La conquista

Mural del pintor mexicano Diego Rivera

Contenidos funcionales
- Interpretar palabras ajenas y transmitirlas
- Transmitir informaciones teniendo en cuenta diferentes elementos pragmáticos
- Justificar una opinión con argumentos de peso o de autoridad: citar

Contenidos gramaticales
- Discurso referido

Contenidos léxicos
- Acepciones del verbo *conquistar*
- Sinónimos de *decir*

Contenidos culturales
- México y Hernán Cortés
- La Malinche

¡A por todas!

1.1. ¿Qué tienen en común estos personajes?

1.2. Lee estas citas y comenta su contenido.

"Considero más valiente al que conquista sus deseos que al que conquista a sus enemigos, ya que la victoria más dura es la victoria sobre uno mismo". Aristóteles

"El matrimonio es como la historia de los países coloniales; primero, viene la conquista y luego, se sueña con la independencia". Marco Antonio Almazán

"No es valiente el que no tiene miedo, sino el que sabe conquistarlo". Nelson Mandela

"Un hombre no conquista, no seduce, ni tampoco enamora a una mujer. Una mujer se deja conquistar, se deja seducir y se deja enamorar". Anónimo

"La imprenta es un ejército de veintiséis soldados de plomo con el que se puede conquistar el mundo". Johannes Gutenberg

"La conquista es un azar que depende quizás más de los errores de los vencidos que del genio del vencedor". Madame de Staël

"Toda conquista engendra odio, puesto que el vencido vive en la miseria. Aquel que se queda en paz, habiendo abandonado cualquier idea de victoria o de derrota, permanece feliz". Buda

"Puesto que el poder es un compartir continuo, su conquista exige un arte de desapropiación". Abdelkébir Khatibi

1.3. Elabora ahora una definición del verbo "conquistar" con todas sus posibles acepciones, dependiendo de los contextos en los que lo utilices. Compara tu definición con la de tu compañero y sacad una común.

Conquistar:

1.3.1. ¿Cómo has llegado a la definición? ¿Qué recursos has empleado? Busca los ejemplos en tu definición.

> **1.** Hemos empleado sinónimos. Ejemplo:
>
> **2.** Hemos usado antónimos. Ejemplo:
>
> **3.** Hemos pensado en los diferentes contextos en los que se puede usar y hemos hecho una generalización. Ejemplo:
>
> **4.** Hemos usado ejemplos para definir. Ejemplo:
>
> **5.** ....
>
> Ejemplo:

1.4. Fíjate en la definición que ofrece el *Diccionario de uso* de María Moliner, en los recursos que usa y en los símbolos que aparecen.

Conquistar. 1 Adquirir o conseguir ⬝ algo con esfuerzo: 'Ha conquistado una buena posición económica a fuerza de trabajo. Conquistó su plaza en unas oposiciones muy reñidas'. **2** "Adueñarse. Apoderarse. Tomar". Hacerse dueño en la guerra de una ⬝ plaza, posición o territorio enemigo: 'Conquistaron todo el país en menos de dos meses'. (V.: "*APODERARSE de, *aquistar, conquerir*, DOMINAR, ENSEÑOREARSE, ENTRAR, EXPUGNAR, GANAR, *interprender*, INVADIR, OCUPAR, RENDIR, SOJUZGAR, *SOMETER, TOMAR. ⬟ *BOTÍN, DESPOJO, *pecorea, pendolaje, peonía*, PILLAJE, PIRATERÍA, PRESA, TROFEO. ⬟ Caer bajo el poder. ⬟ INCONQUISTABLE, RECONQUISTAR. ⬟ * ADQUIRIR. *CONSEGUIR. *DERROTAR".) **3.** "Atraer". Hacerse querer de ⬝ alguien, embelesar o *enamorar a alguien o atraerse la simpatía de alguien: 'Conquista a todos con su simpatía'. ⊙ "Atraerse. Captarse. Conquistarse. Despertar. Ganarse. Granjearse". *Inspirar simpatía, cariño, amor, etc., en ⬝ alguien. **4.** (fig. e inf.). *Convencer con palabras amables, caricias, lisonjas, etc., a ⬝ alguien. Para que haga cierta cosa: 'Por fin le han conquistado para que vaya con ellos'. (V. "CAMELAR, CATEQUIZAR, ENGATUSAR".)

1.4.1. Según tu intuición y tu experiencia en el uso de diccionarios, ¿podrías enlazar las dos columnas? Ayúdate de la definición de "conquistar".

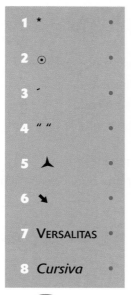

1 *	**a** Indica palabras no usuales.
2 ⊙	**b** Indica que la palabra cuenta con palabras afines y relacionadas.
3 `	**c** Indica, dentro de los verbos transitivos, el complemento directo correspondiente.
4 " "	**d** Se emplea delante y detrás de las palabras o expresiones usadas como ejemplos.
5 ⬟	**e** Se emplean para encerrar los sinónimos equivalentes y también para encerrar palabras o expresiones citadas no con su significado, sino como tales palabras o expresiones.
6 ⬝	**f** Se usa para frases y modismos usuales, también para señalar la palabra que rige a las que le preceden y para encabezar algún punto con desarrollo gramatical o de otra clase.
7 VERSALITAS	**g** Separa secciones con la posible homogeneidad dentro de los catálogos.
8 *Cursiva*	**h** Separa subacepciones, es decir, matices distintos de la palabra.

1.4.2. Comenta con tu compañero cuáles de estos símbolos te parecen más prácticos, necesarios, etc.

1.5. 👫 ❌ **Señala con tu compañero las opiniones que creas acertadas para, después, corregir las que creas erróneas.**

El conocimiento de una palabra es un proceso un tanto complejo. Para afirmar que conocemos una palabra debemos:

☐ a. Conocer todos sus significados.

☐ b. Tener claros los contextos en los que se puede usar de una forma adecuada.

☐ c. Saber cómo funciona gramaticalmente.

☐ d. Saber pronunciarla.

☐ e. Saber escribirla correctamente.

☐ f. Saber reconocerla cuando la oímos aisladamente o con otras palabras vía oral o vía escrita.

☐ g. Traerla rápido a la mente cuando la necesitamos al hablar o escribir.

☐ h. Poder encontrar instantáneamente su equivalente en nuestra lengua.

1.5.1. 👤 🔤 **Vuelve a leer la definición de "conquistar"; después, intenta sustituir este verbo por los sinónimos que creas adecuados.**

1. El Real Madrid **conquistó** el título de Liga en la última jornada.
2. Es un donjuán, **conquista** a todas las chicas que se le cruzan en el camino.
3. Le ha costado mucho, pero por fin **ha conquistado** la confianza de su jefe.
4. Los rebeldes **conquistaron** la capital en un día, no tuvieron apenas resistencia.
5. Mira, *tía*, no me intentes **conquistar** con tus palabritas que te conozco, por mucho que me digas, no te pienso dejar mi *buga* y punto.

🔤 *Buga:* **coche. (coloquial); Tía: chica. (coloquial)**

1.5.2. 👫 ❌ **Vamos, ahora, a evaluar las estrategias que usas para mejorar y ampliar el léxico. Compara tus respuestas con las de tu compañero y elaborad una lista de las estrategias que tenéis en común y consideráis más útiles.**

Para incorporar una palabra nueva a tu vocabulario:

☐ a. Apuntas la palabra y al lado su traducción.

☐ b. Apuntas la palabra y tratas de copiar su definición con tus propias palabras.

☐ c. Apuntas la palabra y vas al diccionario para copiar su definición.

☐ d. Apuntas las palabras en el cuaderno de clase según van surgiendo.

☐ e. Apuntas las palabras en fichas, por una cara la palabra y por otra la definición con un ejemplo.

☐ f. Intentas hacer una frase donde incluyes la palabra, así la retienes mejor.

☐ g. Intentas memorizar la palabra pensando en otra de tu lengua que fonéticamente se le parece.

☐ h. La apuntas con sus sinónimos y antónimos.

☐ i. Organizas las palabras que vas aprendiendo en grupos o familias (según el significado, categoría gramatical, etc.).

☐ j. Te inventas una historia con ella y otras nuevas.

☐ k. Tomas notas sobre su uso.

☐ l. Otras...

2.1. ¿Cuáles son las claves de una vida feliz? Ordena por orden de importancia las que se proponen y completa la lista.

☐ Lograr una familia feliz.

☐ Tener éxito en el terreno profesional.

☐ Amasar una gran fortuna.

☐ Triunfar en las relaciones sexuales.

☐ Ser una buena persona.

☐ Mantenerse joven y guapo.

☐ Tener proyectos siempre.

☐ Lograr equilibrio emocional.

☐ Trabajar en lo que a uno le gusta.

☐ ....

☐ ....

☐ ....

2.2. Lee atentamente el siguiente texto.

Meditación sobre el fracaso

Luc Ferry, es un escritor con buen olfato para los temas. Acaba de publicar un libro titulado *Qu'est-ce qu'une vie réussie?* La pregunta es pertinente. ¿Qué es una vida lograda? La respuesta más sencilla sería: aquella que satisface nuestros proyectos más importantes. Lo malo es que esta con-
5   testación confunde la vida lograda con el éxito sin más. Pero el éxito es un triunfo siempre fragmentario y la vida lograda no puede identificarse con una suma de éxitos parciales. Tiene que ver más con lo que tradicionalmente se llamaba felicidad. Lo curioso de la felicidad es que siendo un proyecto inevitablemente privado, solo puede realizarse integrándolo en
10   un proyecto más amplio. Por eso es necesario hablar de felicidad compartida y, en último término, de felicidad política.

Las encuestas que periódicamente se realizan en nuestra área cultural nos dicen que para una aplastante mayoría la vida lograda consiste en tener una familia feliz. Una encuesta francesa de esta semana vuelve a corroborarlo. Es la respuesta que da el 74 por ciento de los encuestados. El triun-
15   fo profesional es la máxima aspiración para el 21 por ciento. Y solo un 11 por ciento la cifra en las relaciones sexuales. Ha habido un enorme cambio desde los años 70, cuando, sobre todo en Europa, se consideró a la familia como una estructura burguesa y represora. Se había generalizado aquel exabrupto de André Gide: "¡Familias, os odio!", o las cáusticas observaciones de Sartre sobre la indecencia de tener hijos, o las proclamas de la revolución sexual contra cualquier tipo de lazos
20   afectivos. Llama, sin embargo, la atención esa unanimidad en valorar las relaciones afectivas, conyugales, familiares, en un momento en que se habla tanto de fracasos. Conviven una expectativa ideal y un escepticismo real. Ulrich Beck, un conocido sociólogo alemán, describe la situación con una frase: "El amor se hace más necesario que nunca y, al mismo tiempo, imposible". Según él, esta situación se debe a que hemos fomentado tanto la individualidad, el cuidado de uno mismo,
25   la autosuficiencia, que ahora no sabemos cómo mantener relaciones con otra persona.

José Antonio Marina, El Semanal

2.2.1. Explica el significado en el texto de las siguientes frases extraídas del mismo:

A. *El éxito es un triunfo siempre fragmentario y la vida lograda no puede identificarse con una suma de éxitos parciales.*

B. *Es necesario hablar de felicidad compartida y, en último término, de felicidad política.*

2.2.2. [icons] **Sintetiza las observaciones planteadas por el autor del artículo respecto de la visión del mundo de los años 70 teniendo en cuenta las citas de los autores que menciona para sostener su argumentación.**

2.2.3. [icons] **¿Qué opinión te merecen las observaciones sobre "las claves de la felicidad" del autor del artículo respecto de la situación actual? Apoya tus argumentos en las ideas plasmadas en el ejercicio previo a la lectura del texto.**

3 Los nuevos horizontes laborales

3.1. [icons] [26] **Escucha atentamente el testimonio de estas personas y señala cuál es la afirmación correcta. Razona tu respuesta.**

☐ a. Las tres personas están en la misma situación.

☐ b. Las tres personas se sienten infelices.

☐ c. Las tres personas están a favor de buscar nuevos horizontes laborales.

3.2. [icons] **Lee, atentamente, el siguiente texto.**

No sea alérgico a trabajar fuera

David Gómez-Rosado es la antítesis del español medio. Estudió en EE. UU., vivió allí la explosión de las *puntocom*, trabajó en multinacionales como *Nike*, se metió en negocios arriesgados y novedosos de Internet, montó su propia empresa en Singapur, volvió a España... Una excepción, un tanto extrema, a la regla carpetovetónica: mejor cuanto más cerca. El 76,7 % de los ocupados españoles trabaja dentro
5 de su comunidad autónoma de origen.

Nuestra renuncia a mudarnos de país (y de Comunidad, y de pueblo, y de barrio...) por motivos laborales no nos convierte en marcianos, todo hay que decirlo. Según Pricewaterhouse Coopers, menos del 15 % de los ciudadanos de la U. E. aceptaría hacerlo. Consecuencia: la movilidad geográfica se ha convertido en una de las mejores bazas que puede jugar un profesional para dar impulso a su trayecto-
10 ria, sobre todo si se mueve en sectores como la sanidad, la industria o la consultoría. Y no es solo que muchas empresas busquen a personas dispuestas a trasladarse a otro país si hace falta. Es que, de hecho, la oferta de empleo generada aquí corresponde cada vez más a puestos cuyo desempeño ha de realizarse en el extranjero. El destino más común es la Unión Europea (76% de la oferta) y, en concreto, Francia (23,72%), Alemania (13,57%), y Gran Bretaña (11,36%), según datos de Infoempleo.
15 Así que, si tiene usted madera de conquistador, ya sabe: internacionalícese. Sobre todo si está en la fase de arranque de su carrera profesional, no se haga el remilgado cuando en una entrevista de trabajo le pregunten si estaría dispuesto a hacer las europas. Piense que, aunque ahora le parezca un engorro en sus planes vitales, la experiencia será, sin duda, enriquecedora, sumará puntos a su currículo y le promocionará laboralmente. Si es usted un profesional con familia, hipoteca y mascota, calibre muy bien pros y contras,
20 pero no se deje nunca llevar por el miedo a lo desconocido. Ni los franceses, ni los alemanes, ni los británicos muerden. Y, por último, si está parado o insatisfecho y ha decidido dar el salto, busque entre los anuncios de empleo, visite las secciones de reclutamiento de las webs de empresas internacionales relacionadas con su actividad y tenga a punto un currículo en el idioma que sea preceptivo. ¡Ah! Y ni caso a su suegra.

Silvia Nieto, El País semanal

3.3. [icons] **A partir de los testimonios escuchados en la audición y del artículo que acabas de leer, debate sobre los pros y los contras tanto en los ámbitos personal como profesional de salir al extranjero a "conquistar una nueva vida". Piensa en los que salen obligados por las circunstancias y los que, como en el caso del artículo, salen a hacer las "europas".**

3.4. [icons] **Eres un amigo de la familia, escribe una carta dirigida a la mujer española de la audición en la que tratarás de hacerle comprender la decisión de su hija y su yerno. Haz referencia en tu carta al artículo que has leído.**

4.1. Después de haber reflexionado sobre cómo aprendemos el léxico y de haber trabajado sobre la definición en el inicio de la unidad, ¿podrías definir estos dos conceptos?

La subjetividad

La objetividad

4.1.1. ¿Eres objetivo o subjetivo si tienes que...?

		objetivo	subjetivo
a.	Contar la expresión de los sentimientos de otros.	☐	☐
b.	Referir una noticia que has oído, leído o te han contado.	☐	☐
c.	Transmitir preguntas.	☐	☐
d.	Referir unas instrucciones que te han dado.	☐	☐
e.	Contar una anécdota que a su vez te han contado.	☐	☐
f.	Transmitir peticiones.	☐	☐
g.	Resumir lo que se ha dicho en una reunión.	☐	☐
h.	Decir lo que está escrito a otra persona que no lo puede leer.	☐	☐

El hecho de transmitir palabras ajenas implica una interpretación por parte de aquel que va a transmitirlas, por lo que en la mayoría de las ocasiones, la objetividad se hace bastante difícil, sobre todo en los casos en los que no se puede ser neutral; el hablante tiene una tendencia natural a introducir su parecer en esas palabras ajenas que transmite, de ahí que a la hora de hablar del discurso referido entremos en el ámbito de la subjetividad.

Transmitir las palabras no consiste únicamente en aplicar una serie de transformaciones en lo que respecta a tiempos y modos verbales, así como en cuanto a pronombres, adverbios, etc. Hay otra serie de elementos importantes que hay que tener en cuenta a la hora de iniciar esas transformaciones, como, por ejemplo: *¿A quién se lo voy a contar? ¿Dónde se lo voy a contar? ¿Lo cuento por escrito o de forma oral? ¿De cuánto tiempo dispongo para contarlo? ¿Qué importancia le doy a lo que voy a contar? ¿Me afectan o no me afectan esas palabras que voy a contar? ¿Y a mi interlocutor? ¿Me implico en la información o transmito esa información como una opinión ajena sobre cuyo grado de verdad no me pronuncio, marcando la distancia?*

4.1.2. [27] Escucha estos diálogos ocurridos ayer y marca qué discurso referido te parece el adecuado. Explica las razones de tu elección.

1.

▷ Samuel le dijo a Nicolás que Esther y Jorge habían cortado y Nicolás se sorprendió muchísimo porque creía que se querían un montón. También le preguntó las razones de la ruptura. Samuel le dijo que eran cosas que pasaban.

▶ Samuel le dijo a Nicolás que Esther y Jorge habían cortado. Y... Nicolás se quedó muy sorprendido.

CONTINÚA ·····

2.

▷ Rocío le reprochó a Chechu que siempre se olvidara la cartera en casa y Chechu, que se molestó por el reproche, se defendió diciendo que, de todas formas, ella siempre quería pagar.

▶ Rocío le dijo a Chechu que siempre hacía lo mismo, que se olvidaba la cartera en casa y Chechu le dijo que bueno, que le dejara en paz y que al final ella siempre quería pagar y que ya estaba.

3.

▷ El novio se impacientó y le dijo que si se iban, pero a ella le pareció un poco pronto.

▶ El novio le preguntó si se iban ya y ella le preguntó que si en ese momento y le dijo que eran solamente las seis.

4.1.3. Vuelve a leer las opciones con la transcripción en la mano y marca qué ha fallado en las opciones que has desechado.

☐ a. Hay fallos en la transformación de los tiempos verbales.

☐ b. Hay fallos en la transformación de los pronombres.

☐ c. Hay fallos en la elección de los adverbios.

☐ d. Hay fallos en cómo ha transmitido el contenido. Es un discurso irreal. No se ha interpretado bien el mensaje.

El hecho de referir las palabras de otro no significa trasladar, tal cual, las palabras, sino que requiere una interpretación, sobre todo cuando se trata de transmitir sentimientos o interacciones entre las personas. Son interesantes las manipulaciones a las que pueden someterse las palabras ajenas falsificando la intención con que se dijeron, lo que es posible hasta con el estilo indirecto.

Debemos atender siempre a la intención comunicativa del que emitió el mensaje. Hay muchos elementos en la lengua que aglutinan muchas funciones; las preguntas, por ejemplo, no siempre reflejan el hecho de pedir una información, una respuesta o un acto, también pueden comunicar consejo, sugerencia, sorpresa, etc.

Como hablantes, sabemos que al transmitir un mensaje de otra persona, hay elementos expresivos que obviaremos, así como información que en el momento tenía su función, pero que al referir el mensaje pierde todo su valor. Asimismo, hay mensajes que representan emociones que deberemos resumir-interpretar.

Por ejemplo, en 1, hay elementos introductorios del acto de habla como: *Oye, ¿sabes lo de...?, No, ¿qué pasa?, Pues ya ves..., cosas que pasan, a propósito, por cierto, ¡huy!...* que tienen su función en el mismo momento del discurso pero que suelen perder su valor al ser referido el mensaje. A menudo, no deben aparecer en el discurso referido. Otros elementos serían: *pero, pues, claro, a ver, bueno, de verdad, resulta que,* etc.

Asimismo, existe otro tipo de elementos de alto contenido expresivo que deben ser interpretados a la hora de trasladarlos al discurso referido; normalmente, forman parte de la expresión de sentimientos como: *¡¿Ah, sí?! ¿Y eso?* e indican sorpresa o estructuras admirativas: *¡Si se querían un montón!*

A la hora de referir sentimientos, normalmente se recoge esta expresión con un verbo que aglutina el significado del mensaje, por ejemplo: *¿¡Ah, sí!? ¿Y eso? Si se querían un montón* se transforma en: *Nicolás se quedó muy sorprendido.*

4.1.4. Encuentra en la transcripción de los otros dos diálogos esos elementos de los que habla el cuadro de arriba.

Elementos introductorios del acto de habla	Elementos expresivos	Verbos aglutinadores

4.2. [28] Sin querer, has escuchado una conversación un tanto comprometida. Te pedimos que a partir de lo que has oído nos cuentes qué impresión tienes de la vida amorosa de Juan.

4.2.1. Como vemos, es difícil ser objetivo a la hora de contar lo que hemos oído o leído, y si entramos dentro del ámbito de las relaciones personales, mucho más. En este terreno, en muchas ocasiones, se debe tener mucho tacto. Si llegan a nuestros oídos informaciones delicadas entramos en un dilema: ¿eres de los que aplica la expresión de "no tener pelos en la lengua" o la de "en boca cerrada no entran moscas"? Seguimos con la conversación que hemos oído, eres...

A. (La madre/el padre de Sofía)
.... ¿Se lo cuentas o no se lo cuentas a tu hija? ¿Por qué?

B. (El mejor amigo/a de Sofía)
.... ¿Se lo cuentas o no? ¿Por qué?

C. (Una ex de Juan y no conoces a Sofía)
.... ¿Se lo cuentas o no? ¿Por qué?

D. (La jefa de Juan, conoces a Sofía de un par de veces)
.... ¿Se lo cuentas o no? ¿Por qué?

4.2.2. De los casos en los que hayáis decidido contárselo, elegid uno. Tenéis la opción de ser un poco cobardes y escribir a Sofía un anónimo en el que referiréis la conversación que habéis escuchado, o contársela cara a cara, pero haciendo un pequeño guion por escrito para preparar una situación tan delicada.

4.3. El novio de Sofía, Juan, es todo un donjuán, una especie de hombre que todavía perdura, aunque dicen que también existen las "doñajuanas", pero ¿sabes de dónde viene la expresión "ser un donjuán"?

4.3.1. ¿Qué rasgos son los que permanecen a través del tiempo y definen a un verdadero donjuán? Subraya con tu compañero los adjetivos con los que lo definirías.

☐ egocéntrico	☐ misterioso	☐ romántico	☐ valiente	☐ fóbico
☐ infiel	☐ apasionado	☐ narciso	☐ agudo	☐ seductor
☐ halagador	☐ atractivo	☐ irresistible	☐ atrevido	☐ conquistador
☐ rudo	☐ adulador	☐ sincero	☐ mimado	☐ trivial
☐ tierno	☐ inmaduro	☐ elocuente	☐ temeroso	☐ libertino

4.3.2. ⟦👤⟧⟦🔤⟧ **De los adjetivos que has señalado, encuentra el sustantivo y el verbo correspondiente, siempre que sea posible. Puedes usar el diccionario pero primero aventura una posible respuesta.**

Adjetivo	Sustantivo	Verbo
halagador	un halago	halagar

4.3.3. ⟦👤⟧⟦📖⟧ **Lee este artículo que habla sobre los donjuanes de hoy.**

Así son los donjuanes de hoy

Sentimentalmente inmaduros, egocéntricos, infieles, pero tan seductores y halagadores que te harán sentir como la reina de los mares. Te abandonarán a la primera de cambio, así que plantéatelo, ¿merece la pena caer en sus redes?

El mito de don Juan no muere. Rudos o tiernos, románticos o narcisos, evidentes o no, sigue habiendo donjuanes. Son una **especie** mutante que sobrevive adaptándose a los tiempos; y lo hacen, eso
5   sí, con mucho arte. Como decía Ortega y Gasset: "Don Juan sigue y seguirá existiendo, por mucho que nuestra alma se haya hecho más compleja y el mundo que nos rodea muestre un gesto distinto".

Cada época tiene sus modas. Los tiempos cambian
10 y también las **costumbres** y formas de seducir son muy diferentes. En el siglo actual, difícilmente podría un hombre **encandilar** a una mujer disfrazado de trovador y recitando poemas de pastorcillos y pastorcillas, como ocurría en la Edad Media; tampoco un joven de hoy
15 conseguiría impresionar a una mujer dedicándole lindezas, como hacían los caballeros del siglo XVII a sus damas: "Tus ojos son como arcos de cielo; tus mejillas, como rosas, tus labios, como corales y tus dientes, como perlas...". Esos trucos de conquista están definiti-
20 vamente **desfasados** y bien guardados en el baúl de los recuerdos. Pero ¿qué rasgos son los que permanecen a través del tiempo y definen a un verdadero donjuán? ¿Cuáles son esas técnicas de seducción que tocan las fibras sensibles de las mujeres? Son simpáticos e irre-
25 sistibles. En general, no ocultan sus sentimientos, como la mayoría de los hombres, y esa aparente sinceridad resulta irresistible. Pero su único objetivo es seducir y en cuanto lo consiguen, pierden el interés. Saben adular y halagar a las mujeres, manipulan los sentimientos y pre-
30 cisamente lo que los convierte en auténticos seductores es el hecho de que las mujeres no se den ni cuenta de ello. Necesitan desear intensamente a una mujer y no conciben el amor cotidiano, lo consideran **trivial**. Lo que les apasiona es vencer obstáculos como con-
35 quistar a la novia de su mejor amigo, a la íntima amiga de su mujer. Da igual, el caso es transgredir las normas.

Utilizan muy bien el arte de la palabra. Saben que las palabras convencen, que el azar ayuda a los atrevidos; por eso son elocuentes y valientes ante las situa-
40 ciones difíciles. Agudizan el ingenio como nadie. No soportan las lágrimas ni los reproches de una mujer despechada.

Según la psicoanalista María Chévez: "El objetivo de los donjuanes es conquistar más que amar. Evitan el compromiso. Son individuos emocionalmente inmadu-
45 ros, excesivamente **mimados** por sus madres. Incapaces de formar una pareja estable, minusvaloran a la mujer. Su **afán** no es amar, sino sentir. Contrariamente a lo que se suele pensar, el donjuán no es especialmente viril; teme a la sexualidad. En sus conquistas bus-
50 can protección y reafirmación porque, en el fondo, son temerosos y fóbicos. Las mujeres tenemos tendencia a caer rendidas a sus pies, pero también es cierto que son hombres que desilusionan rápido".

4.3.4. 👤 📖 **Subraya el sinónimo que creas más cercano a cada palabra según el texto. Puedes ayudarte del diccionario.**

1. Especie .... ☐ grupo .... ☐ categoría .... ☐ asunto

2. Costumbres .... ☐ hábitos .... ☐ usanzas .... ☐ prácticas

3. Encandilar .... ☐ alucinar .... ☐ seducir .... ☐ ilusionar

4. Desfasados .... ☐ inadaptados .... ☐ anticuados .... ☐ inadecuados

5. Trivial .... ☐ común .... ☐ sabido .... ☐ insignificante

6. Mimados .... ☐ consentidos .... ☐ halagados .... ☐ acariciados

7. Afán .... ☐ esfuerzo .... ☐ pretensión .... ☐ ambición

4.3.5. 👤 📖 **En el texto hay dos sinónimos de "alabar", aunque hay una pequeña diferencia de significado entre ellos. Ayúdate del diccionario para encontrarla.**

> **Alabar:** tr. Elogiar. Decir de algo o alguien cosas que significan aprobación, dirigiéndose al mismo que es alabado o a otro. Celebrar con palabras: *Todos alaban su belleza.*

4.3.6. 👤 ✏️ **Después de leer el artículo, elige la opción con la que estés más de acuerdo y expón por escrito tus razones ordenando, primero, tus ideas y apoyando tus argumentos en el texto o con ejemplos de tu experiencia.**

A. ☐ La periodista hace un retrato realista de la figura de donjuán, trata de ser objetiva y, de hecho, se apoya en citas de autoridad.

B. ☐ La periodista se ensaña con la figura del donjuán, el artículo es subjetivo y se nota que lo ha sufrido en sus propias carnes.

C. ☐ Si no estás de acuerdo con A o B, elabora tu propia opinión sobre el artículo y el tema que trata.

4.3.7. 👤 📖 **Vamos a echar el telón al tema del donjuanismo y a los aspectos del discurso referido que hemos estudiado en este epígrafe. Aquí tienes un fragmento de la escena XI, acto II de *Don Juan Tenorio* de José Zorrilla en donde se ven las armas que usa este personaje para lograr sus propósitos amorosos.**

José Zorrilla y Moral nació en Valladolid (España), el 21 de febrero de 1817. Dio inicio a su trayectoria literaria en el entierro de Larra cuando leyó una elegía que había compuesto en su honor, titulada "A la memoria del joven literato Mariano José de Larra".

Posteriormente, destacó en el terreno poético, dramático y como escritor de leyendas en verso, siempre encuadrado en el género del romanticismo, siendo una de las principales figuras literarias españolas de este estilo. Como poeta épico es destacable el título *Granada*, (1852), entre las leyendas sobresalen *Cantos del trovador*, (1841), *La leyenda de Al-Hamar*, (1847), o *La leyenda del Cid*, (1882). Sus obras teatrales le han proporcionado gran fama, *El zapatero y el rey*, (1840), *El puñal del godo*, (1842) y sobre todo, *Don Juan Tenorio*, (1844). En 1848, fue nombrado Académico de la Lengua Española. Murió en Madrid, el 23 de enero del año 1893. Tenía 75 años.

CONTINÚA ••••⁞⁞⊱

Don Juan intenta conquistar a doña Ana Pantoja; para ello se presenta por la noche en su casa. La escena reproduce el diálogo que mantiene este con una de las criadas de Doña Ana, Lucía, encaramada en una de las ventanas de la casa.

LUCÍA. ¿Qué queréis, buen caballero?
JUAN. Quiero.
LUCÍA. ¿Qué queréis? Vamos a ver.
JUAN. Ver.
LUCÍA. ¿Ver? ¿Qué veréis a esta hora?
JUAN. A tu señora.
LUCÍA. Idos, hidalgo, en mala hora;
¿quién pensáis que vive aquí?
JUAN. Doña Ana Pantoja, y
quiero ver a tu señora.
LUCÍA. ¿Sabéis que casa doña Ana?
JUAN. Sí, mañana.
LUCÍA. ¿Y ha de ser tan infiel ya?
JUAN. Sí, será.
LUCÍA. ¿Pues no es de don Luis Mejía?
JUAN. ¡Ca! Otro día.
Hoy no es mañana, Lucía:
yo he de estar hoy con doña Ana,
y si se casa mañana,
mañana será otro día.
LUCÍA. ¡Ah! ¿En recibiros está?
JUAN. Podrá.
LUCÍA. ¿Qué haré si os he de servir?
JUAN. Abrir.
LUCÍA. ¡Bah! ¿Y quién abre este castillo?
JUAN. Ese bolsillo.
LUCÍA. ¿Oro?
JUAN. Pronto te dio el brillo.
LUCÍA. ¡Cuánto!
JUAN. De cien doblas pasa.
LUCÍA. ¡Jesús!
JUAN. Cuenta y di: ¿esta casa
podrá abrir este bolsillo?
LUCÍA. ¡Oh! Si es quien me dora el pico...
JUAN. ¡Muy rico! *(Interrumpiéndola.)*

LUCÍA. ¿Sí? ¿Qué nombre usa el galán?
JUAN. Don Juan.
LUCÍA. ¿Sin apellido notorio?
JUAN. Tenorio.
LUCÍA. ¡Ánimas del purgatorio!
¿Vos don Juan?
JUAN. ¿Qué te amedrenta,
si a tus ojos se presenta
muy rico don Juan Tenorio?
LUCÍA. Rechina la cerradura.
JUAN. Se asegura.
LUCÍA. ¿Y a mí, quién? ¡Por Belcebú!
JUAN. Tú.
LUCÍA. ¿Y qué me abrirá el camino?
JUAN. Buen tino.
LUCÍA. ¡Bah! Ir en brazos del destino...
JUAN. Dobla el oro.
LUCÍA. Me acomodo.
JUAN. Pues mira cómo de todo
se asegura tu buen tino.
LUCÍA. Dadme algún tiempo, ¡pardiez!
JUAN. A las diez.
LUCÍA. ¿Dónde os busco, o vos a mí?
JUAN. Aquí.
LUCÍA. ¿Conque estaréis puntual, eh?
JUAN. Estaré.
LUCÍA. Pues yo una llave os traeré.
JUAN. Y yo otra igual cantidad.
LUCÍA. No me faltéis.
JUAN. No en verdad;
a las diez aquí estaré.
Adiós, pues, y en mí te fía.
LUCÍA. Y en mí el garboso galán.
JUAN. Adiós, pues, franca Lucía.
LUCÍA. Adiós, pues, rico don Juan.

4.3.8. **Vosotros formaréis parte de la obra teatral; elegid una de las tres opciones que os ofrecemos abajo y montad la posible escena. Al final, representadla ante la clase, ellos deberán adivinar qué opción habéis escogido en función de lo que contéis o de cómo lo contéis. Tened en cuenta los cuadros de reflexión de las páginas 15 y 16**

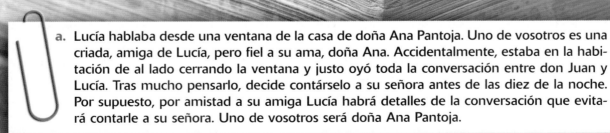

a. Lucía hablaba desde una ventana de la casa de doña Ana Pantoja. Uno de vosotros es una criada, amiga de Lucía, pero fiel a su ama, doña Ana. Accidentalmente, estaba en la habitación de al lado cerrando la ventana y justo oyó toda la conversación entre don Juan y Lucía. Tras mucho pensarlo, decide contárselo a su señora antes de las diez de la noche. Por supuesto, por amistad a su amiga Lucía habrá detalles de la conversación que evitará contarle a su señora. Uno de vosotros será doña Ana Pantoja.

b. Lucía hablaba desde una ventana de la casa de doña Ana Pantoja. Uno de vosotros es una criada enemiga de Lucía, que accidentalmente estaba en la habitación de al lado cerrando la ventana y justo oyó toda la conversación entre don Juan y Lucía. Encantada de la vida, decide contárselo a su señora antes de las diez de la noche. Por supuesto, habrá detalles que contará con todo detenimiento. Uno de vosotros será doña Ana Pantoja.

c. Lucía, después de hablar con don Juan, arrepentida, decide contarle lo que ha pasado a su señora doña Ana Pantoja; por supuesto, hay detalles que pasará por alto.

4.4.  ¿Qué palabras nuevas has recopilado desde que ha comenzado la unidad? ¿Qué has hecho para interiorizarlas?

Los conquistadores y las conquistas **5**

5.1. Mira detenidamente la obra de arte que presenta la unidad.

5.2. Escucha atentamente a estas personas y di de qué tema hablan.
[29]

5.2.1. Las personas que intervienen en la audición justifican su opinión con argumentos de peso o de autoridad, ¿podrías señalarlos? ¿Qué nombre reciben exactamente? Uno de estos argumentos mezcla el estilo indirecto con el directo, ¿sabrías localizarlo?

5.2.2. Lee y completa el cuadro apoyándote en la transcripción.

Cuando queremos citar a alguien, es decir, "nombrar a alguien o repetir palabras de alguien en apoyo o como confirmación de una cosa que se dice", por escrito o de forma oral, se necesita una serie de elementos formales:

Normalmente, se introduce con un verbo de comunicación seguido de dos puntos (vía escrita) o de una pausa (vía oral).

* Por vía escrita, va entre "comillas" o –guiones–.
* Por vía oral, se marca con pausas y una entonación especial.

Pero, además de estos elementos, hay otros, no imprescindibles, pero que enriquecen nuestro discurso y elevan nuestro control de la lengua.

1. "x" hace notar { *en uno de sus libros* / *en su artículo "Y"* / *en sus declaraciones al periódico "X"* } *que:* + "cita"

 CONTINÚA ••••

2. Digno/a de mención es
$\left\{\begin{array}{l} \text{la opinión} \\ \text{el parecer} \\ \text{la teoría} \end{array}\right\}$ de "x" al respecto cuando dice: + "cita"

3. $\left.\begin{array}{l} \text{No viene mal} \\ \text{Convendría} \end{array}\right\}$ recordar lo que $\left\{\begin{array}{l} \text{dijo} \\ \text{apuntó} \\ \text{sostuvo} \end{array}\right\}$ "x": + "cita"

4. "x" sobre "y" dice lo siguiente: + "cita"

Como $\left\{\begin{array}{l} \text{afirma} \\ \text{dice/decía} \end{array}\right\}$ "x": + "cita"

Según "x", + "cita"

"x" declaró en su momento que: "cita"

5.

5.2.3. De todas estos elementos, decide cuáles son propios de la lengua escrita o de una lengua cuidada, propia de discursos o de intervenciones en público y cuáles de la lengua hablada, de situaciones conversacionales informales. Algunas son ambivalentes.

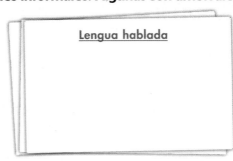

Lengua escrita

Lengua hablada

5.3. [29] Vuelve a escuchar las opiniones expuestas en la audición y decide si el siguiente texto recoge adecuadamente sus ideas o si tú añadirías o rectificarías información.

"A través de las opiniones de estas tres personas se llega a la idea siguiente: en cualquier conflicto histórico, en este caso la conquista de América, hay dos partes, dos vivencias de una misma realidad. Los conquistadores y los conquistados. El narrar unos hechos pasados significa contar algo que se ha visto como mero observador o se ha vivido. En cualquiera de los dos casos, la objetividad es difícil de alcanzar; por eso, a la hora de conocer la historia de un hecho, conviene informarse a través de fuentes diversas para obtener una visión más completa y no sectaria".

5.3.1. Al texto de la actividad anterior le faltan argumentos de autoridad que lo justifiquen y apoyen. Modifícalo, introduciéndolos. Aprovecha las citas del comienzo de la unidad que hacen referencia a "conquistar" y también las de la audición. Si quieres, puedes introducir otras.

5.4. 👥 📖 Vamos a seguir indagando en la conquista de México y en el conquistador por excelencia: Hernán Cortés. Lee este artículo del escritor mexicano Carlos Fuentes.

El hijo del molinero. El héroe más temido

Hernán Cortés fue un paladín del Renacimiento; con pocos efectivos destruyó un imperio indígena y fundó una cultura mestiza, dejando por el camino muchos muertos y algunas ruinas.

Los mexicanos no hemos *escatimado* homenajes a nuestra cultura colonial. Los misioneros Gante, Motolinia y Bartolomé de las Casas; los escritores Bernardo de Balbuena y sor Juana Inés de la Cruz; incluso los virreyes de la Nueva España, que cuentan con barrio propio y toda la cosa en la Loma de Chapultepec, certifican que México es consciente del proceso histórico y cultural que entre 1519 y 1810 forjó eso que podemos llamar "la nacionalidad" mexicana. 5

El gran ausente de estas nomenclaturas es el conquistador Hernán Cortés. Un palacio en Cuernavaca, un busto y una calle secretos marcan un paso que se diría invisible si no estuviese *estigmatizado* por las huellas de la sangre, el crimen y la destrucción. Hernán Cortés, en México, ha sido tradicionalmente olvidado o *execrado*, aunque a veces también elogiado. La tradición liberal *abjura* de él, la conservadora lo *exalta*, pero el justo medio historiográfico es obra de un eminente escritor contemporáneo, José Luis Martínez, quien en 1990 publicó la más equilibrada biografía del conquistador. 10

A pesar de todo ello, Hernán Cortés sigue siendo un personaje vivo: la censura no logra matarlo y, acaso, el odio lo vivifica. Cortés es parte de nuestro trauma nacional. Lo execramos porque venció a los 15 indios, destruyó una cultura y demostró sobradamente la violenta crueldad de su carácter. Pero, en el fondo, nos identificamos –criollos y mestizos– con la sociedad indohispana fundada por él. Voy más allá: los mexicanos modernos veneramos a los indios en los museos, donde no nos pueden hacer daño. Pero al indio de carne y hueso lo despreciamos con crueldad más severa, por engañosa, que la batalla abierta 20 librada por Cortés contra el imperio de Moctezuma Xocoyotzin.

Sin embargo, nos cuesta mucho, así sea *a regañadientes*, no admirar la épica encarnada por un hombre que, al frente de 11 navíos, 500 soldados, 16 caballos y varias piezas de artillería, logró someter un imperio indígena que se extendía del centro de México a la América Central. La quema de las naves, la decisión de marchar hasta Tenochtitlán, la inteligencia política para advertir las fisuras del imperio azteca 25 y sumar descontentos en contra del autócrata Moctezuma, todo ello identifica a Hernán Cortés con su tiempo, el Renacimiento europeo, y su psicología, la del príncipe maquiavélico. Realmente, la gesta mexicana de Cortés puede leerse como si el extremeño hubiese leído al florentino. Claro que *El príncipe* no es publicado hasta 1531, después de la conquista de México. Pero que la figura del político maquiavélico ya estaba presente en el aire del tiempo lo prueba como nadie Hernán Cortés.

Virtud, fortuna y necesidad: los tres términos capitales de la política maquiavélica encarnan soberanamen- 30 te en Cortés. La fortuna de Cortés es que su desembarco en Veracruz coincide con la profecía del regreso del dios blanco, barbado y bienhechor, Quetzalcóatl. El asombro y el temor paralizan, por principio de cuentas, al adversario indígena. La necesidad, dice Maquiavelo, puede limitar la capacidad política, pero también *acicatearla*. En el caso de Cortés, la necesidad de vencer a Moctezuma lo estimula como a un jugador de ajedrez. El extremeño supera constantemente los azares de la fortuna haciendo – literalmente– de tripas corazón. 35 Si no persuade, traiciona. Si no traiciona, combate. Si no combate, asesina. Las matanzas de Cholula son la más negra página de la biografía de Cortés. La virtud, en fin, lo mueve a asumir la paradoja de amar lo que ha combatido; de destruir una civilización, pero de fundar una nueva. La necesaria alianza con la traductora indígena, doña Marina, la Malinche, se traduce, a su vez, en el símbolo del mestizaje, base de la comunidad mexicana, y augurio, hoy mismo, de lo que será el siglo XX. 40

La conquista de México fue una catástrofe. Pero una catástrofe solo es catastrófica, advierte María Zambrano, si de ella no nace nada que la *redima*. De la conquista de México nacimos todos nosotros, ya no aztecas, ya no españoles, sino indo-hispano-americanos, mestizos. Hablamos castellano. Adaptamos, sincréticamente, la religión católica a nuestro universo sagrado. Nos apropiamos, a través de España, de las costumbres helénicas, latinas, musulmanas y hebreas de la cuenca del Mediterráneo. Somos los que 45 somos porque Hernán Cortés, para bien y para mal, hizo lo que hizo. [...]

Adaptado de *Letra Internacional, 67*.

5.4.1. 👥 🔤 **Antes de hablar sobre lo que el texto cuenta, intenta encontrar entre las palabras en cursiva algún sinónimo de las siguientes palabras. Ayúdate del contexto y del diccionario:**

1. Aborrecer, maldecir, detestar: ....
2. Dosificar, regatear, limitar: ....
3. Enaltecer, alabar, aclamar: ....
4. Incentivar, fomentar, estimular: ....
5. Marcar, manchar, mancillar: ....
6. Protestando, refunfuñando, murmurando: ....
7. Renegar, rechazar: ....
8. Salvar, perdonar, eximir: ....

5.4.2. 👥 🗨 **Contesta a estas preguntas sobre el contenido del artículo de opinión:**

A. ¿Crees que la postura que adopta Carlos Fuentes frente a la figura de Hernán Cortés y su relación con México pretende ser objetiva o, por el contrario, es subjetiva? Apoya tu opinión con el texto.

B. En el artículo hay cierto mensaje de autocrítica acerca de la sociedad actual de México. Señálalo en el texto.

C. ¿Cómo definirías su opinión sobre la conquista de México? ¿Es negativa o positiva? Argumenta tu respuesta.

5.5. 👤 🎧 **Escucha esta canción, se titula:** *Maldición de Malinche.*
[30]

5.5.1. 👥 🗨 **Después de escuchar la canción, ¿encuentras puntos en común con el artículo de Carlos Fuentes? Señálalos en los dos textos.**

5.5.2. 👥 🗨 **Poneos de acuerdo y decidid el tono de la canción:**

☐ Es una crítica   ☐ Es una narración   ☐ Es una denuncia

5.6. 👥 ✏ **Hernán Cortés tuvo una historia de amor con una indígena que le hizo de intérprete: "la Malinche". Su historia es contada e interpretada por muchos. La repercusión que tuvo llega a nuestros días, pues se ha quedado reflejada en el español de México con la expresión "el malinchismo" sinónimo de "traición". Ahora que tienes diversa información sobre la figura de Hernán Cortés y la Malinche debes escribir un artículo de opinión sobre su relación y las distintas teorías que sobre ella versan. Para ello, debes documentarte, buscar opiniones de expertos, historiadores, etc., para apoyar tu artículo y sacar una conclusión propia sobre su historia.**

Los sueños

Unidad 9

Busto femenino retrospectivo, 1933, Salvador Dalí

Contenidos funcionales
- Expresar lo que se considera posible
- Expresar lo que se considera posible pero lejano
- Expresar lo que se considera probable
- Evocar situaciones ficticias
- Expresar deseos
- Expresar sensaciones

Contenidos gramaticales
- Futuro imperfecto como indicador de probabilidad en el presente
- Futuro perfecto como indicador de probabilidad en el pasado relacionado con el presente
- Condicional simple como indicador de probabilidad muy remota en el pasado
- Expresiones para formular hipótesis
- Expresiones para formular deseos

Contenidos léxicos
- Campo léxico relacionado con el mundo onírico
- Acepciones de la palabra "sueño" y su campo léxico

Contenidos culturales
- El surrealismo
- Salvador Dalí
- *El conde Lucanor*, Don Juan Manuel
- Jorge Luis Borges

1 La interpretación de los sueños

1.1. Sigmund Freud, padre del psicoanálisis, investigó el mundo de los sueños y publicó *La interpretación de los sueños* (1901). Por su parte, André Breton, a quien amigos y enemigos llamaron el *papa del surrealismo*, escribió el primer manifiesto de este movimiento en 1924. Lee los textos que te damos a continuación, compáralos y resume lo que es "soñar" para cada uno de ellos.

> *"Los sueños representan la realización de un deseo por parte del soñador, incluso las pesadillas. Lo que puede parecer ser un conjunto de imágenes soñadas sin sentido puede, a través del análisis y del método descifrador, demostrarse que es un conjunto de ideas coherentes. Todos los sueños son interpretables: primero, hay que descomponer el sueño en partes, cada parte o cosa soñada significa algo, y segundo, la suma de esos significados nos lleva a la interpretación final. El deseo aparece disfrazado en el sueño debido a la censura que el sujeto ejerce sobre él en la realidad".*

Adaptado de *La interpretación de los sueños* de Sigmund Freud

> *"EL SUEÑO: El hombre, al despertar, tiene la falsa idea de emprender algo que vale la pena. Por eso, el sueño queda relegado al interior de un paréntesis, igual que la*
> 5 *noche. El espíritu del hombre que sueña queda plenamente satisfecho con lo que sueña. La angustiante incógnita de la posibilidad deja de formularse. Creo en la futura armonización de estos dos estados, apa-*
> 10 *rentemente contradictorios, que son el sueño y la realidad. Se cuenta que todos los días, en el momento de disponerse a dormir, Saint-Pol Roux hacía colocar en la puerta de su mansión un cartel en el que se*
> 15 *leía: "EL POETA TRABAJA".*

Adaptado de *El primer manifiesto* de André Breton

1.1.1. Observa este cuadro de Dalí llamado *Sueño* y lee el comentario adjunto. ¿Qué vínculos podrías establecer entre el pintor, Sigmund Freud y André Breton?

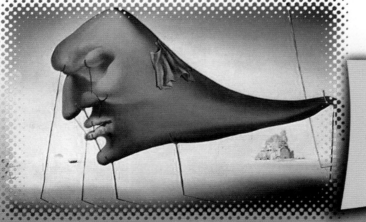

"El acto de dormir es una especie de monstruo sostenido por las muletas de la realidad"
Dalí

1.2. [31] **Escucha** la interpretación de la génesis que del cuadro *La persistencia de la memoria* hace el propio autor Salvador Dalí. Identifica las palabras del autor con los objetos del cuadro.

1.3. **Dalí dijo que sus cuadros eran como fotografías pintadas a mano de los sueños. Expresa hipótesis sobre el posible significado de los elementos marcados del cuadro *Sueño causado por el vuelo de una abeja alrededor de una granada un segundo antes del despertar* de Salvador Dalí. Antes, completa el esquema que te damos a continuación:**

Para expresar hipótesis:

- A lo mejor/igual/lo mismo/seguro que/me imagino que/parece (ser) que + [1]⬚ .
- Es posible/probable que/puede que/no creo que/parece (posible/probable) que + [2]⬚ .
- Quizá(s)/tal vez/acaso/probablemente/seguramente/supongamos que + [3]⬚ / [4]⬚ .

1. Los tigres

2. El mar en calma

3. El elefante

4. El pez

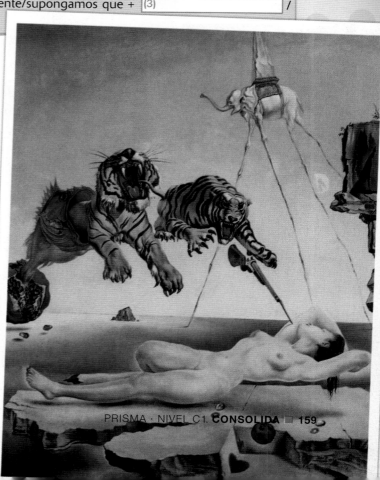

1.4. Mientras dormimos, nuestro cerebro está más activo que nunca. El 80 por ciento de las personas sueña en color. Los símbolos oníricos son comunes a toda la humanidad, no importa el lugar o la época. Son arquetipos que se heredan, como el miedo a las tormentas o a la oscuridad y reflejan nuestras carencias, deseos, miedos... Lee este sueño e interpreta los elementos que aparecen resaltados.

El otro día tuve una pesadilla terrible. Resulta que iba caminando solo por un bosque muy oscuro. Al fondo se veía algo que parecía fuego y me dirigí al lugar. Comenzó a llover muy fuerte, casi no veía nada y el resplandor del fuego desapareció. Como estaba tan oscuro, me caí a un barranco y, desesperado, intenté subir trepando. No podía, pero, por
5 arte de magia, descubrí que había una escalera. Empecé a subir por ella, pero nunca llegaba al final. A medida que ascendía, iba perdiendo los dientes. ¡Chico!, ¡qué angustia! De repente, me salieron alas y empecé a volar. Estaba contentísimo de poder escapar de allí, pero cuando estaba a punto de llegar al borde, vi que me estaba esperando una mujer de aspecto siniestro enfundada en una capa negra. En seguida comprendí que era
10 la muerte. En ese momento me desperté. Yo creo que nunca he deseado tanto volver al mundo real...

1.4.1. Compara tus suposiciones con las de tus compañeros y, luego, relaciona las imágenes oníricas con su interpretación para comprobar que estáis en lo cierto.

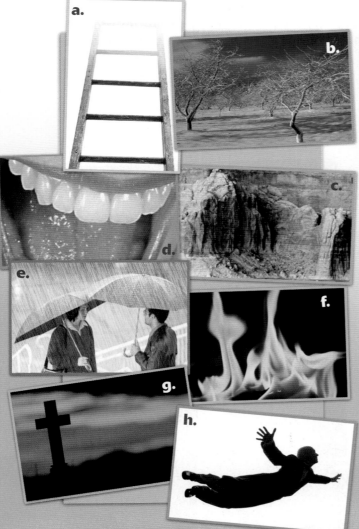

- **1.** Peligros o trabas. Si conseguimos eludirlos, dejaremos atrás los obstáculos. Si caemos, nos costará mucho salir adelante.

- **2.** Si nos perdemos en él y sentimos miedo, no somos dueños de nuestros actos. La escuela freudiana lo asocia con el vello genital.

- **3.** Soñar que se pierden o caen indica frustración. Si perdemos varios, disputas y peleas.

- **4.** Mejora nuestra situación económica siempre que seamos capaces de superar los obstáculos. Si es de mano y los peldaños independientes, las dificultades serán aisladas. Si nos caemos, fracaso.

- **5.** Expresa deseo de calor humano, al mismo tiempo que nos habla de éxito, dicha y salud.

- **6.** Símbolo de purificación y de abundancia. Si es lenta, tendremos grandes beneficios, pero tardarán en llegar; si es un aguacero, interferencias antes de conseguir los beneficios.

- **7.** No se refiere a una desaparición física, sino a algo que se aleja de nuestro horizonte, puede ser un amor o una amistad.

- **8.** Deseo de evadirnos de las preocupaciones.

2.1. "**El gran sueño de su vida que le gustaría cumplir**". **Políticos, artistas, escritores, empresarios..., no lo han dudado y han respondido con su deseo más personal "bailar encima del mar", "vivir rodeado de amor", "vivir del cuento", "saber todas las lenguas que existen".**

El gran sueño de mi vida es bailar encima del mar; taconear en el agua. Me dejaría llevar por el ruido de las olas. Como escenario elegiría una de esas playas del sur, Caños de Meca, por ejemplo. Me imagino sobre el mar, vestida de blanco para fundirme con la espuma de las olas. **Sara Baras. Bailaora.**

Quería ser coreógrafo, inventor de ballets. El baile era para mí la gran experiencia estética. ¡Ojalá lo hubiera conseguido! Al final, llegué a la conclusión de que pensar era bailar con las ideas. Me emocionaba unificar la belleza, la verdad y la bondad. Lo he intentado y creo que lo he conseguido con mis ensayos. Después, otro deseo es que me quiera la mujer que quiero. **José Antonio Marina. Filósofo.**

Mi sueño es saber todas las lenguas que existen para relacionarme con cualquier persona. Podría trabajar en todo el mundo sin que se notara el acento extranjero y sin necesidad de doblajes. Llegaría al público y reflejaría perfectamente los sentimientos. Estaría en todos los teatros y conocería gente de muchos países. En realidad, nos perdemos muchas cosas por no manejar otros idiomas. ¡Vamos!, que ahora mismo, si pudiera, me iba a aprender lenguas a lo largo y ancho de este mundo. **Antonia San Juan. Actriz.**

Me habría encantado ser un *latin lover,* un mantenido o entretenido por ellas, pero no lo he conseguido, ¡y mira que lo he intentado! Unas veces por raro y otras por feo... Ojalá una bella mujer me llevara de viaje a Venecia a pasar unos días y luego, otra, a París. Me imagino acompañando a una mujer maravillosa de hotel en hotel, disfrutando. Creo que sería imposible cansarse de llevar esa vida... ¿Ya?, ¿hemos terminado? Pues, nada, que te vaya bien. **Luis Cuenca. Actor.**

Querría vivir rodeado de amor. Resulta difícil vivir con odio, me gustaría que el círculo de amor existiera y que aumentara poco a poco. Para esto, habría que consolidar el amor con una persona y, teniendo este punto de partida, salpicar a los demás para intentar abandonar insatisfacciones. **José María Mendiluce. Eurodiputado y escritor.**

Texto adaptado de "El Magazín" en *El Mundo*

2.2. 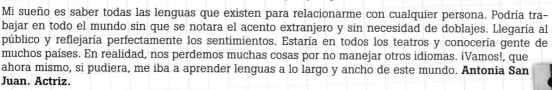 **Vuelve a los textos y señala qué expresiones de deseo encuentras en ellos. Completa el cuadro que tienes a continuación. Ten en cuenta que la posibilidad de la realización o no de los deseos depende del contenido de la forma verbal y del contexto en que aparecen.**

	Expresión de deseo	Intención del hablante	Tiempo verbal	Tiempo cronológico
1.	Me dejaría	Deseo imposible	Condicional simple	Presente / futuro
2.				
3.		Deseo no realizado		
4.				
5.				
6.				
7.				
8.				
9.				
10.				
11.				

CONTINÚA ••••••

	Expresión de deseo	Intención del hablante	Tiempo verbal	Tiempo cronológico
12.				
13.				
14.		Deseo posible dirigido al interlocutor		
15.				
16.				

- Con el condicional, el hablante sitúa unos deseos y sus consecuencias en un plano irreal. Tales deseos y sus consecuencias son imposibles o de cumplimiento problemático por diversas circunstancias (pertenecen al pasado o/y son utópicos).

- El grado de realidad del deseo expresado depende de la forma verbal en sí misma elegida, pero, también y mucho, de informaciones contextuales. Situar un deseo en el pasado implica con facilidad la imposibilidad de su realización pues cuando se destaca un deseo que se tuvo hace un tiempo, es generalmente para dar a entender que no se cumplió.

- El deseo expresado por el imperfecto con valor de presente es también irrealizable, pero de modo más leve, en el sentido de que su no realización deriva de las circunstancias del momento presente y no tanto de la dificultad del deseo en sí mismo expresado: *Ahora mismo me tomaba un café.*

- La expresión *Que* + subjuntivo expresa deseos dirigidos a otra persona. Tiene un carácter tópico, lo que implica poco compromiso por parte del hablante.

2.2.1. 👤 ✏️ **Contesta ahora tú a la pregunta sobre cuál es o era el sueño de tu vida, teniendo en cuenta los textos anteriores.**

2.3. 👤 📖 **Lee el siguiente fragmento del cuento "Lo que aconteció a una mujer llamada Truhana" (Cuento VII) del libro *El conde Lucanor* de Don Juan Manuel, que pertenece al género de prosa medieval moralizante y didáctica.**

Otra vez habló el conde Lucanor con Patronio, su consejero, del siguiente modo:

– Patronio, un hombre me ha aconsejado que haga una cosa, y aun me ha dicho cómo podría hacerla, y os aseguro que es tan ventajosa que, si Dios quisiera que saliera como él lo dijo, me convendría mucho, pues los beneficios se encadenan unos con otros de tal manera que al fin son muy grandes.

Entonces refirió a Patronio en qué consistía. Cuando hubo terminado, respondió Patronio:

– Señor conde Lucanor, siempre oí decir que era prudente atenerse a la realidad y no a lo que imaginamos, pues muchas veces sucede a los que confían en su imaginación lo mismo que sucedió a doña Truhana.

El conde le preguntó qué le había sucedido.

– Señor conde -dijo Patronio-, hubo una vez una mujer llamada doña Truhana, más pobre que rica, que un día iba al mercado llevando sobre su cabeza una olla de miel. Yendo por el camino empezó a pensar que vendería aquella olla de miel y que compraría con el dinero una par-

CONTINÚA ┄┄┄▸

lida de huevos, de los cuales nacerían gallinas, y luego, con el dinero con que vendería las gallinas compraría ovejas, y así fue comprando con las ganancias hasta que se vio más rica que
ninguna de sus vecinas.

25   Luego pensó que con aquella riqueza que pensaba tener casaría a sus hijos e hijas e iría acompañada por la calle de yernos y nueras, oyendo a las gentes celebrar su buena ventura, que la había
traído a tanta prosperidad desde la pobreza en que antes vivía.

    Pensando en esto se empezó a reír con la alegría que le bullía en el cuerpo, y, al reírse, se
dio con la mano un golpe en la frente, con lo que cayó la olla en tierra y se partió en pedazos.
Cuando vio la olla rota, empezó a lamentarse como si hubiera perdido lo que pensaba haber logra-
30 do si no se rompiera. De modo que, por poner su confianza en lo que imaginaba no logró nada
de lo que quería.

    Vos, señor conde Lucanor, si queréis que las cosas que os dicen y las que pensáis sean un día
realidad, fijaos bien en que sean posibles y no fantásticas, dudosas y vanas, y si quisiereis intentar
algo guardaos muy bien de aventurar nada que estiméis por la incierta esperanza de un galardón de
35 que no estéis seguro.

    Al conde agradó mucho lo que dijo Patronio, lo hizo así y le salió muy bien.

    Y como don Juan gustó de este ejemplo, lo mandó poner en este libro y escribió estos versos:

En las cosas ciertas confiad
y las fantásticas evitad.

2.3.1. **Este cuento, que pertenece a la tradición cuentística española, se conoce en la actualidad como "El cuento de la lechera". Se trata de una historia muy popular, hasta el punto de que, cuando se quiere expresar que las esperanzas que se albergan care-cen de fundamento y lógica, se refiere uno a ellas diciendo:** *Es como el cuento de la lechera.* **Otra expresión relacionada es** *Hacer castillos en el aire.* **A través de las situa-ciones que te proponemos, construye sueños de difícil cumplimiento.**

> 1. Has comprado un billete de lotería.
> 2. Tu jefe te ha hablado de la posibilidad de un ascenso.
> 3. Has conocido a un chico/chica muy agradable.
> 4. Crees que el examen que tenías pendiente te ha salido muy bien.
> 5. ....

Dime cómo duermes y te diré cómo eres **3**

3.1. **¿Qué tal duermes? Pregúntale brevemente a tu compañero sobre la calidad de "su sueño" (horas que duerme, si prefiere madrugar o trasnochar, si tiene pesadillas, si es sonámbulo; si le gusta dormir con luz o con la persiana hasta abajo, etc.). Señala cuáles son los problemas relacionados con el sueño que conozcas.**

3.1.1. **Escucha ahora al profesor Augusto Rico, de la Universidad Popular Farrag, en [32] la conferencia sobre "El sueño como descanso y sus patologías". ¿Coinciden los problemas con los que habéis señalado anteriormente?**

3.1.2. **Escucha de nuevo y anota todas las expresiones que se utilizan en el texto para formular hipótesis.**

3.1.3. 👤 📝 **A continuación te damos un texto con los párrafos desordenados. Ordénalos, pon un título al texto y luego, anota en el cuadro anterior las expresiones de hipótesis que aparecen.**

○ Parecía un asalto en toda regla a mi intimidad: quizá narraría en sueños lo que solo mi inconsciente sabía. Probablemente mis posturas resultarían ridículas. Cuando duermes, desnudas tu alma. Pierdes el control de tu cuerpo y de tu mente. Y todo iba a quedar grabado. "La cámara de vídeo siempre se utiliza, pero, tranquila, la cinta se borra al día siguiente, cuando no hay nada especialmente reseñable en el sueño del paciente".

○ España siempre ha vivido mucho la noche. Pero los horarios y las exigencias laborales han cambiado. Hay que madrugar y mucha gente sigue conservando el hábito de acostarse tarde. Seguramente sea este el motivo por el que uno de cada cuatro españoles se queja de dormir poco. Estoy segura de que la vida moderna está anulando las buenas costumbres.

○ Nadie sabe nunca cuándo va a ser o está siendo espiado. Yo sí. Cara a la pared, sentada en la única butaca de una habitación de la Unidad del Sueño de la Clínica Ruber, mientras la doctora Elena Díaz me explica para qué sirven todos los electrodos que está repartiendo por mi cuerpo, me sobreviene la vergüenza, ridícula e irracional. Es la primera vez que alguien velaría mi sueño.

○ De la vergüenza más infantil a la inquietud. Una noche más y por fin conocería, gracias a un estudio (en argot médico, registro polisomnográfico), cuál era mi problema con el sueño e igual acabaría formando parte de las estadísticas. Las que reflejan que entre un 20% y un 40% de los españoles sufre insomnio. Cifras que hacen sospechar que pasar la noche en vela y el día entre bostezos tienen que ser ya el síntoma de una epidemia creciente en todos los países desarrollados.

Adaptado de http://www.el-mundo.es/larevista/num135/textos/in1.html

3.1.4. 👤 🔀 **De la lista de expresiones de hipótesis que has anotado, marca, en rojo, las que utilizas normalmente; en verde, las que reconoces, aunque no las uses mucho. Por último, ordénalas de mayor a menor probabilidad o posibilidad, según tu opinión.**

3.1.5. 👥 👪 **Ahora, coloca la lista de expresiones de hipótesis en el siguiente cuadro teniendo en cuenta la información que proporciona.**

Expresión de hipótesis	Modo verbal	Intención del hablante
(1) _____ *(informal)*	Indicativo	El hablante introduce una información nueva que se le ocurre en el momento de su formulación. Introduce una hipótesis remota, dependiente de circunstancias externas, independientes del hablante y, por lo tanto, no controlables; en contra de su contenido literal, puede introducir hipótesis desfavorables, por tanto, temores (*a lo mejor me echan*).
(2) _____ (3) _____ *(formal)* (4) Posiblemente	Indicativo Subjuntivo	El hablante introduce una información que ha pensado y valorado, pero que resulta nueva para el receptor del mensaje. El modo verbal elegido determina el grado de probabilidad. Con indicativo es más probable que con subjuntivo.
(5) _____ (6) _____ (7) Es posible que	Subjuntivo	El hablante introduce una información que ha pensado y valorado, pero que resulta nueva para el receptor del mensaje.
(8) _____ *(informal)*	Indicativo	El hablante introduce una información nueva que se le ocurre en el momento de su formulación. Considera su hipótesis poco probable. Se utiliza también para suavizar informaciones adversas al interlocutor: *Igual no puedo ir* ("casi seguro que no voy").

CONTINÚA ⋯▶

Expresión de hipótesis	Modo verbal	Intención del hablante
(9) Capaz que *(Hispanoamérica, usos regionales españoles, informal)* (10) Puede incluso que	Subjuntivo	El hablante presenta una hipótesis que considera remota, y, por tanto, lo hace con incredulidad.
(11)	Indicativo Subjuntivo	El hablante introduce informaciones de las que no tiene seguridad absoluta, pero que le parecen muy probables, especialmente cuando se construye con indicativo.
(12)	Indicativo	El hablante introduce informaciones de las que no tiene seguridad absoluta, pero que le parecen muy probables. *Seguramente* comunica menos seguridad que *seguro que*. Ninguno encierra una seguridad absoluta, porque el origen de la afirmación es una conjetura, no una evidencia; pero la confianza mayor la encierra *seguro que*.
(13)	Indicativo Subjuntivo	El hablante introduce una información que le parece probable, pero menos probable que con *seguramente* y *seguro que*.
(14)	Indicativo	El hablante reafirma un dato que ha sido mencionado anteriormente y que le parece muy probable.
(15) Pongamos que (16) Imaginemos que (17)	Subjuntivo	El hablante evoca una situación ficticia para que el receptor contemple todas las posibilidades de una situación. Se usa con frecuencia cuando se quiere convencer. Un común denominador de muchos de sus usos es el deseo de no comprometerse demasiado por parte del hablante, que no quiere arriesgarse con afirmaciones tajantes.
(18) Deber de (19)	Infinitivo	El hablante introduce una hipótesis que considera probable o muy probable.
(20) Futuro	Indicativo	El hablante utiliza el futuro para formular hipótesis que le parecen probables o posibles referidas al presente o al futuro.
(21) Futuro compuesto	Indicativo	El hablante utiliza el futuro compuesto para formular hipótesis que le parecen probables o posibles referidas a una acción pasada en relación con el presente o el futuro.
(22) Condicional	Indicativo	El hablante utiliza el condicional para formular hipótesis que le parecen probables o posibles referidas al pasado cronológico.

3.1.6. ¿Recuerdas la clasificación que has hecho de las expresiones de hipótesis en 3.1.4.? Después de completar el cuadro y de leer la información que da:

1. Comprueba que el grado de probabilidad que tú has dado a cada expresión es correcto.
2. Rectifica tu clasificación, si es necesario.
3. Anota qué expresiones de hipótesis son nuevas para ti o no las considerabas como una forma de expresar la conjetura.
4. Di qué papel juega la intención del hablante a la hora de seleccionar una u otra expresión de hipótesis.
5. Di si es posible que, con una misma intención del hablante, se puedan utilizar dos o más expresiones indistintamente. Si tu respuesta es afirmativa, di cuáles. Si tu respuesta es negativa, explica los matices diferenciadores mediante ejemplos.

3.2. Hablando de conciliar el sueño, ¿padeces insomnio? Hazle este test a tu compañero para comprobar si tiene este problema o duerme como un tronco.

1. ¿Se presentan dificultades para conciliar el sueño o para permanecer dormido (insomnio)?
2. ¿Se despierta sintiendo que no ha descansado?
3. ¿Cuántas veces se despierta durante la noche?
4. ¿Toma algún medicamento?
5. ¿Toma algún remedio de medicina alternativa?
6. ¿Toma mucho café o alcohol?
7. ¿Experimenta exceso de estrés o de ansiedad?
8. ¿Cuánto tiempo duerme normalmente? ¿A qué horas?
9. ¿Qué actividades realiza unas horas antes de acostarse?
10. ¿El horario de acostarse se cambia frecuentemente?
11. ¿Duerme a horas y en lugares inapropiados?
12. ¿El horario de sueño cambia drásticamente durante los fines de semana?
13. ¿Tiene demasiada preocupación por el sueño?
14. ¿Se presentan además períodos cortos de ausencia de respiración o ronquidos?

Adaptado de www.nlm.nih.gov/medlineplus/spanish/ency/article/003210.htm

3.2.1. Escribe qué posibles factores crees tú que son desencadenantes del insomnio y qué remedios darías a las personas que lo padecen.

3.2.2. Comprueba si tus hipótesis son correctas leyendo el siguiente texto.

INSOMNIO

Posibles factores que explican perturbaciones en el sueño o dormir mal y con problemas diversos que llevan a un mal descanso.

Alcohol: el alcohol, al contrario de lo que mucha gente piensa, no ayuda a dormir bien. Si toma demasiado alcohol por la noche, no solo dormirá peor, sino que corre el riesgo de mezclar resaca
5 con cansancio al día siguiente.

Pesadillas: el miedo a sufrir pesadillas recurrentes puede impedir que logre conciliar el sueño.

Depresión: las personas que sufren una depresión u otros trastornos psicológicos como ataques de
10 pánico, ansiedad, etc., pueden experimentar mayor dificultad para dormir por la noche.

Motivos familiares: hay bebés que no duermen por la noche y, en consecuencia, sus padres tampoco. Y una vez que se ha logrado calmar a un
15 bebé que llora por la noche, es frecuente que los padres tengan dificultad en volver a conciliar el sueño.

Condiciones y enfermedades: a veces sufren insomnio las personas que padecen condiciones

20 tales como asma, colon irritable, impotencia, acné u otras alteraciones de la piel, caída del cabello, apnea del sueño, alergias, obesidad, ansiedad, hipertensión, etc.

Cambios en la hora de dormir: el *jetlag* o un tra-
25 bajo en el que se tiene que hacer distintos turnos u horarios pueden provocar trastornos del sueño.

Medicamentos: estimulantes, anfetaminas, diuréticos, pastillas para adelgazar... Varios tipos de medicamentos pueden provocar insomnio como
30 efecto secundario.

Situaciones de estrés: grandes cambios en la vida doméstica o laboral, problemas financieros, la muerte de un ser querido... provocan insomnio.

Ruidos externos: si su pareja suele roncar, si hay
35 ruidos de terceros en su casa durante la noche, si sus vecinos llevan un horario distinto o si el camión de la basura pasa por su calle a las tres de la madrugada, usted podría sufrir insomnio.

Adaptado de http://www.euroresidentes.com/suenos/Insomnio/curar_insomnio.htm

4.1. La palabra "sueño" en español tiene varias acepciones. Según el significado que transmite va asociada a diferentes verbos y expresiones. Clasifica estos verbos y expresiones en la acepción correspondiente, sin consultar el diccionario.

> a. Estado del que duerme.
> b. Tendencia fisiológica a quedarse dormido.
> c. Conjunto de sucesos o escenas mientras se duerme.
> d. Cosa en cuya realización se piensa con ilusión o deseo.
> e. Preocuparse por algo.

1. en sueños..................... ☐
2. caérsele a uno las pestañas .... ☐
3. entrar .... ☐
4. tener .... ☐
5. descabezar un................. ☐
6. sueño dorado .... ☐
7. echarse un .... ☐
8. tener alguien un sueño que no ve...... ☐
9. abrigar .... ☐
10. dormir a pierna suelta .... ☐
11. pegársele a uno las sábanas .... ☐
12. pasar la noche en blanco .... ☐
13. coger .... ☐
14. caerse de...................... ☐

15. frustrarse .... ☐
16. cerrársele a uno los ojos .... ☐
17. apoderarse.................... ☐
18. soñar .... ☐
19. dormir de un tirón............... ☐
20. tener una pesadilla .... ☐
21. quedarse Roque .... ☐
22. cumplirse .... ☐
23. conciliar .... ☐
24. realizarse..................... ☐
25. tener un...................... ☐
26. quitar el sueño................. ☐
27. no pegar ojo................... ☐

4.1.1. Ahora, escucha, comprueba tu clasificación y completa lo que te falte.
[33]

4.1.2. Algunos verbos adquieren sentidos especiales cuando se combinan con la palabra *sueño*. Busca en el diccionario otras acepciones de estos verbos cuando no van asociados a la palabra "sueño". Escribe una frase contextualizando estas otras acepciones.

1. Apoderarse: ....
2. Conciliar: ....
3. Pegar: ....
4. Caerse: ....
5. Abrigar: ....
6. Quitar: ....

1. ....
2. ....
3. ....
4. ....
5. ....
6. ....

4.2. 🧑 📖 **A continuación tienes la definición de la palabra "utopía". Compara las dos que aparecen y señala si hay alguna diferencia entre ellas.**

Utopía ("Ser una utopía") f. Idea o plan muy halagüeño o muy bueno, pero irrealizable.

Diccionario de uso de María Moliner

Utopía o **utopia**. (Del gr. ου, no, τοπος, lugar: lugar que no existe). f. Plan, proyecto, doctrina o sistema optimista que aparece como irrealizable en el momento de su formulación.

Diccionario de la lengua española, RAE

4.2.1. 🧑 📖 **Lee este texto.**

"La utopía significa el sueño colectivo y si este sueño no existe la gente se desmigaja, se encierra en células y se vuelve más egoísta y depredadora. Y aparece el miedo y la insolidaridad. Estás más indefenso, eres menos generoso, más cobarde y por tanto más vulnerable. Sin utopías vives a merced de lo que el poder decida imponer en cada momento. Estás en sus manos..."

Joan Manuel Serrat http://dwardmac.pitzer.edu/dward/anarchy/latamanarchism.html

4.2.2. 👥 🗨 **A partir de este texto y de las definiciones de utopía del diccionario, comenta con tus compañeros con qué definición de utopía te quedas, cuáles son tus utopías, si las tienes, y si crees que son necesarias para la sociedad.**

5 El surrealismo

5.1. 🧑 🗨 **Observa este cuadro de Salvador Dalí titulado *El enigma sin fin* (1938) y descríbelo.**

5.1.1. 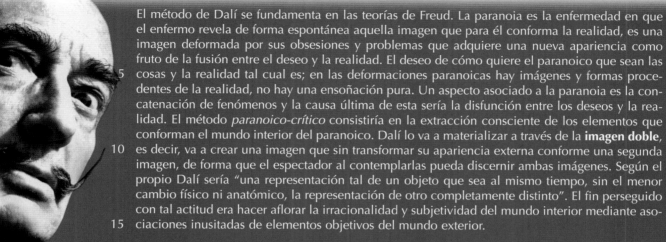 **Después de hacer la descripción de este cuadro y observando también los que has visto al comienzo de la unidad, ¿en qué consiste, según tu opinión, la singularidad de Dalí frente a otros pintores contemporáneos?**

5.1.2. **En el texto siguiente se define el estilo creado por Dalí y autodenominado "método paranoico-crítico". ¿Coincide con tus apreciaciones anteriores?**

El método de Dalí se fundamenta en las teorías de Freud. La paranoia es la enfermedad en que el enfermo revela de forma espontánea aquella imagen que para él conforma la realidad, es una imagen deformada por sus obsesiones y problemas que adquiere una nueva apariencia como fruto de la fusión entre el deseo y la realidad. El deseo de cómo quiere el paranoico que sean las
5 cosas y la realidad tal cual es; en las deformaciones paranoicas hay imágenes y formas procedentes de la realidad, no hay una ensoñación pura. Un aspecto asociado a la paranoia es la concatenación de fenómenos y la causa última de esta sería la disfunción entre los deseos y la realidad. El método *paranoico-crítico* consistiría en la extracción consciente de los elementos que conforman el mundo interior del paranoico. Dalí lo va a materializar a través de la **imagen doble**,
10 es decir, va a crear una imagen que sin transformar su apariencia externa conforme una segunda imagen, de forma que el espectador al contemplarlas pueda discernir ambas imágenes. Según el propio Dalí sería "una representación tal de un objeto que sea al mismo tiempo, sin el menor cambio físico ni anatómico, la representación de otro completamente distinto". El fin perseguido con tal actitud era hacer aflorar la irracionalidad y subjetividad del mundo interior mediante aso-
15 ciaciones inusitadas de elementos objetivos del mundo exterior.

Adaptado de http://www.terra.es/personal/asg00003/dali/enigma.html

5.1.3. **Vuelve a observar *El enigma sin fin* y fíjate en si se da en el cuadro esa concatenación de imágenes de las que se habla en el método paranoico-crítico. Describe, brevemente, todas las imágenes que puedas distinguir.**

5.1.4. **Aquí tienes un breve análisis del cuadro. Léelo y comprueba si has sido capaz de distinguir todas las imágenes que aparecen.**

El enigma sin fin es un ejemplo muy complejo de esta técnica. Por un lado, tenemos un paisaje, una playa con unas montañas al fondo y una barca varada en la orilla. Las montañas del fondo se transforman, en un segundo nivel de visualización, en la figura de un filósofo pensando con la mano apoyada en la cara. Esta figura enlaza un tercer nivel de visualización conformando la
5 figura de un galgo, tomando como pierna delantera la quilla de la barca. La barca de la playa es la barriga de una mandolina y la mujer sentada es la peana de un frutero con peras y a la vez es un rostro (nariz, boca y barbilla) cuyos ojos están formados por dos pequeñas barcas. Para mostrarnos todo este laberíntico mundo utiliza la técnica de la pintura realista de un Velázquez o un Vermeer de Delft. Una vez más, plasma la ambigüedad en un cuadro lleno de sombras con
10 una gama cromática muy oscura: verdes, donde la iluminación es totalmente irreal y anti-naturalista, y además nocturna, lo que ayuda a que el verismo de las imágenes se transforme en visión fantasmagórica irreal y no sepamos en qué universo nos movemos.

Adaptado de http://www.terra.es/personal/asg00003/dali/enigma.html

5.1.5. **Describe las sensaciones que te produce la observación de los cuadros de Dalí.**

5.2. 👥 📖 **¿Has pensado alguna vez en cómo te sientes cuando te despiertan antes de tiempo?**

5.2.1. 👤 📖 **Jorge Luis Borges, escritor argentino contemporáneo, plasmó en un soneto lo que él sentía cuando era arrancado del sueño. Lee el poema, subraya todas las palabras que te parezcan clave para entenderlo y resume, utilizando las palabras subrayadas, el sentido del poema.**

EL SUEÑO

Si el sueño fuera (como dicen) una
tregua, un puro reposo de la mente,
¿por qué, si te despiertan bruscamente,
sientes que te han robado una fortuna?
5 ¿Por qué es tan triste madrugar? La hora
nos despoja de un don inconcebible,
tan íntimo que solo es traducible

en un sopor que la vigilia dora
de sueños, que bien pueden ser reflejos
10 truncos de los tesoros de la sombra,
de un orbe intemporal que no se nombra
y que el día deforma en sus espejos.
¿Quién serás esta noche en el oscuro
sueño, del otro lado de su muro?

En *La cifra*, 1981

Escritor argentino cuyos desafiantes poemas y cuentos vanguardistas lo consagraron como una de las figuras prominentes de las literaturas latinoamericana y universal. A lo largo de toda su producción, Jorge Luis Borges (1899-1986) creó un mundo fantástico, metafísico y totalmente subjetivo. Su obra, exigente con el lector y de no fácil comprensión, debido a la simbología personal del autor, ha despertado la admiración de numerosos escritores y críticos literarios de todo el mundo. Describiendo su producción literaria, el propio autor escribió: "No soy ni un pensador ni un moralista, sino sencillamente un hombre de letras que refleja en sus escritos su propia confusión y el respetado sistema de confusiones que llamamos filosofía, en forma de literatura". *Ficciones* (1944) está considerado como un hito en el relato corto y un ejemplo perfecto de la obra borgiana. Cada uno de los cuentos de *Ficciones* es, a decir de la crítica, una joya, una diminuta obra maestra. Otros libros importantes del mismo género son *El Aleph* (1949) y *El hacedor* (1960). Planteó unos temas recurrentes en sus obras que arrancan de la condición humana como centro y divagan sobre el tiempo, el destino o la muerte.

Adaptado de http://www.palabravirtual.com/

5.2.2. 👤 📖 **Borges también reflejó en su obra, como Dalí, un mundo onírico empañado, a veces, de pesadillas. Compara el soneto anterior con el que te ofrecemos a continuación. ¿Hay una visión muy distinta entre ambos poemas? Explica la diferencia.**

LA PESADILLA

Sueño con un antiguo rey. De hierro
Es la corona y muerta la mirada.
Ya no hay caras así. La firme espada
Lo acatará, leal como su perro.
5 No sé si es de Nortumbria o de Noruega.
Sé que es del Norte. La cerrada y roja
Barba le cubre el pecho. No me arroja
Una mirada, su mirada ciega.

¿De qué apagado espejo, de qué nave
10 De los mares que fueron su aventura,
Habrá surgido el hombre gris y grave
Que me impone su antaño y su amargura?
Sé que me sueña y que me juzga, erguido.
El día entra en la noche. No se ha ido. Alma.

En *La moneda de hierro*, 1976

5.2.3. 👥 📖 **Lee la definición de "pesadilla" que da el *Diccionario de uso* de María Moliner y di si el soneto corresponde a esta definición y por qué. Señala los versos que ratifican tu opinión.**

Pesadilla 1 f. Ensueño angustioso que causa padecimiento o terror. **2.** Preocupación intensa y persistente.

5.2.4. 👤 📖 **El autor, Jorge Luis Borges, pronunció una conferencia sobre este tema en el año 1977 en el teatro Coliseo de Buenos Aires. Lee el texto.**

"Yo he tenido –y tengo– muchas pesadillas. A la más terrible, la que me pareció la más terrible, la usé para un soneto. Soñé: estaba en mi habitación; amanecía (posiblemente esa era la hora en el sueño), y al pie de la cama estaba un rey, un rey muy antiguo, y yo sabía en el sueño que ese rey era un rey del Norte, de Noruega. No me miraba: fijaba su mirada ciega en el cielo raso. Yo sabía que era un rey muy antiguo porque su cara era imposible ahora. Entonces sentí el terror de esa presencia. Veía al rey, veía su espada, veía su perro. Al cabo, desperté. Pero seguí viendo al rey durante un rato, porque me había impresionado. Referido mi sueño es nada; soñado, fue terrible.

Jorge Luis Borges, en *Siete noches*

5.2.5. 👤 ✏️ **Relata alguna pesadilla que hayas tenido y cómo te sentiste al despertar.**

Unidad 10
El dinero

Bolsa de Madrid

Contenidos funcionales
- Expresión general de la condición
- Presentar dos opciones al oyente de similares consecuencias, mostrando, a menudo, indiferencia y, en ocasiones, cortesía
- Condición con valor de advertencia o consejo y amenaza
- Condición mínima imprescindible para que se produzca algo, presentada como obstáculo
- Condición suficiente con la que basta para que se produzca algo, dicha para animar o convencer al oyente
- Condición que se presenta como impedimento único y remoto de que algo se produzca
- Condición que implica una previsión de lo que puede ocurrir. Comunica una circunstancia cuya existencia altera la situación
- Condición que expresa un intercambio de acciones

Contenidos gramaticales
- Oraciones condicionales con *Si, De* + infinitivo, gerundio
- Otras conjunciones condicionales: *que... que (no), si... que (no), que... si (no), siempre que, siempre y cuando, mientras, a no ser que, a menos que, excepto que, salvo que, con tal de que, a condición de que, solo si, excepto si, en el caso de que, como, a cambio de que, con que (solo)*
- Imperativo + *y*

Contenidos léxicos
- Expresiones coloquiales de España e Hispanoamérica sobre el dinero
- Anuncios económicos: forma y estilo
- Lenguaje económico

Contenidos culturales
- El dinero
- La lotería
- La banca. Documentos bancarios
- Inversiones en Mercosur
- La economía doméstica
- Canción *La bien pagá* de R. Perelló

1 El dinero

1.1. Averigua las frases que se esconden en estos jeroglíficos y aprenderás los nombres coloquiales que recibe el dinero en España y en Hispanoamérica.

1.2. En español existen muchas expresiones relacionadas con el dinero y sus "poderes". Explica el significado de los siguientes refranes.

1. Cuando el dinero habla, la verdad calla:

2. El que tiene la plata pone la música:

3. Amor y dinero nunca fueron compañeros:

4. El dinero llama al dinero:

1.3. Partiendo de los resultados de la actividad 1.1., indica los países de habla hispana donde se utilizan estas expresiones.

1. Guita ....
2. Pasta ....
3. Plata ....

4. Parné ....
5. Tela ....
6. Mosca ....

1.4. Relaciona estas expresiones antónimas y explica su significado.

1	Estar tieso.	•	•	a	Tener el riñón bien cubierto.	
2	Estar forrado.	•	•	b	No tener un duro.	

El dinero no da la felicidad 2

2.1. ¿Qué necesitas para ser feliz: dinero, amor, éxito profesional? Utiliza los conectores que te ofrecemos en el cuadro.

a no ser que
a menos que
siempre que
siempre y cuando
salvo si
mientras
excepto que
excepto si

Solo si estuviera con el amor de mi vida, sería completamente feliz, a no ser que este fuera pobre.

2.2. Escucha la siguiente canción en la que se mezclan el dinero y el amor.
[34]

2.2.1. Esta canción nos muestra una discusión de pareja. Señala las frases en las que el hombre reprocha la actitud de la mujer.

2.2.2. Imagina que eres la pareja de esta persona. Tú también tienes muchos reproches que hacerle. Escríbele una carta diciéndole todo lo que piensas y qué hubiera sido de ti si no se hubiera cruzado en tu camino.

Querido ex:
Yo tampoco te debo nada. Te escribo ya que no te has dignado hablar conmigo cara a cara.
Si lo hubieras hecho, podría haberte dicho que...

2.3. Lee la siguiente columna periodística del escritor catalán **Quim Monzó** en la que se habla sobre el poder del dinero. Señala los coloquialismos que aparecen sobre el dinero.

Desde tiempo inmemorial, la autodenominada sabiduría popular nos ha explicado que, con dinero, puedes conseguir muchas cosas, pero una seguro que no: la felicidad. No es una afirmación
5   descabellada: es científicamente demostrable que el dinero, en efecto, no da la felicidad. Pero como aun siendo cierta, si una cosa se repite en exceso acaba por hartar, una oleada revisionista intentó distanciarse de esa afirmación bonachona y la convirtió en "el dinero
10 no da la felicidad, pero ayuda". Eso estaba mejor. Algo habíamos ganado. Ese "pero ayuda" no solo le daba un matiz que la enriquecía, sino que el resultado final era más cierto que el precedente. La pasta, en efecto, no da la felicidad, pero ayuda a vivir y a menudo te evita pro-
15 blemas. La sentencia recuerda la letra de aquel vals de Rodolfo Sciammarella: "Tres cosas hay en la vida: / salud, dinero y amor. / El que tenga esas tres cosas / que le dé gracias a Dios. / Pues, con ellas, uno vive / libre de preocupación. / Por eso quiero que aprendan / el refrán
20 de esta canción. / El que tenga un amor / que lo cuide, que lo cuide. / La salud y la platita / que no las tire, que no las tire".

Muchas canciones nos recuerdan que el dinero ayuda a que vayan bien las cosas. Una de *El último*
25 *de la fila*, por ejemplo. Tras su etapa como *Los burros*, el primer elepé del dúo llevaba por título el de una de sus canciones: *Cuando la pobreza entra por la puerta, el amor salta por la ventana*, una frase tan explícita que podemos ahorrarnos los comentarios. O utili-
30 zar a tal fin los versos de Andrés Calamaro, que, hace ya bastantes años, incluía en un disco una canción que explica que el amor no sirve de sustento: "No se puede vivir del amor. / No se puede vivir del amor, / le dijo un soldado romano a Dios. / No se puede vivir
35 del amor. / No se puede comer el amor. / Las deudas no se pueden pagar con amor. / Una casa no se puede comprar con amor. / Nunca es tarde para pedir perdón".

Así pues, puede parecer que el mundo ha enten-
40 dido que el dinero, aun sin conseguirte la dicha, es útil: al menos tal como están las cosas y hasta que el planeta sea una gran ONG con flores en el cabello. Pues resulta que no es así. Este verano, la prensa ha informado del caso de un abuelo siciliano, del pueblo
45 de Mirabella Imbaccari que, estando al cuidado de su nieto de cinco años, dio en explicarle, de nuevo, que el dinero no da la felicidad. Vale que no conociese la canción de *El último de la fila*, vale que no conociese la de Andrés Calamaro, pero el vals de Sciammarella
50 sí que debía conocerlo. Pues no le hizo caso. Las frases textuales que *Il Nuovo* pone en boca del abuelo en sus alegatos al nieto son las siguientes: "En la vida, el dinero no es importante. Amarse los unos a los otros es mucho más importante". De forma que, una
55 vez captado el mensaje, el niño se fue –tris tras– hasta la chaqueta de su padre (el hijo del abuelo filántropo), tomó la cartera, cogió los billetes que había (más de mil quinientos euros), se situó junto a una ventana, los fue rasgando y, una vez rasgados todos, tiró los peda-
60 citos a la calle.

Adaptado de Quim Monzó, "Seré breve", Magazine.

Como verás, la columna, que constituye un género híbrido entre la literatura y el periodismo, le permite al columnista mostrar su dominio del lenguaje y su estilo propio, así como su capacidad para ofrecer su perspectiva sobre hechos actuales.

2.3.1. Si tú fueras el abuelo de este niño, ¿qué explicación le darías sobre el significado del dinero? Si fueras su padre, ¿qué harías después de ver que has perdido mil quinientos euros?

2.4. Realiza el siguiente test psicológico a tu compañero en el que se mide la actitud personal hacia el dinero.

1. Tener dinero no me produce mala conciencia.
   - ☐ Completamente en desacuerdo
   - ☐ De acuerdo
   - ☐ Completamente de acuerdo

2. Con dinero se alcanza la plena satisfacción en la vida.
   - ☐ Completamente en desacuerdo
   - ☐ De acuerdo
   - ☐ Completamente de acuerdo

3. El dinero me ayuda a crecer personalmente.
   - ☐ Completamente en desacuerdo
   - ☐ De acuerdo
   - ☐ Completamente de acuerdo

4. El dinero no puede cambiar el carácter de las personas.
   - ☐ Completamente en desacuerdo
   - ☐ De acuerdo
   - ☐ Completamente de acuerdo

5. El dinero todo lo compra.
   - ☐ Completamente en desacuerdo
   - ☐ De acuerdo
   - ☐ Completamente de acuerdo

CONTINÚA ····▸

6. El dinero no destruye a las personas.
- ☐ Completamente en desacuerdo
- ☐ De acuerdo
- ☐ Completamente de acuerdo

7. El mayor deseo del hombre es ser rico.
- ☐ Completamente en desacuerdo
- ☐ De acuerdo
- ☐ Completamente de acuerdo

8 . El dinero es imprescindible para vivir.
- ☐ Completamente en desacuerdo
- ☐ De acuerdo
- ☐ Completamente de acuerdo

RESULTADOS

Mayoría completamente en desacuerdo: Está muy claro que lo que menos valoras en la vida es el dinero. Lo que demuestra tu carácter desprendido. Eres muy espiritual, los bienes materiales para ti no son importantes; conceptos como la amistad, el amor y la familia son vitales en tu existencia. Estas ideas son importantes, pero no olvides que nos movemos en un mundo materialista.

Mayoría completamente de acuerdo: El dinero es el motor de tu vida. No puedes entender a aquellas personas que viven sin dinero. Pero ¿te has planteado alguna vez si eres un hombre libre o si, por otro lado, eres esclavo de tu dinero? Quizás debas reflexionar sobre tu conducta.

Mayoría de acuerdo: En tu vida siempre buscas el equilibrio, crees que nada es bueno ni en defecto ni en exceso. Crees que el dinero no da la felicidad, pero ayuda a encontrarla; es una buena filosofía, no la pierdas.

2.4.1. ¿**Estás de acuerdo con los resultados del test? ¿En qué rasgos de tu personalidad ha acertado y en cuáles no?**

2.5. **Las oraciones condicionales pueden ser neutras, con respecto a las intenciones del hablante o bien expresarlas, añadiendo diversos matices, a través de la elección de determinados conectores y formas verbales. Relaciona cada una de estas frases con la intención del hablante al expresar la condición.**

Intención del hablante
- **a.** Expresión general de la condición.
- **b.** Presentar dos opciones al oyente de similares consecuencias, mostrando, a menudo, indiferencia y, en ocasiones, cortesía (propio de la lengua hablada).
- **c.** Condición con valor de advertencia o consejo y amenaza.
- **d.** Condición mínima imprescindible para que se produzca algo, presentada como obstáculo.
- **e.** Condición suficiente con la que basta para que se produzca algo, dicha para animar o convencer al oyente.
- **f.** Condición que se presenta como impedimento único y remoto de que algo se produzca.
- **g.** Condición que implica una previsión de lo que pueda ocurrir. Comunica una circunstancia cuya existencia altera la situación.
- **h.** Condición que expresa un intercambio de acciones.

1. ☐ Que suben los intereses del crédito, pues vendes el piso; que no suben, te lo quedas y lo vendes después.

2. ☐ Que te llama, pues vas; si no te llama, pues te quedas en casa tan tranquilo.

3. ☐ Si iba a la oficina a pie, se ahorraba mucho tiempo.

4. ☐ Contesta mal otra vez y verás qué pronto te despiden.

5. ☐ De llegar tarde, no nos aceptarán el proyecto ya que hoy es el último día de plazo.

6. ☐ No hace falta que me llame excepto si tuviera algún problema en la facturación del equipaje.

7. ☐ Si me subían el sueldo, bien; que no, pues me buscaba un trabajo nuevo y listo.

8. ☐ Mientras asista a la reunión, nos damos por satisfechos. ¡Falta continuamente!

9. ☐ Iría a recogerte siempre y cuando saliera pronto; pero no creo, estoy hasta arriba de trabajo.

10. ☐ Habría aceptado tu invitación a condición de que tú hubieras aceptado la mía.

11. ☐ Te presto mi coche con tal de que me lo devuelvas lleno de gasolina.

12. ☐ Sabiendo tu situación, te habría llamado antes.

13. ☐ Te ayudaré en lengua siempre que tú me ayudes luego con las matemáticas.

14. ☐ Con que solo me entregaras tres de los cinco informes, me daría por satisfecho.

15. ☐ Haremos la fiesta a menos que me llamaran esa noche para cambiar el turno.

16. ☐ Mañana, a estas horas, estará cenando con nosotros a no ser que el avión se retrase.

17. ☐ Me habría ido de vacaciones solo si hubiera podido terminar todo el trabajo pendiente.

18. ☐ Habría terminado tu informe a cambio de que tú me hubieras corregido la carta.

19. ☐ Salvo que te indiquen lo contrario, no le digas nada.

20. ☐ Inaugurará la tienda mañana en el caso de que le envíen el permiso de apertura.

21. ☐ Dijo que lo contaría todo excepto que recibiera una compensación económica por su silencio.

22. ☐ Como no hayas terminado antes de una hora, me largo. ¡Estoy harto de esperarte!

2.5.1. 👥 👥 **Tras analizar las frases de la actividad anterior, subraya los conectores condicionales y completa el cuadro.**

Intención del hablante	Conector	Modo verbal	Tiempo verbal	Condición (El grado de probabilidad depende del contexto)
Expresión general de la condición	1.	Indicativo	Presente, pasados	Posible y probable
		Subjuntivo	Imperfecto	Improbable o imposible
			Pluscuamperfecto	Imposible
	2.	Infinitivo	–	Posible y probable
		Infinitivo compuesto	–	Imposible
	–	Gerundio	–	Posible y probable, improbable, imposible
		Gerundio compuesto		
Presentar dos opciones al oyente de similares consecuencias, mostrando, a menudo, indiferencia y, en ocasiones, cortesía (Propio de la lengua hablada)	3.	Indicativo	Presente, pretérito perfecto, imperfecto	Posible y probable (Se muestran dos posibilidades de las cuales una seguro que se produce)
	4.			
	5.	Subjuntivo	Imperfecto	
Condición con valor de advertencia o consejo y amenaza	6.	Imperativo	-	Posible y probable
		Subjuntivo	Presente (forma negativa)	
	7.	Subjuntivo	Presente/Pret. perfecto	
Condición mínima imprescindible para que se produzca algo, presentada como obstáculo	8.	Subjuntivo	Presente/Pret. perfecto	Posible y probable
	9.			
	10.		Imperfecto	Improbable o imposible
	11.			
	12.		Pluscuamperfecto	Imposible
Condición suficiente con la que basta para que se produzca algo, dicha para animar o convencer al oyente	13.	Subjuntivo	Presente/Pret. perfecto	Posible y probable
			Imperfecto	Improbable o imposible
			Pluscuamperfecto	Imposible
Condición que se presenta como impedimento único y remoto de que algo se produzca	14.	Subjuntivo	Presente/Pret. perfecto	Posible
	15.		Imperfecto	Improbable o imposible
	16.			
	17.		Pluscuamperfecto	Imposible
Condición que implica una previsión de lo que pueda ocurrir. Comunica una circunstancia cuya existencia altera la situación	18.	Subjuntivo	Presente/Pret. perfecto	Posible y probable
			Imperfecto	Improbable o imposible
			Pluscuamperfecto	Imposible
	19.	Indicativo	Presente, pasados	Posible y probable
	20.		Imperfecto	Improbable o imposible
		Subjuntivo	Pluscuamperfecto	Imposible
Condición que expresa un intercambio de acciones	21.	Subjuntivo	Presente/Pret. perfecto	Posible y probable
			Imperfecto	Improbable o imposible
			Pluscuamperfecto	Imposible

2.6. [icon] [icon] Modifica las afirmaciones del test, matizándolas mediante condiciones, de modo que estés completamente de acuerdo con ellas.

> **Ejemplo:** *El dinero me ayuda a sentirme bien siempre y cuando tenga salud suficiente para disfrutarlo.*
>
> *Salvo que se trate de amor, el dinero todo lo compra.*

2.6.1. [icon] [icon] Compara tus frases nuevas con las de tu compañero y decide qué personalidad se deduce de ellas. Luego escribe ocho frases más sobre el tema especificando tus ideas.

1. ....
2. ....
3. ....
4. ....
5. ....
6. ....
7. ....
8. ....

Que la suerte te acompañe **3**

3.1. [icon] [icon] La lotería española es una importante fuente de ingresos para el Estado, y una fuente de sueños para los españoles. La Primitiva es un sorteo que tiene lugar cada jueves y cada sábado, y que consiste en escoger 6 números entre el 1 y el 49. Observa el siguiente boleto de la Primitiva así como la lista de premios correspondientes. ¿Cuánto dinero ha ganado la persona portadora de este boleto?

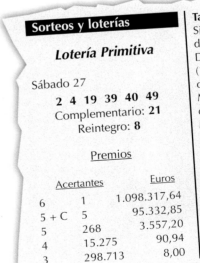

3.1.1. [icon] [icon] Comenta con tu compañero qué harías en caso de que fueras el agraciado portador de este boleto y hubieras ganado todo este dinero. Luego, exponedlo al resto de la clase.

3.2. Aunque seguramente habrás pensado en gastar el dinero en cosas como un Ferrari, una vuelta al mundo, renovar la vivienda, un "lifting", también habrás contemplado la posibilidad de invertirlo de la mejor manera. Para ello, te pueden ayudar los siguientes anuncios:

¿Lo quieres? Lo tienes

Ahora conducir el coche de tus sueños es mucho más fácil con el **Crédito** Coche Caja Madrid. Un crédito muy flexible y competitivo, que se adapta a tus necesidades. Compruébalo en cualquier Oficina Caja Madrid y hazte ya con el coche que siempre has querido.

CAJA MADRID

Prepárese para la buena vida

Con los **Planes de Pensiones** Caja Madrid, la vida, la buena vida, empieza a los 65 años. Porque obtiene un 41% de **rentabilidad** garantizada a 11 años y 6 meses. No se lo piense más y prepárese hoy para disfrutar al máximo mañana. Es futuro. Es seguro. Es Caja Madrid. Contrate su plan antes del 31 de diciembre y llévese, además, magníficos regalos.

CAJA MADRID

Demuestra que tienes buena vista para ahorrar

Depósito a un mes 5% T. A. E.
Para nuevos **ingresos**. Sin límite de cantidad.
Tanto si aún no eres cliente y traes tu dinero por primera vez, como si ya lo eres e incrementas tu saldo, ahora puedes abrir nuestro depósito a un mes 5% T. A. E. Un depósito que te ofrece una alta rentabilidad desde el primer céntimo y SIN LÍMITE DE CANTIDAD: con la ventaja añadida de que podrás disponer de este dinero siempre que quieras sin ningún tipo de penalización. Y no olvides que, una vez que finalice el depósito, tu dinero pasará a tu cuenta naranja de ING DIRECT, con la que seguirás obteniendo alta rentabilidad desde el primer céntimo sin pagar **gastos** ni **comisiones** por ninguna de las operaciones que realices.

Contrata ya tu depósito.

ING DIRECT
tu otro banco

Hipoteca
super oportunidad

2,75% interés nominal anual durante los 3 primeros años

[Resto: **Euribor** + 0,75%
3,04% T. A. E.*]

 Santander
Central Hispano

* T. A. E. según el Euribor hipotecario correspondiente al mes de marzo de 2004 (2,52%) para 12 **cuotas** anuales y 30 años de **plazo**. Comisión de apertura: 0,60%. Plazo máximo: 20 años. El tipo de **interés** a partir del cuarto año será el Euribor hipotecario + 0,75%. Revisión anual. Comisión de cancelación total y parcial: 1%. Oferta válida hasta el 30/9/2005.

3.2.1. 👤 ✏️ **Estos son los elementos que deben aparecer en un anuncio para la prensa escrita. Identifícalos en cada anuncio.**

El titular: normalmente suele incluir la marca, para asegurar que será más leído y para entrar directamente en el tema.

La ilustración: una buena fotografía puede atraer miradas hacia el titular, el texto o el nombre de la marca.

El texto: debe ser interesante, dar argumentos de venta para el consumidor, no para la empresa, exponer todas las ventajas relevantes y respetar los niveles culturales.

El subtitular: precede al texto, puede ser unas frases en negrita o letra distinta de la del anuncio, o bien un texto recuadrado gráficamente.

Adaptado de *El libro rojo de la publicidad*, Luis Bassat.

3.2.2. 👥 💬 **Observa los cuatro anuncios detenidamente y contesta las siguientes preguntas.**

a. ¿Tienen todos los elementos que se señalan en 3.2.1.? Identifícalos.
b. ¿Qué titular te parece más atractivo?
c. ¿Qué anuncio tiene una ilustración más impactante?
d. ¿Qué texto te parece más interesante y convincente?
e. ¿Qué subtitular te llama más la atención?

3.2.3. 👥 👥 **Trabaja uno de los anuncios e identifica cuáles de los siguientes recursos lingüísticos aparecen en él.**

○ a. Imperativos
○ b. Futuros
○ c. Extranjerismos
○ d. Preguntas

○ e. Doble sentido
○ f. Gradaciones
○ g. Ausencia de verbo

3.2.4. 👥 🔤 **Las siguientes palabras aparecen en negrita en los anuncios. Escribe una definición para cada una de ellas. Podéis usar un diccionario de términos económicos.**

1. Comisiones...
2. Crédito..
3. Cuotas..
4. Depósito...
5. Euribor...
6. Gastos..
7. Hipoteca...
8. Ingresos..
9. Interés..
10. Planes de pensiones...
11. Plazo..
12. Rentabilidad...
13. T. A. E...

3.2.5. Vamos a ver tus técnicas de retención y activación de vocabulario. Tu profesor te va a leer diez palabras de las que aparecen en los anuncios. Tienes tres minutos para memorizarlas. Luego, escribe todas las palabras que recuerdes.

1. ....
2. ....
3. ....
4. ....
5. ....

6. ....
7. ....
8. ....
9. ....
10. ....

3.2.6. ¿Qué has hecho para memorizar las palabras? Expón tu técnica para memorizar al resto de la clase y escucha las de tus compañeros. ¿Cuál te parece más efectiva?

☐ He imaginado una historia.

☐ Las he asociado con una imagen.

☐ He hecho frases con las palabras.

☐ He repetido las palabras mentalmente.

☐ Las he escrito.

☐ Otro (explicar) ....

....

....

3.3. [35] Vas a escuchar a varias personas que explican su situación económica. Toma notas sobre su situación familiar y laboral, sus ingresos, sus gastos y sus necesidades.

3.3.1. De los productos financieros que hemos visto en los anuncios, ¿cuál crees que es el más idóneo para cada una de estas cuatro personas? Justifica tu respuesta.

> Yo recomendaría el depósito de ING DIRECT a Virginia a menos que ella necesitara el dinero para realizar un máster.

3.3.2. Escribe un párrafo sobre ti similar a los que has escuchado en las audiciones. Tendrás que incluir una breve descripción sobre tu situación profesional y explicar qué necesidades económicas tienes.

3.3.3. Escucha la descripción de tu compañero, y recomiéndale uno o más de los productos financieros que hemos visto.

4.1. Realiza el siguiente juego de roles con un compañero.

alumno a

¿Recuerdas el párrafo que has escrito sobre ti en la actividad 3.3.2.? Pues ahora vas a visitar al director de tu sucursal bancaria para exponerle las necesidades económicas que tienes y tratar de conseguir el producto financiero que más te conviene.
Luego, intercambiad los papeles. Tú serás el director de la sucursal bancaria y tendrás que hacer las preguntas pertinentes a tu cliente para decidir si le otorgas lo que te pide o no.

alumno b

Eres el director de una sucursal bancaria y vas a recibir a un cliente que quiere pedirte algo. Tendrás que hacerle las preguntas necesarias para decidir si le otorgas lo que pide o no. Luego, intercambiad los papeles. Usando el párrafo que has escrito sobre ti en la actividad 3.3.2., explícale al director tu situación personal y las necesidades económicas que tienes y trata de conseguir el producto que más te conviene.

4.1.1. Explica al resto de la clase la situación de tu cliente y si has decidido concederle o no el producto financiero que ha solicitado.

4.2. Trabajas en el departamento internacional del Banco Dinero. En la prensa económica del domingo has visto el siguiente artículo que ha llamado tu atención. Si quieres obtener la idea general de este artículo, o de cualquier texto que leas, tienes que desarrollar tus técnicas de *skimming*, es decir, leer deprisa, pasando la vista sobre la página. Para ello, realiza las siguientes actividades:

4.2.1. ¿Cuál crees que es la idea principal de este texto? Observa el titular, el subtitular, y los títulos de las diferentes secciones marcados en negrita.

Latinoamérica vuelve a encantar

Las empresas españolas lideran el masivo retorno de capitales extranjeros a la región

FERNANDO CANO

1 Las operaciones anunciadas por el BBVA y Telefónica por 8000 millones de euros han ratificado que las compañías nacionales
5 han vuelto a confiar en el continente. En los tres primeros meses del año se ha logrado el mejor dato de inversiones españolas en la región desde el
10 *boom* de 2000. La estabilidad y las perspectivas de crecimiento han sido las principales causas del regreso. Como un hombre que se reencuentra con un viejo
15 amor, las empresas españolas han vuelto a intensificar sus inversiones en Latinoamérica. En solo dos meses han dejado más dinero que la media de los
20 últimos cuatro años, periodo en que el flujo de los capitales nacionales acumuló una caída de 83,4% en la región.

Estabilidad económica

25 ¿Qué ha cambiado para que las empresas españolas volvieran a mirar a Latinoamérica? Los analistas coinciden en que el principal factor ha sido el retorno de la confianza. Para ello ha
30 sido vital la recuperación de la economía argentina, que creció un 8,7% el año pasado, la revalorización del real brasileño que
35 refleja la estabilidad dada por el Gobierno de Lula da Silva y la recuperación de México, de la mano del inminente despegue de la economía estadounidense.

CONTINÚA ·····

40 Estos tres países, y en especial México y Brasil, han sido los más beneficiados por la llegada de capital fresco este primer trimestre. La compra de la totalidad de 45 Bancomer por el BBVA, evaluada en 3300 millones, y movimientos en el sector servicios en Brasil han sido ejemplos claros.

La vuelta del crecimiento

50 Pero también hay factores externos que han mejorado las perspectivas. En su último informe, el Servicio de Estudios del BBVA indica que los tipos de 55 interés excepcionalmente bajos han permitido un elevado nivel de liquidez internacional, favoreciendo especialmente a economías emergentes con un bajo 60 coste de financiación.

Todos los buenos augurios han hecho que organismos como el Banco Mundial, la Comisión Económica para América Latina 65 y el Caribe (Cepal) y el Banco Interamericano de Desarrollo (BID) manifiesten públicamente que "se vienen dos años muy buenos para la economía latino-70 americana".

Otro factor importante a tener en cuenta para las empresas nacionales y europeas en general es la depreciación que el dólar 75 ha tenido respecto al euro en los últimos seis meses. De esta manera, para un inversor europeo se abaratan sus costes al pagar sus cuentas en dólares –en 80 países que realizan todos sus negocios en la moneda estadounidense–, con ingresos generados en euros en el interior de sus mercados de origen.

Las operaciones

85 La primera compañía en dar la sorpresa fue el BBVA. El banco lanzó una Oferta Pública de Acciones (OPA) en febrero 90 por el 40% que no poseía del banco mexicano Bancomer. Esta operación se ha concretado esta semana cuando la mayoría de los accionistas minoritarios han 95 acudido a la oferta.

La otra operación –quizá la más sorpresiva hasta la fecha– ha sido la compra que Telefónica ha hecho de todos los acti-100 vos de telefonía móvil de Bellsouth en diez países de Latinoamérica por 4731 millones de euros. Esta operación debe pasar aún por trabas regu-105 latorias que previenen situaciones de monopolio en algunos países de la región.

¿Qué trae el futuro para la región? El Servicio de Estudios 110 de Caja Madrid señala que si el continente quiere seguir atrayendo inversores deberá afrontar la competencia de China y avanzar en la liberalización 115 comercial, bien sea a través de los pactos regionales o el Área de Libre Comercio de América del Norte (ALCA).

Adaptado de *El País Negocios*

4.2.2. **Si quieres obtener información sobre puntos concretos del artículo, tienes que desarrollar tus técnicas de *scanning*, es decir pasar la vista sobre la página hasta que encuentres la información que buscas. Contesta a las siguientes preguntas para desarrollar tus técnicas de *scanning*.**

a. ¿Cuáles han sido las dos causas principales para que las empresas españolas regresen a Latinoamérica? ....

....

b. ¿Cuáles han sido los tres países más beneficiados por la llegada de capital español durante el periodo enero-marzo 2004? ....

....

c. ¿Qué es CEPAL? ¿Y BID? ....

....

d. ¿Qué ha pasado con el dólar respecto al euro? ....

....

e. ¿Cuál ha sido la operación más sorpresiva hasta la fecha del artículo? ....

....

f. ¿Qué es ALCA? ....

....

4.3. Después de leer el artículo anterior, dos compañeros y tú, que sois directivos del departamento internacional, habéis decidido abrir una filial en Latinoamérica. Pero ahora tenéis que decidir qué país os conviene más, México, Brasil o Argentina. Cada uno de vosotros ha tomado las siguientes notas de artículos que ha leído en prensa. Relee las notas sobre el país que has elegido y marca los aspectos más importantes para luego comentárselos a tus compañeros.

Brasil se ha mostrado capaz de lo mejor y de lo peor, y de pasar de la euforia a la depresión en muy poco tiempo. El nuevo gobierno del presidente Da Silva se ha esforzado por recuperar la credibilidad internacional, iniciando reformas de control del gasto público y asumiendo la responsabilidad del pago de la deuda externa. Sin embargo, hay tantos condicionantes favorables como negativos para instalarse en Brasil. Mientras que el sector financiero está en un buen momento, el productivo ha caído. Y por otra parte, el peso de la deuda externa, que representa el 57% del PIB, le impide a Lula emprender las reformas sociales anunciadas en su campaña.

El compromiso público del nuevo presidente de hacer de Argentina un país serio ha acabado con el caos, pero el país sigue teniendo graves dificultades. La diferencia principal es que, al menos ahora, tiene credibilidad. Por eso, aunque no está realizando los pagos necesarios para cubrir su deuda con el Fondo Monetario Internacional, ha recibido una prórroga de tres años para pagar su deuda externa. A cambio, el país tiene que realizar reformas legales y económicas. Otra dificultad es que las empresas extranjeras establecidas en el país tienen fuertes condicionantes para operar libremente y los inversores internacionales no terminan de recuperar la confianza. Además, el país tiene pendientes reformas relacionadas con la inflación, la política fiscal y bancaria, los servicios públicos y el marco legal.

Las crisis de Argentina y Brasil ha demostrado las pocas garantías de prosperidad de Mercosur, por lo que ahora México parece el socio más deseable. México tiene un tratado de libre comercio con Estados Unidos gracias al cual exporta el 90% de sus productos. Además, México puede ser el conciliador entre Estados Unidos y los países de América del Sur. México tiene que realizar reformas fiscales, laborales y energéticas que pueden acelerar su crecimiento.

Adaptado de la revista *Emprendedores*

4.3.1. Presenta a tus compañeros las ventajas y desventajas del país que te ha sido asignado. Escucha lo que ellos tienen que decir sobre los otros dos países y toma notas.

4.3.2. Ahora tenéis que decidir cuál es el mejor país para que Banco Dinero establezca una filial.

> Yo preferiría establecernos en Brasil, siempre y cuando el gobierno diera incentivos a las empresas extranjeras.

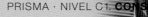

5 Haciendo números

5.1. Mira atentamente la siguiente gráfica en la que se reflejan los gastos mensuales en euros de: un soltero de 30 años, un matrimonio de jubilados, un matrimonio que vive con su hijo, soltero y profesional, de 28 años, que contribuye con los gastos de la casa, y una familia numerosa (padres y 4 hijos con edades comprendidas entre los 12 y 17 años).

GASTO MENSUAL	Soltero	Jubilados	Padres e hijo	Numerosa	Mis gastos
Alquiler de casa	300	–	–	–	–
Comunidad	(incluido)	100	120	100	
Luz	10	40	35	80	
Gas	10	35	–	30	
Teléfono fijo	30	35	150	35	
Teléfono móvil	30	–	30	10	
Agua	(Comunidad)	(Comunidad)	25	(Comunidad)	
Compra comida	100	400	800	700	
Comida trabajo	100	–	60		
Asistencia	30	–	70	300	
Seguro coche	20		40	70	
Gasolina	60		25	100	
Transporte	30	4	6	45	
Ocio	360		60	100	
Pagas/ocio hijos	–		200	100	
Ropa	75	40	50	100	
Colegios	–		–	(Público)	
Clases extraescolares	–		–	130	
Viajes	180		75	–	
Viajes hijos	–		150	–	
Total gastos	1335	654	1896	1900	
Ingresos	1150	650	1300 (padres) 900 (hijo)	1700	

5.1.1. Como podrás ver, pocos consiguen llegar a fin de mes. Establece condiciones que permitan llegar a estas personas a fin de mes con un mayor desahogo.

- Soltero ➜ A no ser que reduzca sus gastos de ocio, no podrá ahorrar prácticamente nada.
- Matrimonio de jubilados ➜ ....
- Familia con un hijo ➜ ....
- Familia numerosa ➜ ....

5.1.2. Valora tus propios gastos mensuales completando un cuadro como el anterior. Luego, comenta los resultados con tus compañeros e intenta ayudarles a llegar a final de mes.

> Seguramente no les vendría mal un poco de mano dura... ¿Te atreves a amenazarlos?
> *Como* + subjuntivo

Ejemplo: *Que te suben el sueldo, pues te independizas; que no te lo suben, pues tendrás que seguir viviendo con tus padres. Como no trabajes un poco más, tu jefe no se fijará en ti y no te subirá el sueldo.*

5.2. ¿Crees que sería posible vivir sin dinero? Escucha la entrevista realizada a Heidemarie Schwermer, una alemana que ha fundado el centro de trueque "Da y toma".
[36]

5.2.1. ¿En qué consisten las redes de trueque? ¿Y el funcionamiento del sistema de Heidemarie? Debate esta opción de vida con tus compañeros.

Unidad 11
La mitología

Federico García Lorca

Contenidos funcionales
- Preguntar por la causa: directamente o de modo cortés
- Expresar la causa de manera formal o informal
- Presentar una explicación como pretexto
- Presentar la causa como situación previa
- Retomar un elemento conocido para conectarlo con uno nuevo
- Presentar la causa como algo bien/mal aceptado
- Presentar una acción como presumiblemente conocida/no conocida
- Justificar la orden que se ha dado
- Presentar la causa de algo como resultado de una acción persistente
- Contraargumentar
- Presentar como información nueva datos que ya están en contexto
- Preguntar por la finalidad
- Expresar finalidad
- Expresar la finalidad de un movimiento
- Indicar la intención de la acción principal
- Expresar la finalidad de una orden que se ha dado anteriormente
- Expresar la finalidad con matiz modal y causal
- Evitar un suceso posible que se entiende como amenaza

Contenidos gramaticales
- Conectores causales
- Conectores finales
- Causa/finalidad
- Usos de *por* y *para*

Contenidos léxicos
- Léxico relacionado con mitos y leyendas
- Lenguaje científico/literario
- Expresiones idiomáticas con *por* y *para*

Contenidos culturales
- Mitos y leyendas de España e Hispanoamérica
- Federico García Lorca
- José Monge, Camarón de la Isla
- Los gitanos en España

1 Mythos

1.1. ¿Qué tienen estos personajes en común? ¿A qué palabra de estas los asociarías? Define cada término con tus propias palabras. Puedes consultar el diccionario.

ficción • leyenda • mito • cuento

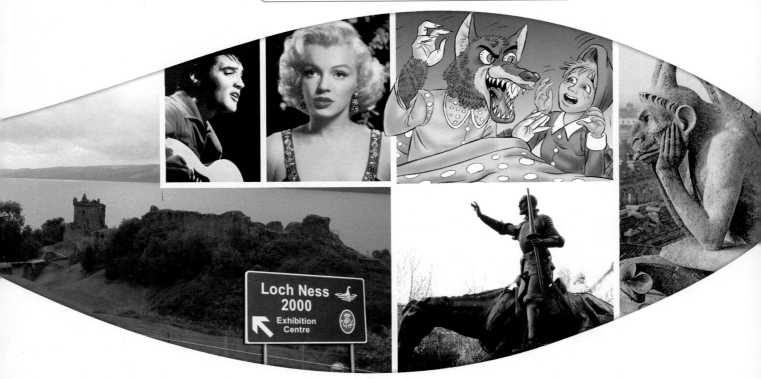

1.2. La definición de *mythos* ha sido tema de debate de grandes filósofos a lo largo de la historia. Lee las siguientes definiciones, elige la que te parezca más acertada y, luego, compárala con la que tú has dado antes. ¿Cambiarías algo?

En la Grecia Clásica se define en oposición a "logos"; "mythos" pasa a designar el relato tradicional, fabuloso y engañador en contraste con el relato razonado y objetivo.

Aristóteles en su *Poética* acentúa dos aspectos del "mythos": el relato tradicional arcaico, venido de muy atrás ,y la ficción literaria que el dramaturgo crea sobre una pauta mítica.

"El mito es un relato tradicional que refiere la situación memorable y ejemplar de unos personajes extraordinarios en un tiempo prestigioso y lejano. La narración mítica cuenta el origen del mundo, de los hombres y de todas las actividades de la naturaleza y por eso su existencia se extiende a todas las culturas y se adhiere a lo más profundo de sus ideologías" (Carlos García Gual).

"El mito (en el ámbito antropológico) se considera como una historia sagrada y, por tanto, una "historia verdadera", puesto que se refiere siempre a realidades. La función principal del mito es revelar los modelos ejemplares de todos los ritos y actividades humanas significativas, razón por la que no se puede ver de manera indiferente" (R. Piddington).

1.2.1. Extrae de cada una de las definiciones anteriores la frase que te parezca más relevante.

1.2.2. 👤✏️ **Analiza esta frase extraída de la definición de Piddington y explica detalladamente su significado.**

La función principal del mito es revelar los modelos ejemplares de todos los ritos y actividades humanas significativas:

1.2.3. 👥🗣️(BLA) **En la unidad 6 indagasteis sobre dos mitos hispanos, ¿cómo y por qué se crea un mito?**

El origen del mundo 2

2.1. 👥🗣️(BLA) **Como ya visteis en el libro Prisma A2, los aztecas son una antigua civilización de América del Sur. ¿Qué sabéis de ellos? ¿Cuál era su forma de vida?**

2.1.1. 👤📖 **Lee esta leyenda azteca sobre el origen del mundo.**

El Sol y la Luna

El primer Sol, el Sol del Tigre, nació en 955 a. C. Pero al final de un largo período de 676 años, el Sol y los hombres fueron devorados por los tigres.

El segundo Sol era el del Viento. Él fue llevado por el viento, y todos los que vivían sobre la tierra y quienes se colgaban de los árboles para resistir a la tempestad se transformaron en monos.

Vino a continuación el tercer Sol, el sol de la Lluvia. Una lluvia de fuego se abatió sobre la tierra, y los hombres se transformaron en pavos.

El cuarto Sol, el sol de Agua, fue destruido por culpa de las inundaciones. Todos los que vivían en esta época se transformaron en peces.

El agua recubrió todo durante 52 años.

Pensativos, los dioses se reunieron en Teotihuacan:
– ¿Quién se va a encargar ahora de traer la aurora sobre la tierra?

El Señor de los Caracoles, célebre por su fuerza dio un paso adelante:
– Yo seré el sol, dijo él.
– ¿Alguien más?
Silencio.

Todos miraron al Pequeño Dios Sifilítico, el más feo y desafortunado de los dioses, y decidieron:
– Tú.

El Señor de los Caracoles y el Pequeño Dios Sifilítico se retiraron a las montañas, que hoy son las pirámides del Sol y de la Luna. Allá, en ayunas, meditaron.

Luego, los dioses formaron una inmensa hoguera, contemplaron el fuego y los llamaron.

El Pequeño Dios Sifilítico tomó impulso y se tiró a las llamas. Resurgió enseguida después y se elevó, incandescente, en el cielo.

El Señor de los Caracoles miró la hoguera ardiente, el ceño fruncido. Avanzó, retrocedió, se detuvo, dio varias vueltas. Como no se decidía, exasperados, los dioses lo empujaron. Pero antes de que se elevara en el cielo, los dioses, furiosos, lo abofetearon y le pegaron en la cara con un conejo. De tanto pegarle, le retiraron su resplandor. Debido a esta pérdida, el arrogante Señor de los Caracoles se volvió la Luna. Las manchas de la Luna son las cicatrices de su castigo.

Pero el Sol resplandeciente no se movía.

El gavilán de obsidiana voló hacia el Pequeño Dios Sifilítico y le preguntó:
– ¿Por qué no te mueves?

Y respondió él, el menospreciado, el purulento, el jorobado, el cojo:
– Yo quiero la sangre y el reino.

Este quinto Sol, el Sol del Movimiento, iluminó a los toltecas e iluminó a los aztecas. Tenía garras y se alimentaba de corazones humanos.

Adaptado de http://www.americas-fr.com/es/civilizaciones/leyendas/sol.html

2.2 👤👥 **Vamos a analizar algunos elementos del texto. En él aparecen cinco conectores causales. ¿Puedes encontrarlos?**

2.2.1. 👤👥 **Estos conectores expresan la causa con matices específicos. Relaciona cada uno de ellos con lo que expresa.**

Función	Conector
1. Explica explícitamente la causa de algo. ➡	
2. Explica explícitamente la causa de algo (registro formal). ➡	
3. Presenta la causa con connotaciones negativas. ➡	
4. Presenta una situación previa como causa. ➡	
5. Presenta la causa de algo, preferentemente negativo, como resultado de una acción persistente. ➡	

2.2.2. 👥👥 **Existen otras maneras de expresar la causa. Relaciona las siguientes frases con su función, observando el conector que se utiliza.**

1 Explicar explícitamente la causa de algo. •

2 Presentar una información presumiblemente conocida. •

3 Presentar la situación previa, relación de causa y efecto. •

4 Presentar una explicación como pretexto. •

5 Presentar una información presumiblemente no conocida (posposición de la causal). •

6 Presentar la causa de algo mal aceptado. •

7 Presentar la causa de algo bien aceptado. •

8 Presentar la causa de algo como resultado de una acción persistente. •

9 Presentar la situación previa en una argumentación. •

10 Retomar un elemento de información (la causal es una reacción a algo previo). •

11 Presentar claramente como información nueva unos datos que ya están en el contexto. •

12 Presentar la causa para justificar una conclusión, opuesta a lo que se supone que son los deseos del interlocutor de algún problema, una contraargumentación. •

13 Justificar la orden que se ha dado. •

• **a** Ya que no quieres venir, nos iremos sin ti.

• **b** Gracias a que estabas asegurado, has podido arreglar el coche.

• **c** Me gustaría ir, lo que pasa es que me esperan.

• **d** Puesto que está enfermo, tendremos que pensar en un sustituto.

• **e** – ¿No te quedas?
  – Es que me esperan.

• **f** Si es que no la quieres, díselo.

• **g** Sucede que está enfermo; por eso, no lo esperéis.

• **h** Por culpa de esas palabras, María se ha ido disgustada.

• **i** Cierra la ventana que tengo frío.

• **j** No iremos por cuanto dijo el otro día.

• **k** De tanto protestar, han acabado echándolo.

• **l** En vista de que está tan mal el tráfico, iremos en metro.

• **m** Considerando que la ley no contempla ese hecho, el juez lo absolvió.

2.2.3. 👥👥 **Ahora, partiendo de tus reflexiones de la actividad anterior, ordena los conectores en el siguiente cuadro.**

Indicativo	Subjuntivo	Infinitivo	Sustantivo	Adjetivo
Es que				

2.3. 🧍 🎧 **Vas a escuchar a tres estudiantes hablando sobre leyendas de sus respectivas**
[37] **culturas que explican el origen del mundo.**

2.3.1. 🧍 ✏️ **¿Qué puntos en común podrías encontrar entre las tres interpretaciones?**

2.3.2. 👫 🗯️ **¿Qué han hecho estos tres estudiantes cuando no sabían cómo decir alguna palabra?**

2.3.3. 🧍 🗯️ **Escucha de nuevo y marca qué estrategia o estrategias ha usado cada uno de ellos. ¿Quién se hace entender antes y mejor?**

	indio	japonés	alemán
a. Intenta evitar ciertas palabras.	☐	☐	☐
b. Pide ayuda a sus interlocutores.	☐	☐	☐
c. Recurre a su lengua materna o a otra lengua y utiliza la palabra en alguna de ellas, o le da pronunciación en español o la traduce de forma literal.	☐	☐	☐
d. No recurre a otras lenguas conocidas y sustituye la palabra por otra, parafrasea o reestructura la frase.	☐	☐	☐
e. El alumno es perseverante y encuentra la palabra que necesita.	☐	☐	☐

2.3.4. 👥 🗯️ **Y tú, ¿cuál de las cinco estrategias anteriores utilizas cuando no sabes una palabra? ¿Has aprendido alguna nueva que te resulte especialmente útil?**

2.3.5. 👥 🗨️ **Seguramente en tu cultura también hay alguna leyenda sobre el origen del mundo. Prepara una presentación en clase. Recuerda que, si es necesario, puedes usar las estrategias de la actividad anterior.**

RECUERDA:
Una leyenda es una narración de sucesos imaginarios o fabulosos generalmente basados en hechos supuestamente reales que suele formar parte de la tradición oral o escrita de un lugar.

(Gran diccionario de uso del español actual, SGEL)

2.4. 🧍 📖 **A lo largo de este epígrafe has trabajado las diferentes explicaciones del mundo en las diferentes culturas, pero ¿has reflexionado sobre las causas de la aparición de estas creencias? Lee el siguiente texto.**

Las primeras formas de explicación se caracterizan por su antropomorfismo, al explicar los fenómenos sobre la base de acciones y propósitos de tipo humano. Se imaginan las fuerzas naturales como vivas, conscientes e intencionales. Es una explicación por analogía con la conducta humana. De este modo, los antiguos se sen-
5 tían cómodos y a salvo de lo desconocido. Pero lo importante es el papel explicativo que desempeña en las sociedades primitivas dando cohesión social a las mismas. Así se explicaría que ante el terror de las tormentas se atribuyera a un dios, el más poderoso, su poder para castigar y destruir dado que se desconoce la causa natural que lo produce, siendo sustituida por la imaginación poética del mito. El que lanza el rayo está enfadado y actúa con la intención de castigar por algo. Temor y desconocimiento. Los dioses se enfadan, odian, aman, son celosos, etc., igual que los humanos. De este modo, los mitos se acompañarán de ritos. En resumen,
10 se concibe la naturaleza por analogía con aquello de lo que tienen experiencia los seres humanos: sus propios motivos, reacciones, propósitos, deseos y temores, quedando así proyectados sobre ella. Los sucesos naturales se conciben como intencionados, adoptando la forma de una historia, de un relato mítico.

2.4.1. Extrae del texto las ideas que expresan la causa de la cosmogonía. ¿Qué finalidad tiene la aparición de estos mitos y leyendas?

Recuerda: Utiliza los conectores causales que has aprendido en este epígrafe.

3 Mitomanía

3.1. ¿Cuál es la diferencia entre mitología y mitomanía? Si analizas los componentes de estas palabras será más fácil entender la diferencia. Recuerda las palabras de origen grecolatino que has aprendido en la unidad 3.

3.1.1. ¿Qué rasgos personales caracterizan a un mitómano en la actualidad? ¿Era igual en la antigüedad?

3.2. ¿Qué te dicen los siguientes nombres: la Umita, Zapam-Zucum, los tinguiritas? Se trata de seres legendarios de Argentina. Lee el texto y subraya las frases que expresen finalidad.

La Umita

"Significa «cabecita», en quechua. Ser legendario de Argentina. Se le describe como una cabeza humana de larga y enmarañada cabellera que vaga sola en la noche, rodando por el suelo o volando a ras de él, y produciendo al desplazarse un ruido suave, como de trigal mecido por el viento. Suele aparecerse en los
5 caminos viejos y abandonados en ese momento en que está a punto de extinguirse la luz del día, y con el rostro bañado en lágrimas. Quiere siempre contar al viajero su aflicción, para salir de una situación angustiante, pero solo logra aterrorizarlo con su presencia.
10 A menudo, los aldeanos le dejan agua en un sitio apartado para que beba, pues sería la sed lo que la saca de su refugio, llevándola a merodear por los ranchos. El alba pone siempre fin a sus andanzas.

Zapam-Zucum

Personaje legendario de Argentina. La descripción más frecuente de la *Zapam-Zucum* corresponde a la de una mujer hermosa, de rasgos aindiados, en la plenitud de su juventud
15 y su feminidad. Aparece invariablemente desnuda, y sus características físicas más destacables son sus manos y sus pies, blancos como la nieve, y sus pechos descomunales, que agita al andar, produciendo el ruido onomatopéyico del que proviene su nombre indio. En la mayoría de las versiones se comporta como una aparición benévola, ya que suele acariciar y jugar con las guaguas (niños) que las mujeres dejan a la sombra de los algarrobos, con el fin de darles de mamar cuando tienen hambre. También se ocupa de mantener encendidos los
20 fuegos que los pastores dejan prendidos en sus campamentos, con el objeto de que los encuentren cuando regresan a sus majadas.

Los tinguiritas

Probablemente "importados" por alguna inmigración centroeuropea, se han sentado por la Pampa.
Los *tinguiritas* son amistosos con los humanos, aunque no desdeñan jugarles alguna mala pasada de tanto en
25 tanto, especialmente si el destinatario se la merece.
Son los hijos de la Tierra y, como tales, cuidan sus tesoros más valiosos como el agua de las profundidades de las rocas, que purifican antes de dejarla salir a la superficie, y las gemas y metales preciosos, que dosifican con cuidado de manera que los humanos no los encuentren.

Adaptado de http://www.temakel.com/index.htm

3.2.1. [icons] **Analiza los siguientes pares de frases, contesta a la pregunta y completa la reflexión que viene a continuación:**

(Estudio español por mi trabajo.)

———→ ¿La persona que dice esto tiene trabajo o no tiene trabajo?

(Estudio español para trabajar en Latinoamérica.)

———→ ¿La persona que dice esto tiene trabajo en Latinoamérica?

Los conectores de causa introducen informaciones previas anteriores, lógicamente, al suceso principal. En los conectores de finalidad, la información introducida por ellos es lógicamente posterior y, por tanto, futura.

3.2.2. [icons] **Coloca en el siguiente cuadro los conectores de finalidad que hayas encontrado en el texto anterior. Después, haz lo mismo con los que te ofrecemos a continuación.**

(por • con la intención de que • a • que • no vaya/fuera a ser que • a que • con la intención de • por que)

Conector	Intención del hablante	Registro	Estructura
(1) (2)	Uso general. El hablante transmite finalidad sin añadir matices.	Neutro	Infinitivo/sustantivo Subjuntivo
(3) (4)	Uso general. Indica la finalidad de un movimiento.	Neutro	Infinitivo Subjuntivo
Con vistas a Con el objeto de (5) Con el propósito de (6) Con vistas a que (7) A/Con el fin de que Con el propósito de que (8)	Indica claramente la intencionalidad de la acción principal.	Formal	Infinitivo Subjuntivo
(9)	Se indica la finalidad de una orden que se ha dado anteriormente.	Informal y propio de la lengua hablada	Subjuntivo
(10) (11)	Se expresa la finalidad con un matiz causal.	Informal	Infinitivo (en este caso, puede ser final o causal y es la colocación de la subordinada lo que ayuda a deshacer la ambigüedad) Subjuntivo
No sea/fuera que (12)	La finalidad del hablante es evitar un suceso posible que se entiende como amenaza.	Informal y propio de la lengua hablada	Subjuntivo
De forma que (13) De modo que	Se expresa finalidad con un matiz modal.	Neutro	Subjuntivo

Hay algunos verbos que se construyen con infinitivo aunque su sujeto sea distinto al del verbo principal. Por su significado se sobrentiende la existencia de dos sujetos: *designar, elegir, escoger, llamar, llevar, nombrar, proponer, reelegir, seleccionar, traer.*

Ejemplo: *Propusieron nombrar a un caballero como encargado de la expedición para aniquilar a la Umita.*

3.3. 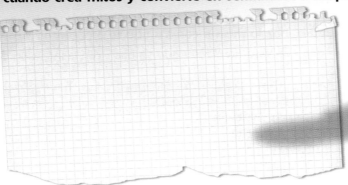 ¿Qué personajes míticos son famosos en la cultura de la que provienes? Descríbelos brevemente y di qué finalidad tienen.

> En España, por ejemplo, los niños creen en el coco. Un feo monstruo que lleva un saco con el propósito de raptar y luego comerse a los niños que no se duermen. Para que los niños se duerman, hay una canción popular que dice: "Duérmete, niño, duérmete ya, que viene el coco y te comerá...".

3.3.1. Escribe una redacción explicando qué fin persigue la sociedad cuando crea mitos y convierte en semidioses a simples mortales.

4 El mito gitano

4.1. Para García Lorca, (Prisma B2, unidad 5, pág. 77) la poesía fue siempre un arma contra la injusticia, y los gitanos eran para él el símbolo del inocente perseguido. En su libro de poemas el *Romancero gitano*, se propone dignificar su imagen, convertir al gitano en héroe poético, creando toda una mitología alrededor de la figura del gitano, sus pasiones y sufrimientos. Lee el siguiente romance titulado "Prendimiento de Antoñito el Camborio en el camino de Sevilla".

Antonio Torres Heredia,
hijo y nieto de Camborios,
con una vara de mimbre
va a Sevilla a ver los toros.
5 Moreno de verde luna
anda despacio y garboso.
Sus empavonados bucles
le brillan entre los ojos.
A la mitad del camino
10 cortó limones redondos,
y los fue tirando al agua
hasta que la puso de oro.
Y a la mitad del camino,
bajo las ramas de un olmo,
15 guardia civil caminera
lo llevó codo con codo.
El día se va despacio,
la tarde colgada a un hombro,
dando una larga torera
20 sobre el mar y los arroyos.
Las aceitunas aguardan
la noche de Capricornio,
y una corta brisa, ecuestre,
salta los montes de plomo.

25 Antonio Torres Heredia,
hijo y nieto de Camborios,
viene sin vara de mimbre
entre los cinco tricornios.

Antonio, ¿quién eres tú?
30 Si te llamaras Camborio,
hubieras hecho una fuente
de sangre con cinco chorros.
Ni tú eres hijo de nadie,
ni legítimo Camborio.
35 ¡Se acabaron los gitanos
que iban por el monte solos!
Están los viejos cuchillos
tiritando bajo el polvo.

A las nueve de la noche
40 lo llevan al calabozo,
mientras los guardias civiles
beben limonada todos.
Y a las nueve de la noche
le cierran el calabozo,
45 mientras el cielo reluce
como la grupa de un potro.

4.1.1. Analiza el poema y señala en el mismo referencias a:

◆ Procedencia familiar: ....

◆ Aspecto físico del protagonista e imagen que transmite: ....

◆ Los hechos que suceden: ....

◆ Tiempo y lugar en que suceden estos hechos: ....

◆ Descripción del paisaje: ....

◆ Personajes secundarios que se evocan: ....

4.1.2. Lee esta interpretación del romance y, después, con las referencias que has marcado antes, haz una narración de la historia en prosa.

Antonio Torres Heredia, el héroe gitano de Lorca, nos es presentado con gestos propios de un ser dotado de gran elegancia natural. No esconde sus señas de identidad, sino que aparece orgulloso de su nombre, sus apellidos y su linaje: la dinastía gitana de los Camborio. En el romance se cuenta cómo la guardia civil coge al gitano. El retrato del bello gitano se recorta sobre el fondo tranquilo de su caminar hacia Sevilla "a ver los toros". El lector une esos "limones redondos" que corta el gitano y va tirando al agua, con la limonada que beben los guardias civiles; ahí queda esa inmarcesible agua de oro antes de que llegue el prendimiento. El romance esencialmente cuenta, narra.

4.2. El pueblo gitano es un pueblo nómada que se desplaza y echa raíces en muchas partes del mundo. ¿Hay gitanos en tu país? ¿La imagen es similar a la que transmite Lorca? ¿Crees que hay hacia ellos una actitud discriminatoria? ¿Por qué?

4.2.1. Agustín Vega Cortés es el presidente de la Asociación Opinión Romaní, organización que se propone la defensa de los derechos constitucionales del pueblo gitano en España. En su estatuto de constitución de la Asociación comentó lo siguiente.
[38]

4.2.2. Di cuáles de estas afirmaciones se corresponden con la audición y cuáles no. Justifica tu respuesta.

	verdadero	falso
1. El pueblo gitano ha sobrevivido queriendo, ante todo, conservar su identidad y su cultura.	☐	☐
2. El pueblo gitano se ha sentido siempre comprendido ya que el resto de la gente se ha mostrado tolerante con su forma de vida y sus costumbres.	☐	☐
3. La cultura europea se ha venido enriqueciendo a lo largo de los años con las esencias del pueblo gitano.	☐	☐
4. Legalmente los gitanos tienen los mismos derechos que el resto de los ciudadanos españoles.	☐	☐
5. Nada ni nadie obstaculizan el desarrollo socio-económico del pueblo gitano.	☐	☐
6. Generalmente se tacha a los gitanos de delincuentes y conflictivos por lo que, en consecuencia, existe cierto reparo en vivir en zonas cercanas.	☐	☐
7. En la actualidad, podríamos decir que el pueblo gitano no sufre discriminación.	☐	☐
8. La realidad es que el pueblo gitano está formado por un colectivo de personas honradas y pacíficas.	☐	☐

4.2.3. Las palabras de Agustín Vega Cortés ¿te han hecho replantearte tus opiniones anteriores? ¿Coincide la situación que describe en España con la de tu país?

4.3. Sin embargo, en el aspecto cultural, la raza gitana ha aportado y aporta a España mitos incuestionables aun en nuestros días, como José Monge, Camarón de la Isla, cantaor flamenco, ya fallecido, que fue símbolo e imagen de dos pueblos: el gitano y el andaluz, profundamente enraizados. Lee la descripción que se hace de su arte.

De raza gitana, el cantaor flamenco nació en 1951, en San Fernando, Cádiz, y murió en 1992, a los 41 años de edad. A lo largo de su prolífica vida desarrolló un tipo de cante desgarrador e innovador, equiparable a una breve eternidad.

José Monge dominó todos los palos del cante flamenco y fue su mejor embajador en el mundo. Lo diseminó por todos los puertos y ciudades dejando presente su seña de identidad isleña y andaluza. El flamenco es parte de las entrañas de quien lo siente y lo traduce en notas musicales. Es un arte que viene anudado a la sangre del gitano, que solo con nacer calé ya tiene mucho aprendido. La voz unida a la guitarra conforma las expresiones auténticas de una raza que perdura rabiosamente viva desde hace siglos. Gracias a Camarón de la Isla, el flamenco se exporta en su estado más puro. El flamenco de José Monge es un trozo de alma aferrada a la garganta. Es un quejío de quien lo sufre, canta y comparte con los demás. Su arte sembró una revolución en el flamenco ortodoxo con el disco "La leyenda del tiempo" de 1978. Este gitano rubio fue bandera y símbolo del pueblo gitano y movilizó las masas hacia el flamenco como nadie ha conseguido en la historia.

Adaptado de http://www.aytosanfernando.org/la_ciudad/flamenco.htm

4.3.1. ¿Has oído cantar flamenco alguna vez? ¿Qué sentimientos te despierta el flamenco? ¿Lo consideras un arte?

5 El "gran estallido"

5.1. A lo largo de esta unidad, has visto el uso de la preposición *por* como expresión de causa, y el uso de la preposición *para* como expresión de la finalidad. Sin embargo, estas preposiciones pueden tener otras funciones. ¿Recuerdas alguna de ellas? Toma nota en el siguiente cuadro.

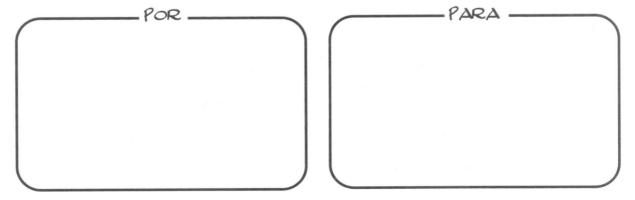

POR

PARA

5.1.1. 👤👥 A continuación te ofrecemos un cuadro con los diferentes usos de *por* y *para*. A cada uso le corresponde un ejemplo. Coloca cada uno en su lugar correspondiente, después de haber completado la frase con *por* o *para*.

Por	Para
1. Usos espaciales	**1. Usos espaciales**
a. Expresa el tránsito a través de un sitio, o el movimiento dentro de un sitio. ⬜	**ñ.** Se refiere al destino final (puede cambiar). ⬜
b. Canal físico por el que se efectúa un movimiento. ⬜	
c. Localización aproximada. ⬜	
2. Usos temporales	**2. Usos temporales**
d. Sitúa de manera aproximada con respecto a un momento/fecha. ⬜	**o.** Sitúa de manera precisa con respecto a un momento/fecha. ⬜
e. Expresa la duración provisional cuando se usa con marcadores de cantidad de tiempo. ⬜	**p.** Expresa el último plazo antes del que tiene que realizarse algo. ⬜
f. Para situar algún suceso en una de las partes del día. ⬜	
g. Expresa que algo se repite de manera habitual (frecuencia). ⬜	
3. Usos conceptuales	**3. Usos conceptuales**
h. Expresa la causa. ⬜	**q.** Expresa la finalidad posterior a una acción. ⬜
i. Expresa el objeto/destinatario de algún sentimiento, actitud o estado mental. ⬜	**r.** Expresa el destinatario o beneficiario posterior. ⬜
j. Expresa un pensamiento o una idea que provoca o hace surgir algo. ⬜	**s.** Relativiza, matiza o limita el alcance de algo. ⬜
k. Expresa el precio, dándole una connotación de intercambio. ⬜	**t.** Expresa la opinión. ⬜
l. Expresa que dos elementos son equivalentes, que uno puede sustituir al otro. ⬜	
m. Presenta algo que todavía está pendiente. ⬜	
n. Introduce el agente en la voz pasiva. ⬜	

1. Los aztecas hacían sacrificios humanos .... las noches.
2. .... Vicente Aranda, el mito de Carmen está lleno de incógnitas.
3. ¿Cuántas veces .... semana tienes clases particulares de japonés?
4. Este proyecto debe estar listo .... mañana.
5. Todavía me faltan muchas tarjetas .... relacionar.
6. ¿Habéis venido .... la M-30 o .... la M-40?
7. ¿No han dejado un sobre .... mí en recepción?
8. Siento mucha pena .... él. ¡Pobrecito!
9. Ha estudiado español .... dos meses y ya es capaz de mantener una conversación.
10. Contesta el teléfono .... mí, por favor, que estoy ocupada.
11. .... llevar solo 2 meses viviendo en Barcelona, te veo muy adaptado.
12. Esta teoría fue demostrada .... un científico búlgaro en 1793.
13. Antes de llegar a la escuela, camino .... el parque del Retiro.
14. Si mal no recuerdo, tú y yo nos conocimos allá .... el año 95, ¿no?
15. Algunas estaciones de metro están cerradas .... obras.
16. Estos ejercicios son .... que practiquéis el uso de las preposiciones.
17. Vamos .... la playa, ¿te animas?
18. Te pido que llegues temprano, hijo. Hazlo .... mí. Si tardas, me preocupo.
19. ¿Sabe si hay una sucursal del Banco del Mediterráneo .... aquí?
20. No tengo muchas cosas que hacer .... mañana, ¿salimos?
21. ¿Cuánto dices que has pagado .... ese cacharro?

LA TEORÍA DEL BIG BANG

Y EL ORIGEN DEL UNIVERSO

El Big Bang, literalmente "gran estallido", constituye el momento en que de la "nada" emerge toda la materia, es decir, el origen del Universo. La materia, hasta ese momento, es un punto de densidad infinita, que en un momento dado "explota" generando la expansión de la materia en todas las direcciones y creando lo que conocemos como nuestro Universo.

5 Inmediatamente después del momento de la "explosión", cada partícula de materia comenzó a alejarse muy rápidamente una de otra, de la misma manera que al inflar un globo, este va ocupando más espacio expandiendo su superficie. Los físicos teóricos han logrado reconstruir esta cronología de los hechos a partir de un 1/100 de segundo después del Big Bang. La materia lanzada en todas las direcciones por la explosión primordial está constituida exclusivamente por partículas elementales: electro-
10 nes, positrones, mesones, bariones, neutrinos, fotones y un largo etcétera hasta más de 89 partículas conocidas hoy en día.

En 1948, el físico ruso, nacionalizado estadounidense, George Gamow modificó la teoría de Lemaître del núcleo primordial. Gamow planteó que el Universo se creó en una explosión gigantesca y que los diversos elementos que hoy se observan se produjeron durante los primeros minutos después de la
15 Gran Explosión o Big Bang, cuando la temperatura extremadamente alta y la densidad del Universo fusionaron partículas subatómicas en los elementos químicos. Cálculos más recientes indican que el hidrógeno y el helio habrían sido los productos primarios del Big Bang, y los elementos más pesados se produjeron más tarde, dentro de las estrellas. Sin embargo, la teoría de Gamow proporciona una base para la comprensión de los primeros estadios del Universo y su posterior evolución. A causa de
20 su elevadísima densidad, la materia existente en los primeros momentos del Universo se expandió con rapidez. Al expandirse, el helio y el hidrógeno se enfriaron y se condensaron en estrellas y en galaxias. Esto explica la expansión del Universo y la base física de la ley de Hubble.

Según se expandía el Universo, la radiación residual del Big Bang continuó enfriándose, hasta llegar a una temperatura de unos 3 K (-270 °C). Estos vestigios de radiación de fondo de microondas fueron
25 detectados por los radioastrónomos en 1965, proporcionando así lo que la mayoría de los astrónomos considera la confirmación de la teoría del Big Bang.

Muchos de los trabajos habituales en cosmología teórica se centran en desarrollar una mejor comprensión de los procesos que deben haber dado lugar al Big Bang. La teoría inflacionaria, formulada en la década de 1980, resuelve dificultades importantes en el planteamiento original de Gamow al
30 incorporar avances recientes en la física de las partículas elementales. Estas teorías también han conducido a especulaciones tan osadas como la posibilidad de una infinidad de universos producidos de acuerdo con el modelo inflacionario. Sin embargo, la mayoría de los cosmólogos se preocupa más de localizar el paradero de la materia oscura, mientras que una minoría, encabezada por el sueco Hannes Alfvén, premio Nobel de Física, mantiene la idea de que no solo la gravedad, sino también los fenó-
35 menos del plasma tienen la clave para comprender la estructura y la evolución del Universo.

5.2.1. Este texto presenta características del lenguaje científico que lo diferencian de otros textos que has visto en este libro. Marca cuáles de las siguientes características de este tipo de lenguaje están presentes en el texto y da ejemplos.

Característica	Ejemplo(s)
☐ **1.** Existencia de extranjerismos.	
☐ **2.** Palabras que contienen un prefijo de origen griego o latino más una base.	
☐ **3.** Palabras que contienen una raíz y un sufijo griegos o latinos.	
☐ **4.** Palabras compuestas.	
☐ **5.** Siglas, símbolos y fórmulas.	
☐ **6.** Empleo de pronombres con alternancia de personales/impersonales (plural de modestia).	
☐ **7.** Mayor abundancia de la voz pasiva.	
☐ **8.** Predominio del tiempo verbal presente, generalmente con valor atemporal.	
☐ **9.** Conectores argumentantivos.	

Adaptado de Josefa Gómez de Enterría, "El lenguaje científico-técnico y sus aplicaciones didácticas", *Carabela 44.*

5.2.2. Al ser este un texto científico, seguramente has encontrado palabras cuyo significado desconoces. Haz una lista. ¿De cuáles de estas palabras puedes deducir su significado por el contexto y cuáles tienes necesariamente que consultar en un diccionario? Comenta tu respuesta con el resto de la clase.

5.3. [39] La estrategia de deducir el significado de una palabra a partir de su uso contextual te puede servir también para comprender expresiones idiomáticas. Vas a escuchar diferentes frases en las que aparecen expresiones idiomáticas con las preposiciones *por* y *para*. Anótalas.

1.	➤
2.	➤
3.	➤
4.	➤
5.	➤
6.	➤
7.	➤
8.	➤
9.	➤
10.	➤

5.3.1. Explica con tus propias palabras lo que significa cada una de las expresiones idiomáticas con *por/para* de la actividad anterior, deduciéndolo por el contexto. Luego, compara con el resto de la clase.

5.3.2. [icons] **Relaciona cada una de estas expresiones idiomáticas con *por* con su función.**

1 Por si las moscas/por si acaso. •	• **a** Expresa provisionalidad.
2 Por ahora. •	• **b** Introduce una información que el hablante se había olvidado o se iba a olvidar de dar.
3 Por cierto. •	• **c** Introduce una información que se opone a otra información.
4 Por poco. •	• **d** Señala que se ha producido algo esperado con impaciencia.
5 Por el contrario. •	• **e** Expresa una situación específica que se repite regularmente.
6 Por fin. •	• **f** Señala un límite mínimo.
7 Por último. •	• **g** Presenta una información que se considera incierta o sobre la cual no se quiere asumir ninguna responsabilidad.
8 Por lo general. •	• **h** Justifica algo dicho o hecho como precaución.
9 Por lo menos. •	• **i** Expresa algo que no llega/llegó a producirse.
10 Por lo visto. •	• **j** Se refiere al último elemento de una enumeración de una sucesión de hechos.

5.3.3. [icons] **Escribe frases contextualizando las expresiones anteriores según la función con la que las hayas relacionado.**

5.4. [icons] **Identifica si las siguientes opiniones están a favor o en contra de la teoría del Big Bang, y posiciónate.**

Algunos mitos y leyendas sobre la creación del mundo pueden parecer demasiado ingenuos a ojos de un ser humano del siglo XXI. Sin embargo, si los analizamos bien, ¿no resulta la teoría del Big Bang igual de ingenua? Un mayor conocimiento de las leyes físicas del universo ha permitido a los hombres tener más confianza en sus teorías, pero no les garantiza que las mismas sean acertadas; sobre todo cuando intentan explicar sucesos que tuvieron lugar hace millones de años.

De http://geocities.yahoo.com

Es cierto que en 1929 Edwin Hubble descubrió que el Universo estaba en expansión.
Es cierto que en 1965 Penzias y Wilson descubrieron la radiación de fondo (el "eco del Big Bang").
Pero creer que una determinada teoría, fábula o mito es la verdad definitiva es renunciar para siempre a aprender algo nuevo sobre el Mundo que nos rodea.

Pablo G. Ostrov

Los modelos cosmológicos son representaciones posibles del Universo que se expresan mediante ecuaciones matemáticas. La teoría del Big Bang es uno de ellos, el más aceptado por la comunidad científica. Desde su formulación, a finales de los años 40, hasta hoy, la teoría del Big Bang se ha ido manteniendo en la primera posición científica, por encima de cualquier otra opción cosmológica, a falta de un descubrimiento que la respaldara definitivamente. Ahora, después del satélite COBE, del Experimento de Tenerife o, más recientemente, del Proyecto Boomerang, entre otras investigaciones, ya casi nadie parece dudar de esta teoría.

http://usuarios.lycos.es/cienciaviva/revista

5.4.1. [icons] **Trabaja con un compañero que tenga la misma opinión sobre el Big Bang que tú. Tenéis que escribir un breve párrafo explicando vuestra posición y deberéis usar cinco expresiones idiomáticas con *por* de la actividad 5.3.2. Exponed vuestro trabajo al resto de la clase.**

Unidad 12
Las etapas de la vida

Madre, 1895, de Joaquín Sorolla

Contenidos funcionales
- Expresar la necesidad u obligación de hacer algo
- Expresar el inicio de una acción subrayando si el inicio es brusco e inesperado o no
- Expresar la duración de una acción señalando si esa duración es un proceso lento, continuado o que se interrumpe
- Expresar el final de una acción indicando cómo termina esa acción

Contenidos gramaticales
- Perífrasis de infinitivo menos comunes:
    - *Venir a*   - *Estar para*   - *Estar por*
    - *Echar (se) a*   - *Llegar a*   - *Darle a uno por*
    - *Quedar en*   - *Meterse a*
- Perífrasis de gerundio:
    - *Ir*   - *Venir*   - *Llevar*
    - *Quedar (se)/dejar* - *Salir*   - *Acabar*
    - *Andar*
- Perífrasis de participio:
    - *Dar por*   - *Llevar*   - *Andar*
    - *Quedar/dejar*   - *Tener*   - *Verse*

Contenidos léxicos
- Campo léxico relacionado con la salud (instituciones, etapas de la vida...)
- Léxico del español de América: Argentina

Contenidos culturales
- Avances médicos, cambios, obligaciones y derechos a lo largo de la Historia

Las etapas de la vida

1.1. 👤 📖 **Lee estos dos textos. El texto A es una fábula de Esopo y el texto B se refiere a la OMS.**

Antes de leer

1. ¿Qué sabes del autor, Esopo?
2. ¿Qué es una fábula?
3. ¿Qué te sugiere el título *Los años del hombre*?

Los años del hombre

Cuando Zeus inspiró vida al hombre, le dio una existencia corta. Pero este, valiéndose de su inteligencia, cuando llegó el invierno, se construyó una morada y allí vivió. Un día que llovía y hacía un frío intenso, el caballo, no pudiéndolo resistir, fue al galope a donde estaba el hombre y le pidió cobijo. Pero el hombre dijo que no lo haría a no ser que le diera una parte de sus años. El caballo accedió gustoso. No mucho después, se presentó el buey; tampoco él podía soportar el mal tiempo. De igual modo, el hombre le dijo que no le acogería a no ser que le diera un determinado número de sus años, él le dio una parte y fue acogido. Por último, llegó el perro, que se estaba muriendo de frío, y tras ceder una parte de su edad, consiguió abrigo. Y esto es lo que ocurrió a los hombres: hasta que llegan al tiempo que les marcó Zeus, son puros y buenos; cuando llegan a los años del caballo, son fanfarrones y altaneros; llegados a los años del buey, son lentos, y cuando cumplen la edad del perro, se hacen irascibles y gruñones.

Adaptado de
Fábulas de Esopo.

Antes de leer

1. ¿Qué es la OMS?
2. ¿Cuáles son sus competencias?
3. Define con tus palabras qué es la salud.

Acerca de la OMS

En 1948 se creó la Organización Mundial de la Salud (OMS), organismo de la ONU, con el objetivo de que todos los pueblos gocen del grado máximo de salud. A través de una asamblea, compuesta por representantes de los países miembros de la OMS, se aprueban los programas y presupuestos para el siguiente bienio. Todos los países que sean miembros de las Naciones Unidas pueden pertenecer a la OMS siempre que acaten su constitución. Otros países también pueden formar parte de la organización siempre que la Asamblea de la Salud lo apruebe a través de una votación.

La constitución de la OMS define la salud como "un estado de completo bienestar físico, mental y social, y no solamente la ausencia de afecciones o enfermedades".

Adaptado: http://www.who.int/about/es/

1.1.1. 👥 ✍ **Responde a estas preguntas:**

1. ¿Relacionarías las etapas de la vida del hombre con el caballo, el buey y el perro como hace Esopo? ¿Por qué?

2. ¿Cuáles son los adjetivos que utiliza Esopo para describir al hombre en sus distintas etapas? Si no estás de acuerdo con él, da los adjetivos que consideréis más apropiados para definir cada una de las etapas de la vida.

3. ¿Qué países pueden ser miembros de la OMS?

4. Contrasta tus definiciones de la salud con la definición que la OMS nos ofrece en el texto.

1.2. 👥 🗨 **Comenta con tu compañero qué sería una vida saludable en cada una de estas etapas del ser humano.**

INFANCIA JUVENTUD MADUREZ VEJEZ

Terapias alternativas 2

2.1. 👥 🗨 **Asocia las palabras que te damos a continuación con las terapias alternativas que les corresponden. ¿Qué sabes de ellas?**

1	Manzanilla •		• a	Shiatsu
2	Presión •		• b	Reflexología
3	Aguja •		• c	Fitoterapia
4	Pie •		• d	Aromaterapia
5	Esencia •		• e	Acupuntura

2.1.1. [icons] **[40]** **La medicina china y las terapias que la componen conforman una visión holística de la salud y de la enfermedad; se basan en la idea de que no se puede comprender solamente una parte, un síntoma, sino que dicho síntoma tiene que integrarse en la pauta corporal total del paciente. El sistema chino no es menos lógico que el occidental, simplemente es menos analítico, pero la finalidad es la misma: proporcionar un estado de bienestar físico, mental y social, y no solamente la ausencia de afecciones o enfermedades. Escucha este programa de radio donde varios expertos hablan sobre algunas de las terapias alternativas y toma notas.**

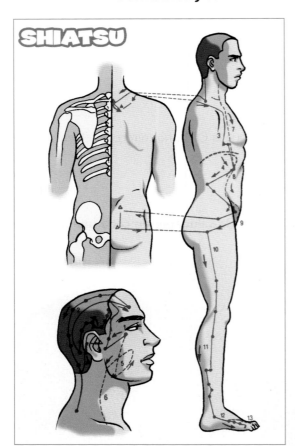

SHIATSU

1. Cabeza (cerebro)
2. Sinus
3. Cerebelo
4. Nariz
5. Nuca
6. Ojos
7. Orejas
8. Hombro
9. Tiroides
10. Pulmones-bronquios
11. Estómago
12. Duodeno
13. Hígado
14. Riñón
15. Vejiga
16. Intestino delgado
17. Ano
18. Corazón
19. Ovarios-Testículos
20. Rodilla

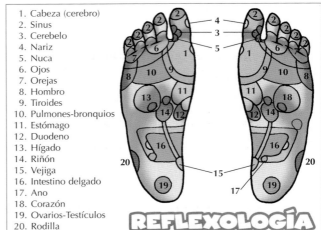

REFLEXOLOGÍA

Lavanda
Pino

FITOTERAPIA

MOXIBUSTIÓN

QI GONG

2.1.2. [icons] **¿Qué preguntas les formularías a cada uno estos expertos? Da tu opinión sobre las terapias descritas. ¿Tienes experiencia con alguna de ellas?**

2.2. [icon] [icon] Habrás observado que en las terapias alternativas aparecen continuamente referencias al cuerpo. El repertorio léxico del español guarda un espacio para las frases hechas que contienen partes del cuerpo. Lee las frases, agrupa las expresiones según a las partes del cuerpo a que correspondan y, luego, di qué significan.

	cabeza	tronco	extremidades
1. Traer de cabeza.	☐	☐	☐
2. Tener un morro que te/se lo pisas/pisa.	☐	☐	☐
3. Ser uña y carne.	☐	☐	☐
4. Hablar por los codos.	☐	☐	☐
5. Buscarle tres pies al gato.	☐	☐	☐
6. No tener ni pies ni cabeza.	☐	☐	☐
7. Lavarse las manos.	☐	☐	☐
8. Tener entre ceja y ceja.	☐	☐	☐
9. Tener mucha cara.	☐	☐	☐
10. Caérsele a alguien el alma a los pies.	☐	☐	☐
11. Rascarse la barriga.	☐	☐	☐
12. Meter en cintura.	☐	☐	☐
13. De pies a cabeza.	☐	☐	☐
14. No dar pie con bola.	☐	☐	☐
15. Creerse algo a pies juntillas.	☐	☐	☐
16. No tener ni un pelo de tonto.	☐	☐	☐
17. Estar hasta la coronilla/las narices/los huevos.	☐	☐	☐
18. Tener mano izquierda.	☐	☐	☐

2.2.1. [icon] [icon] ¿Has podido deducirlas todas? ¿Qué estrategias has utilizado? Márcalas en el siguiente cuadro. ¿Con qué dificultades te has encontrado?

◯ Buscar las palabras desconocidas en el diccionario.
◯ Conocer cada una de las palabras de las expresiones.
◯ Relacionarlas con expresiones de tu lengua.
◯ Relacionarlas con expresiones de otra lengua que conoces.
◯ Asociar los términos que aparecen en las expresiones por lo que describen físicamente, con el significado.
◯ Deducir según la parte del cuerpo a que corresponda.
◯ ....

2.2.2. [icon] [icon] ¿Puedes completar este cuadro?

> la asociación · palabras · no

Frase hecha: conjunto de [(1)_____] que se usa de forma fija, como las locuciones o los refranes. Los elementos que las componen pueden pertenecer a diferentes categorías gramaticales. Su sentido [(2)_____] está en lo que significan las palabras individualmente, sino en [(3)_____] de todas ellas.

2.2.3. **Asocia los siguientes ejemplos con alguna frase hecha de la actividad 2.2.**

1. Juan y Luis son *amigos de toda la vida, son inseparables.*
> Uña y carne.

2. En lo que respecta a ese tema, *no quiero tener ninguna responsabilidad.*
>

3. Ha cuidado su atuendo *con mucho esmero.*
>

4. Últimamente, esta situación *me preocupa mucho.*
>

5. ¡A estos niños hay que *educarlos bien, se portan fatal!*
>

6. Lo que nos contó Jaime el otro día es *totalmente absurdo.*
>

7. Me encanta este grupo que tengo de conversación porque *habla muchísimo.*
>

8. No le engañaron en el reparto de la herencia porque Andrés *es muy espabilado.*
>

9. El otro día quedamos para trabajar en el libro y Roberto *no hizo absolutamente nada.*
>

10. Cuando vi el desastre de las lluvias sobre mi cosecha, *me derrumbé.*
>

11. *¡Estamos hartos de esta situación!*
>

12. *Tiene tanta confianza en ella que se cree todo lo que le dice.*
>

13. *¡No puedo con él, realmente no lo aguanto!*
>

14. Este puesto de trabajo exige *habilidad y diplomacia.*
>

3 La infancia

3.1. **Observa esta imagen, ¿sabes quién es este personaje?, ¿quién fue su creador?**

Quino nace en Mendoza, Argentina, es un maestro de las tiras de prensa. En los diez años (1964-1974) que dibujó *Mafalda* desarrolló un estilo de dibujo y una maestría narrativa difícilmente superables. Quino es sobre todo un observador de su tiempo y de la naturaleza humana, hace un análisis crítico del mundo en que vive y, a través de sus historias y sus personajes, de todo lo bueno y lo malo que tenemos las personas. Mafalda es una niña que vive en Argentina a mediados de los 60 y principios de los 70. Esta niña tiene una familia y unos amigos que forman su pandilla. Va a la escuela y en verano, cuando le salen las cuentas a su papá, va de vacaciones. Le preocupa el mundo y no entiende cómo los adultos pueden llevarlo tan mal. A través de ella y su entorno, Quino reflexiona sobre la situación del mundo y las personas que en él vivimos. 1977: ilustra, a petición de UNICEF, la "Declaración de los Derechos del Niño". 1983: realiza dibujos de Mafalda para una campaña de odontólogos argentinos sobre higiene bucal. 1985: dibujos para propaganda de algunos programas de nutrición, sanidad y cultura del gobierno argentino.

3.2. Lee los diez principios de la Declaración de los Derechos del Niño, aprobada por la Asamblea General de las Naciones Unidas el 20 de noviembre de 1959.

DECLARACIÓN
DE LOS DERECHOS DEL NIÑO

Principio 1

El niño disfrutará de todos los derechos enunciados en esta Declaración sin distinción ni discriminación por cuestiones de raza, idioma, religión, origen u otra condición.

Principio 2

El niño gozará de protección para su desarrollo físico, mental y espiritual de una manera libre y digna.

Principio 3

El niño tiene derecho a un nombre y a una nacionalidad desde que nace.

Principio 4

El niño tendrá el beneficio de la seguridad médica y social que incluye la alimentación y vivienda para él y su madre en el periodo tanto prenatal como posnatal.

Principio 5

El niño con deficiencias físicas o psíquicas recibirá la educación y los cuidados especiales que su situación requiere.

Principio 6

Para el pleno desarrollo del niño, este ha de vivir al amparo y protección de sus padres en un ambiente de amor y seguridad. Si el niño es huérfano, la sociedad y las autoridades públicas están obligadas a proporcionarle la educación y el afecto necesarios para su desarrollo personal.

Principio 7

El niño tiene derecho a recibir una educación gratuita y obligatoria. La educación y orientación del niño incumben en primer lugar a sus padres y, después, a las autoridades públicas competentes. Asimismo, el niño debe disfrutar de juegos y recreos que garanticen una educación completa.

Principio 8

El niño, bajo cualquier circunstancia, será de los primeros en recibir protección y socorro.

Principio 9

El niño debe ser protegido de cualquier forma o tipo de explotación que impida su pleno desarrollo físico, mental y moral. En ningún caso se permitirá que el niño trabaje antes de una edad mínima adecuada.

Principio 10

El niño ha de estar protegido contra la discriminación de toda índole y tiene que ser educado en la comprensión y tolerancia entre los pueblos.

3.2.1. De los derechos que acabas de leer, ¿cuáles te parecen fundamentales? Los niños son el futuro del mundo. Desde esta perspectiva, la consideración del niño en España ha pasado del "cuando seas padre, comerás huevos" a "ser el rey de la casa". Aspectos que antes se consideraban secundarios como el juego o los estudios, en especial tratándose de niñas, han adquirido una importancia de primer orden en la educación de los niños. ¿Qué consideración tienen los niños en tu país? ¿Qué aspectos de su educación se consideran prioritarios?

3.3. Felipe Casado lleva trabajando en Aldeas Infantiles SOS España desde el año 1991. Lee el artículo que aparece en la revista *Aldeas* donde nos cuenta su experiencia.

Aldeas Infantiles SOS se configura como una obra social de carácter privado e independiente de toda orientación política o confesional. Su labor consiste en ofrecer una familia, un hogar estable y una sólida preparación para enfrentarse a la vida de los niños en situación de desamparo, sin distinción de raza, credo o nacionalidad. Está presente en 130 países y atiende en la actualidad a más de 200 000 niños y jóvenes que necesitan apoyo social.

Comencé a colaborar en Aldeas Infantiles SOS España en el año 1991. La labor de esta organización fue iniciada por Hermann Gmeiner en Austria, allá por el año 1949. La iniciativa nació para dar respuesta a una situación peculiar de desamparo en la infancia como consecuencia de la II Guerra Mundial.

*Desde mi actual responsabilidad como director del Departamento de Infancia y Juventud me honra la tarea de velar por el bienestar de los menores que la Organización **tiene acogidos** y acompañar su camino hasta su emancipación. Es mi compromiso con la infancia vulnerable, con los que son fruto de la injusticia social. Viajo con frecuencia a las aldeas infantiles, visito los hogares donde viven los niños y hablo con ellos y sus educadores, pretendo hacerme eco de sus preocupaciones, de sus deseos; conocer sus necesidades y hablar de su futuro. Estar lo suficientemente cerca de ellos para poder escuchar su voz, y lo suficientemente alejado*

*para que esa voz tenga resonancia. Compartir lo cotidiano como una herramienta pedagógica que haga posible olvidar los resentimientos. **He ido aprendiendo** con ellos que cada vida es única, irrepetible, merecedora de ser vivida y que, por mucho que sea el daño recibido, siempre es posible empezar de nuevo.*

Si pudiera elegir tres palabras para expresar aquello que hago, diría: acepto, respeto y quiero. Acepto su historia, no siempre es fácil hacerlo; respeto sus desórdenes y silencios, a pesar de no entenderlos muchas veces; y los quiero.

*Creo que hoy ya no sería capaz de hacer otro "trabajo". **Me doy por satisfecho** al ver cómo crecen y esto me devuelve cada día la ilusión por seguir, enterrar las incoherencias y buscar en su inocencia el remedio a todas las injusticias vividas en sus pocos años.*

3.3.1. ¿Qué satisfacciones encuentra Felipe Casado en este tipo de trabajo? ¿Crees que estas organizaciones dedicadas a la infancia resultan efectivas?

3.3.2. Fíjate en las estructuras de estas frases sacadas del texto anterior. Di a qué categoría gramatical pertenece cada uno de sus elementos.

1. Comencé a colaborar en Aldeas Infantiles SOS España en el año 1991.

Verbo *comenzar* (pret. indefinido) + preposición *A* + Infinitivo

2. [...] la tarea de velar por el bienestar de los menores que la Organización tiene acogidos [...]

3. He ido aprendiendo con ellos que cada vida es única [...]

4. Me doy por satisfecho al ver cómo crecen [...]

Estas construcciones reciben el nombre de

Las (1)[_____] son expresiones compuestas por un (2)[_____] en forma personal que ha experimentado alguna alteración en su significado, seguido de un infinitivo, (3)[_____] o (4)[_____] que son los encargados de aportar el contenido semántico. La clave, en cualquier caso, en las perífrasis es la percepción de una unidad entre ambos verbos.

Ejemplo: *Llevo escritas 30 páginas del artículo.*

En el ejemplo, el verbo (5)[_____] es el que aporta el significado, mientras que (6)[_____] expresa una acción continuada y, con frecuencia, interrumpida. Su combinación con el participio del verbo segundo *(escribir)* permite contemplar el resultado de la acción: un objeto directo *(30 páginas)* surgido por la acumulación de los momentos en los que se ha realizado la acción hasta el momento de la enunciación. El resultado de la acción no es el definitivo puesto que puede continuar.

3.4. 🧑 🎧 [41] **El doctor Pedro Cosmes desarrolla su profesión en el departamento de alergología del hospital español Virgen de la Vega en Plasencia (Cáceres). Uno de los sectores de población más afectado por las alergias es el de los niños. Decide si las siguientes afirmaciones son verdaderas o falsas. Después, comprueba tus respuestas escuchando la entrevista.**

	verdadero	falso
a. El problema de las alergias se recrudece especialmente en el otoño.	☐	☐
b. El sector de población más afectado por este problema es la gente joven.	☐	☐
c. La falta de higiene incide muy negativamente en las alergias.	☐	☐
d. No existen razones genéticas para padecer alergias.	☐	☐
e. Con nuevos fármacos se irán paliando con más efectividad los síntomas de las alergias.	☐	☐

3.4.1. 🧑 ✎ **Vuelve a escuchar la entrevista y anota las perífrasis que oigas.**

3.4.2. 🧑 👥 **Fíjate en el siguiente cuadro y coloca, primero, las perífrasis que hayas seleccionado de la audición y, después, las que te proporcionamos en el lugar correspondiente según su significado. Si conoces más, añádelas. Escribe un ejemplo para cada una de ellas.**

1. Incoativas: indican una acción que empieza a desarrollarse.
Ejemplo: *echarse a* + infinitivo
El niño, al ver que su madre se iba, se echó a llorar.

2. Terminativas: indican una acción acabada.

3. Obligativas: expresan el deber de realizar una acción.

4. Aproximativas: indican un acercamiento a la acción.

5. Durativas: expresan el tiempo de desarrollo de una acción.

6. Acumulativas: indican el resultado de una acción, expresando la cantidad de lo que se ha realizado.

7. Reiterativas: indican la repetición de una acción.

• *Meterse a* + infinitivo
• *Llegar a* + infinitivo
• *Deber* + infinitivo
• *Venir a* + infinitivo
• *Ir* + gerundio
• *Llevar* + participio
• *Acabar de* + infinitivo
• *Acabar por* + infinitivo
• *Haber de* + infinitivo
• *Volver a* + infinitivo
• *Andar* + gerundio
• *Dar por* + participio

3.5. 🧑 ✎ **Escribe un texto sobre alguna experiencia personal o de alguien que conozcas en trabajo social. Incorpora a tu escrito algunas de las perífrasis estudiadas hasta el momento.**

4 La edad adulta

4.1. ¿Cuándo consideras que una persona entra en la edad adulta? ¿En qué etapa de la vida una persona se realiza más profesionalmente?

4.2. Lee la siguiente información.

MIR (Médico Interno Residente)

Para trabajar en el Sistema Nacional de Salud español es necesaria la posesión del título de médico especialista. La única vía de acceso para los médicos licenciados después de 1995 es realizar un periodo de formación mediante el sistema de residencia, después de haber superado una oposición estatal muy dura. La duración de este periodo oscila entre tres y cinco años, que con los seis de licenciatura suman entre nueve y once años. Este sistema MIR español (prueba de acceso y periodo de formación) goza de un incuestionable prestigio tanto dentro como fuera de España. Los médicos españoles vía MIR son valorados en cualquier país con mérito preferente para trabajar. En conclusión, se trata de un sistema que garantiza una excelente formación.

Texto adaptado de *La Vanguardia*

MSF (Médicos Sin Fronteras)

Es una organización médica internacional de acción humanitaria que aporta su ayuda a las víctimas de catástrofes de origen natural o humano y de conflictos armados, sin ninguna discriminación de raza, sexo, religión, filosofía o política. MSF tiene su origen en 1971, en Francia, donde coincidieron un grupo de médicos testigos del genocidio ocurrido en Nigeria en 1968 y otro grupo recién llegado de socorrer a las víctimas de las inundaciones que asolaron Bangladesh en 1970; cuenta con sedes en 18 países, está presente en más de 80 y envía cada año a los diferentes escenarios de crisis a más de 3000 profesionales de 45 nacionalidades.

Texto adaptado de www.msf.es

Clínica Tequin

La clínica *Tequin* es un centro privado de salud integral cuyo objetivo es la atención personalizada con la ayuda de la tecnología más avanzada en cada una de las áreas de atención al paciente. Nuestro equipo médico (más de 2500 profesionales, entre ellos 500 especialistas) garantiza una atención sanitaria integral. Entrar a formar parte de nuestro equipo médico constituye, sin lugar a dudas, la mejor salida profesional del momento. Más de 300 proyectos de investigación se están desarrollando en la actualidad tanto en nuestro país como en EE. UU., lugar donde se encuentra la compañía propietaria de *Tequin*.

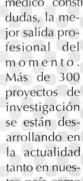

4.2.1. Sois tres médicos jóvenes recién licenciados y recibís las siguientes ofertas de trabajo. Tenéis que negociar y decidiros por un único destino (los tres haréis lo mismo). Anotad las ventajas y desventajas de cada una de las opciones.

☐ a. Realizar el MIR.

☐ b. Viajar a un país del Tercer Mundo donde la ayuda es urgente.

☐ c. Entrar en una de las mejores clínicas privadas del país.

4.3. [42] Muchos médicos españoles aspiran a trabajar en la medicina pública, no solo por la seguridad del puesto de trabajo, sino también porque cuenta con los mejores avances tecnológicos. Sin embargo, la medicina pública también tiene sus desventajas. Escucha, ahora, la conversación que tienen un grupo de médicos y escribe un resumen sobre la situación laboral de cada uno de ellos. ¿Coinciden sus problemas con los que vosotros habéis señalado en 4.2.1.?

4.4. 〔👤〕〔📖〕 **Lee esta carta de protesta sobre la atención sanitaria al director de un periódico.**

Lo que tienes es gripe

Quiero manifestar mi indignación por el trato recibido y la falta de profesionalidad por parte del personal sani-
5 tario de un hospital público de Barcelona. Durante el mes de diciembre he tenido que pasar dos veces por el servicio de urgencias de
10 urología del hospital. La primera vez me **acabaron diagnosticando** una apendicitis de la que, por no haber hecho a tiempo una ecogra-
15 fía, fui operado de urgencias con el diagnóstico de apéndice perforado.

Al cabo de quince días me **vi obligado** a volver porque
20 me encontraba mal y tenía 38 y medio de fiebre. Llegué a las 23h y me enviaron a casa a las 7 de la mañana, diciéndome que lo mío era gripe.
25 Dos días después volví, esta vez en ambulancia, con 39 de fiebre y grandes dolores abdominales. Resultado: diez días ingresado, de los cuales
30 pasé los tres primeros en una camilla de urgencias. El espectáculo en urgencias es patético y te hace sentir impotente. Las camillas lle-
35 nan las salas y los pasillos, el hospital está saturado.

Una vez en planta, **estuve** tres días **esperando** que me hicieran un TAC (Tomografía
40 Axial Computarizada). Creo que el coste de una o dos radiografías y un TAC es muy inferior a lo que supone tener a un paciente ingresa-
45 do, sin entrar a valorar el riesgo que se le hace correr al enfermo. Es inadmisible esta situación por la que he pasado. ¿Dónde está la
50 causa de tanto descontrol?
Jordi Pérez

Contra el cierre de

Estoy contra el ci

Texto adaptado de *La Vanguardia*, sección Cartas al director.

4.5. 〔👥〕〔🗣〕 **En la audición y en el texto anterior, aparecen las siguientes perífrasis verbales. Especifica el matiz de cada una de ellas. Puedes volver a consultar el punto 3.4.2.**

1. Estamos por convocar: ....
2. Me harto de hacer: ....
3. Dais por hecho: ....
4. Tendrías que venir: ....
5. Empezó a ponerse: ....
6. Se pusieron a gritar y a discutir: ....
7. Acabaron diagnosticando: ....
8. Me vi obligado: ....
9. Estuve esperando: ....

Recuerda que una perífrasis se utiliza para señalar características de la acción verbal que no puedan expresarse mediante las formas simples y compuestas con el verbo *haber*, es, por tanto, una estructura formada por un verbo en forma personal, que funciona como un auxiliar, seguido de un infinitivo, gerundio o participio (que aportan lo esencial de la significación).

4.5.1. 〔👤〕〔✏️〕 **Ahora escribe una carta de protesta sobre alguna experiencia similar que te haya afectado personalmente o a alguien cercano a ti. Te indicamos algunos exponentes de protesta que puedes utilizar en tu carta. Hay una condición: tienes que usar, al menos, cinco perífrasis verbales.**

Estar indignado/a con...
Estar totalmente convencido/a de...
Por no citar más que un caso...
Resultarle a uno difícil de admitir que...
Por un lado sí... aunque por otro...
Quiero que quede bien claro que...
Y que conste que...

4.6. 👤 📀 **Lee los síntomas que aparecen a continuación y trata de averiguar a qué patología nos referimos.**

★ Preocupación desmesurada.

★ Taquicardias, ahogos.

★ Trastornos alimentarios y digestivos.

★ Temblores, sudores repentinos.

★ Sensación de muerte inminente.

★ Miedo a perder el control mental.

★ Trastornos del sueño.

La [_____] está detrás del 25% de las primeras visitas al médico y, aunque ciertas personas tengan una predisposición biológica a sufrirla, el ritmo de vida actual favorece en gran medida su proliferación.

4.6.1. 👥 💬(BLA) **¿A qué etapa de la vida afecta más esta patología? ¿Qué causas o factores crees que pueden desencadenarla?**

4.6.2. 👤 📀 **Lee el texto y comprueba si tus suposiciones son ciertas.**

La ansiedad patológica es el desequilibrio mental más frecuente. Los psiquiatras calculan que afecta a una de cada cinco personas a lo largo de su vida. Todas las personas sufren un
5 cierto grado de ansiedad al enfrentarse a su existencia y a sus emociones. El problema se produce cuando esa angustia supera los límites y se convierte en patología. En el pasado se creía que esta "enfermedad" afectaba más a la
10 mujer que al varón, creencia que han desmentido los especialistas al comprobar que afecta a los dos sexos por igual, pero son los hombres los más reacios a reconocer el problema y acudir al médico. En la edad adulta, la ansiedad
15 puede aparecer como generalizada o en crisis de angustia o pánico y suele venir acompañada de síntomas somáticos (trastornos digestivos, sudoración, problemas musculares...) y psicológicos (obsesiones, miedo a una muerte
20 inminente...). El aumento de casos lo atribuyen los especialistas a factores psicosociales que favorecen el trastorno: situaciones sociales y familiares desestructuradas, ausencia de ideología, cambios de vida. En inmigrantes, la
25 ansiedad se va conociendo como el síndrome de Ulises, que viene provocado por un cambio radical de vida en la persona y una situación económica y social precaria e incierta.

Texto adaptado de La Vanguardia.

4.6.3. 👤 ✏️ **¿Cómo es el ritmo de vida en tu ciudad, país...? ¿Crees que la ansiedad se ha convertido ya en una patología frecuente o todavía estás a salvo? Siguiendo el modelo que te hemos presentado en el punto 4.6.2., escribe un breve artículo dando cuenta de la situación en tu país.**

5 La vejez

5.1. 👥 💬(BLA) **Lee esta tira cómica y teniendo en cuenta la definición de la OMS sobre la salud presente en toda la unidad como *"un estado de completo bienestar físico, mental y social, y no solamente la ausencia de afecciones o enfermedades"*, di qué se encuentra el anciano al traspasar la puerta.**

POR FAVOR, JOVEN... ¿HAY SALIDA AL FUTURO?

CONTINÚA ·····┊·

5.2. La Organización de las Naciones Unidas (ONU) reconoce en la Declaración Universal de Derechos Humanos, entre otros, los siguientes principios a favor de las personas de edad avanzada.

- Las personas de edad tienen derecho a alimentación, agua, vivienda, ropa y atención sanitaria adecuadas.
- Las personas de edad podrán participar activamente en la formulación y aplicación de leyes que afecten a su bienestar.
- Las personas de edad podrán crear movimientos o asociaciones de personas de edad avanzada.
- Las personas de edad dispondrán de acceso a servicios sociales y jurídicos que les aseguren protección y cuidado.
- Las personas de edad tienen el derecho de vivir con dignidad y seguridad y verse libres de malos tratos físicos o mentales.
- Las personas de edad podrán acceder a programas educativos y de formación.
- Las personas de edad deberán tener la oportunidad de prestar servicio a la comunidad y de trabajar como voluntarios de acuerdo a su capacidad.
- Las personas de edad disfrutarán de sus derechos fundamentales, respetando plenamente sus necesidades, creencias e intimidad cuando residan en instituciones de atención o tratamiento.
- Las personas de edad podrán residir en su propio domicilio tanto tiempo como sea posible.
- Las personas de edad tienen derecho a trabajar y recibir remuneración adecuada a su labor.

5.2.1. Clasifica estos principios de acuerdo al orden de prioridad que te parezca más importante. Después, discútelo con tus compañeros.

5.2.2. ¿Creéis que la lista de principios que aparece en el punto 5.2. está incompleta? Elaborad los derechos que pensáis que faltan.

5.3. La historia tiene como protagonista a una persona de edad avanzada. Este es el final de la historia. ¿Coincide con vuestras suposiciones? ¿Te parece realista esta visión de la tercera edad?

Adaptado de Quino

5.3.1. Fíjate en esta frase: *El señor anda arrastrando los pies*. ¿Es una perífrasis verbal? Justifica tu respuesta.

No todos los complejos verbales constituidos por un verbo seguido de infinitivo, gerundio o participio son perífrasis. En la oración "El señor **anda arrastrando** los pies", el verbo ***andar*** funciona con plenitud semántica también; y el gerundio ***arrastrando*** lo complementa expresando el "modo como anda".

Hay ocasiones en que puede resultar ambiguo: "**Anda imaginando** fantasías", ¿imagina fantasías mientras anda?, o ¿se pasa el tiempo imaginando fantasías sin andar?

5.3.2. De la lista que os damos a continuación, señala, razonando la respuesta, cuáles de estas frases son perífrasis, cuáles no y cuáles pueden ser ambiguas de acuerdo con la información del cuadro anterior.

	Sí	No	Ambigua
1. Llevo gastados los zapatos.	☐	☐	☐
2. La gente se puso a bailar desenfrenadamente.	☐	☐	☐
3. Tengo hechas las actividades.	☐	☐	☐
4. Tengo hechos polvo los pies.	☐	☐	☐
5. Se echó a dormir en la tumbona.	☐	☐	☐
6. Acabo de hablar por teléfono con el director.	☐	☐	☐
7. Ven a ver el mar desde aquí.	☐	☐	☐
8. Iba a salir cuando sonó el teléfono.	☐	☐	☐
9. Iba andando hacia su casa cuando me lo encontré.	☐	☐	☐
10. ¿Cuándo acabarás de escribir el libro?	☐	☐	☐

5.4. El cine argentino de los últimos años ha alcanzado una calidad que ha traspasado sus fronteras. Después de la dictadura militar, surgieron numerosas películas que hablaban sobre el horror de los desaparecidos. Después, se han ido diversificando los temas, y, a pesar de la crisis económica, se han seguido produciendo excelentes obras. Entre ellas, destaca *El hijo de la novia*. Aquí tienes su ficha técnica y una sinopsis de su argumento.

CONTINÚA ⋯⋯

Dirección: Juan José Campanella.
País: Argentina.
Año: 2001.
Duración: 124 min.
Interpretación: Ricardo Darín (Rafael Balverde), Héctor Alterio (Nino Balverde), Norma Aleandro (Norma Balverde), Eduardo Blanco (Juan Carlos), Natalia Verbeke (Naty), Gimena Nóbile (Vicky), David Masajnik (Nacho), Claudia Fontán (Sandra), Atilio Pozzobón (Francesco), Salo Pasik (Daniel), Humberto Serrano (Padre Mario), Fabián Arenillas (Sciacalli).
Guion: Juan José Campanella y Fernando Castets.
Producción general: Adrián Suar.
Música: Ángel Illaramendi.
Fotografía: Daniel Shulman.
Montaje: Camilo Antolini.
Dirección artística: Mercedes Alfonsín.
Vestuario: Cecilia Monti.
Decorados: Pablo Racioppi.

SINOPSIS:

Rafael Balverde (Ricardo Darín) no está conforme con la vida que lleva. No puede conectarse con sus cosas, con su gente, nunca tiene tiempo. No tiene ideales, vive metido a tope en el restaurante fundado por su padre (Héctor Alterio); carga con un divorcio, no se ha tomado el tiempo suficiente para ver crecer a su hija Vicky (Gimena Nóbile), no tiene amigos y prefiere eludir un mayor compromiso con su novia (Natalia Verbeke). Además, hace más de un año que no visita a su madre (Norma Aleandro) que sufre de mal de Alzheimer y está internada en un geriátrico. Rafael solo quiere que lo dejen en paz. Pero una serie de acontecimientos inesperados obligará a Rafael a replantearse su situación. Y en el camino, le ofrecerá apoyo a su padre para cumplir el viejo sueño de su madre: casarse por la iglesia.

www.labutaca.net/films/5/elhijodelanovia.htm

5.4.1. 👤 🎧 **Ahora, vas a escuchar un diálogo correspondiente**
[43] **a la película. En este fragmento, padre e hijo mantienen diferentes posturas ante la enfermedad de Norma. El Alzheimer es una enfermedad que afecta a la memoria y que cada vez está más extendida entre las personas mayores. Describe la actitud de cada uno de los personajes ante la enfermedad. ¿Ayudarías al padre a preparar la boda o intentarías disuadirle con más argumentos?**

5.4.2. 👥 ✏️ **Lee el diálogo transcrito a continuación y subraya las palabras y expresiones que crees que pertenecen al habla de Argentina. Después, clasifícalas en alguna de estas tres columnas, comparándolas con el español peninsular.**

Padre: Hace varios días que vengo pensando. A mí... Esto de mami... Estoy como estancado en casa. El día se me hace largo y... Bueh... Yo quiero empezar un ciclo nuevo.

Rafael: Muy bien. Me parece fantástico, papi. Salí, tenés que salir, encontrarte con tus amigos, traerlos acá. Date todos los gustos, pa.

Padre: Yo, a mami le di todos los gustos, ¿eh?   5

Rafael: Más que eso. (Ummm) decía "tal vestidito me gusta" y a la noche, paganini, pumba, el vestidito estaba en casa.

Padre: Y... es que me gustaba verla contenta. Esa sonrisa que tenía. ¡Ojo! Que ella también hizo sacrificios por mí. Cosa que muy bien, que para mí eso de casarse por la iglesia es una cuestión de principios. Qué querés que le haga. Yo siempre pensé mucho en eso.   10 Imaginate, una chica de barrio. Su sueño dorado, ¿cuál es? Casarse de blanco, ¿no? Con las flores y todo el circo ese. Y por respeto a mis ideas no lo hicimos. Así, ella también hizo sacrificios por mí.

Rafael: Bueno, los dos siempre se quisieron mucho. Yo creo que vos no tenés nada de qué arrepentirte.   15

Padre: Mirá, Rafa. Yo tengo una platita ahorrada, no mucha. Y con mami siempre tuvimos la idea de hacer un viaje largo por Italia, visitar mi pueblo... y la verdad que ahora, con esa plata...

Rafael: ¿Y por qué no vas vos? Hacelo vos, andate a Italia, dale, ¿eh? Por lo del geriátrico no te preocupes, lo pago yo, hacete ese viaje, papá.

Padre: ¡No! Qué viaje, qué viaje. Quiero usar esa plata para casarme con Norma por la iglesia.   20 Como regalo de cumpleaños. Mejor que un osito, ¿eh?

Rafael: ¿Y ese es tu ciclo nuevo? Tus ideales, tus principios... ¿Qué pasó? Es una locura, papi. No le podemos hacer pasar a ella por todo ese despelote.

Padre: Se va a poner contenta, es el único gusto que no le di.

Rafael: No se va a dar cuenta, papá. No se va a dar cuenta. Es así, es una enfermedad de mier-   25 da, pero es así. No se acuerdan. Dentro de poco ni se va a acordar de nosotros.

Padre: Algo se va a dar cuenta. Aunque sea un poquito, algo se va a dar cuenta. Y para mí con eso, ya...

Rafael: Te diste manija, papi. No sé, con lo del cumpleaños. Te diste manija. Pensalo en frío maña-na.   30

Padre: Lo que te estoy pidiendo es que me ayudes, Rafa. Es una cosa que yo no puedo hacerla solo.

Rafael: Pero es que no le va a hacer bien a ella, papi. Dejale que descanse ya, dale. Andá, hacé ese viaje, hacelo. Vas a volver hecho un pibe, haceme caso.

Cambio de colocación del acento prosódico	Formas verbales y pronominales	Léxico

Revisión (2)
Relatos finales

Minotauro vencido, 1933, Picasso

Contenidos funcionales
- Transmitir informaciones teniendo en cuenta diferentes elementos pragmáticos
- Justificar una opinión con argumentos de peso o autoridad
- Expresión general de la condición
- Expresar la posibilidad y la probabilidad
- Expresar sensaciones
- Expresar la causa

Contenidos gramaticales
- La expresión de probabilidad con futuro y condicional
- Oraciones y conjunciones condicionales
- Conectores causales y finales
- Usos de *por* y *para*
- Discurso referido
- Oraciones de relativo
- El adjetivo calificativo: especificativo/explicativo
- Perífrasis de infinitivo, gerundio y participio

Contenidos léxicos
- Lenguaje relacionado con mitos y leyendas
- Expresiones idiomáticas con *por* y *para*
- Lenguaje económico

Contenidos culturales
- Mitología
- Jorge Luis Borges

1 La casa de Asterión

1.1. Mira estas fotografías, descríbelas e imagina qué relación existe entre ellas. Entre todos, haced una historia en la que se incluyan todos los elementos.

1.2. Comprueba ahora si la historia que habéis construido tiene alguna relación con el mito.

En compensación por la muerte de Androgeo, Minos ordenó que los atenienses enviaran a siete muchachos y siete **doncellas** cada nueve años –es decir a la terminación de cada Gran Año– al Laberinto de Creta, donde esperaba el Minotauro para devorarlos. Este Minotauro, que se llamaba Asterio, o Asterión, era el monstruo con cabeza de toro que Pasífae había tenido con el toro blanco. Poco después de la lle-
5 gada de Teseo a Atenas, venció la fecha del tributo por tercera vez, y sintió tanta lástima por los padres cuyos hijos podían ser elegidos por sorteo que él mismo se ofreció como una de las víctimas, a pesar de las fervorosas tentativas que hizo Egeo para **disuadir**le.

Así pues, Teseo y sus compañeros embarcaron rumbo a la isla, a la que llegaron días más tarde.

Afrodita había acompañado ciertamente a Teseo, ya que la hija de Minos, Ariadna, se enamoró de él
10 a primera vista. "Te ayudaré a matar a mi hermanastro, el Minotauro –le prometió en secreto–, si puedo volver a Atenas contigo como tu esposa." Teseo aceptó de buena gana ese ofrecimiento y le prometió casarse con ella. Ahora bien, Dédalo, antes de salir de Creta, había dado a Ariadna un ovillo de hilo mági-co y le dio instrucciones sobre la manera de entrar y salir del Laberinto. Debía abrir la puerta de entrada y atar al **dintel** el extremo suelto del hilo; el ovillo iría desenredándose y disminuyendo a medida que
15 avanzase, **tortuosamente** y dando muchas vueltas, hacia el recinto más **recóndito** donde se alojaba el Minotauro. Ariadna entregó ese ovillo a Teseo y le dijo que siguiera el hilo hasta que llegara adonde dormía el monstruo, al que debía **asir** por el cabello y sacrificar a Posidón. Luego podría volver siguiendo el hilo, que iría enrollando y formando de nuevo el ovillo.

Esa misma noche Teseo hizo lo que se le había dicho.

Adaptado de *Los mitos griegos*, Robert Graves

> **Androgeo:** hijo de Minos, muerto cerca de Atenas por el toro blanco.
> **Afrodita:** diosa del amor y la belleza. Venus para los romanos.
> **Ariadna:** hija de Minos. Se enamoró de Teseo y fue abandonada por este en la isla de Naxos. Allí llegó Dioniso para hacerla su esposa.
> **Dédalo:** ingeniero y arquitecto mítico. Constructor del Laberinto de Creta y de numerosos prototipos.
> **Minos:** rey mítico de Creta.
> **Pasífae:** esposa de Minos, fue convertida en vaca y en ese estado se unió al gran toro blanco, enviado por Posidón para causar el terror en la isla de Creta. Este toro sería llevado más tarde a la península por Heracles (en cumplimiento de su séptimo trabajo) donde seguiría matando hasta ser vencido por Teseo.
> **Posidón:** dios del mar, hermano de Zeus. Los romanos lo conocen como Neptuno.
> **Teseo:** héroe griego, hijo de Egeo, rey de Atenas.

1.2.1. [icons] **Define las palabras en negrita guiándote por el contexto. Después de una puesta en común de toda la clase, busca en el diccionario aquellos términos que aún no estén claros.**

a. Doncella: ....

b. Disuadir: ....

c. Dintel: ....

d. Tortuoso: ....

e. Recóndito: ....

f. Asir: ....

1.2.2. [icons] **Contesta a las siguientes preguntas.**

1. ¿Por qué se sacrificaban jóvenes al Minotauro cada nueve años?: ....
....

2. ¿Qué motivó la decisión de Teseo de enfrentarse a Asterión?: ....
....

3. ¿Cómo traiciona Ariadna a su familia y por qué?: ....
....

4. ¿Qué hace Teseo con el monstruo, lo decapita, lo degüella o le corta la cabeza?:
....

1.3. [icons] **En La casa de Asterión, el escritor argentino Jorge Luis Borges recrea la historia del Minotauro desde el punto de vista de su protagonista. Prisma te ofrece esta versión como un laberinto: si quieres llegar al final de la historia, tendrás que seguir el hilo de los ejercicios que te proponemos y hacerlos junto a tus compañeros. Vais a trabajar en dos grupos, el cotejo de los dos textos os ayudará a encontrar la versión de Borges.**

grupo a

1.3.1. **Al primer párrafo le faltan numerosos sustantivos y adjetivos, de los que os damos la**
[grupo a] **definición mediante la cual tenéis que deducir la palabra correspondiente.**

La casa de Asterión

Y la reina dio a luz a un hijo que se llamó Asterión.
Apolodoro, *Biblioteca*, III,1

1. Aversión o rechazo hacia el trato con los demás.

2. Que provoca risa y burla.

3. Grandeza, vanidad o lujo extraordinario.

4. Sosiego, tranquilidad, reposo o descanso.

5. Superficie, vista o lado de algo.

6. Personas que critican o que no están conformes con algo.

7. Llanas o planas.

8. Rebaño o ganado.

9. Conjunto de personas del pueblo, especialmente las que no tienen cultura, educación o una posición social destacada.

10. Humildad o falta de vanidad.

Sé que me acusan de soberbia, y tal vez de **(1)** ...., y tal vez de locura. Tales acusaciones (que yo castigaré a su debido tiempo) son **(2)** .... Es verdad que no salgo de mi casa, pero también es verdad que sus puertas (cuyo número es infinito) están abiertas día y noche a los hombres y también a los animales. Que entre el que quiera. No hallará **(3)** .... mujeriles aquí ni el bizarro aparato de los palacios, pero sí la **(4)** .... y la soledad. Asimismo, hallará una casa como no hay otra en la **(5)** .... de la Tierra. (Mienten los que declaran que en Egipto hay una parecida). Hasta mis **(6)** .... admiten que no hay un solo mueble en la casa. Otra especie ridícula es que yo, Asterión, soy un prisionero. ¿Repetiré que no hay una puerta cerrada, añadiré que no hay una cerradura? Por lo demás, algún atardecer he pisado la calle; si antes de la noche volví, lo hice por el temor que me infundieron las caras de la plebe, caras descoloridas y **(7)** ...., como la mano abierta. Ya se había puesto el sol, pero el desvalido llanto de un niño y las toscas plegarias de la **(8)** .... dijeron que me habían reconocido. La gente oraba, huía, se prosternaba; unos se encaramaban al estilóbato del templo de las Hachas, otros juntaban piedras. Alguno, creo, se ocultó bajo el mar. No en vano fue una reina mi madre; no puedo confundirme con el **(9)** ...., aunque mi **(10)** .... lo quiera.

1.3.2. **Este fragmento del manuscrito ha llegado sin signos de puntuación ni espacios entre**
[grupo a] **las palabras. Sepáralas y puntúa.**

elhechoesquesoyúniconomeinteresaloqueunhombrepuedatransmitiraotroshombrescomoelfilósofo
piensoquenadaescomunicableporelartedelaescrituralasenojosasytrivialesminuciasnotienencabida
enmiespírituqueestácapacitadoparalograndejamásheretenidoladiferenciaentreunaletrayotracierta
impacienciagenerosanohaconsentidoqueyoaprendieraaleeravecceslodeploroporquelasnoches
ylosdíassonlargos.

1.3.3. **Sustituye las viñetas por una narración. Antes de escribir, lee todo el párrafo con aten-**
[grupo a] **ción y reflexiona sobre la situación y el estilo. Luego, tus compañeros del grupo b te**
dictarán la versión original; comparadla con la que habéis escrito vosotros.

Claro que no me faltan distracciones.

A cualquier hora puedo jugar a estar dormido, con los ojos cerrados y la respiración poderosa. (A veces me
duermo realmente, a veces ha cambiado el color del día cuando he abierto los ojos). Pero de todos los juegos el que prefiero es el de otro Asterión. Finjo que viene a visitarme y que yo le muestro la casa. Con grandes reverencias le digo: Ahora volvemos a la encrucijada anterior, o Ahora desembocamos en otro patio, o
Bien decía yo que te gustaría la canaleta, o Ahora verás una cisterna que se llenó de arena, o Ya verás cómo
el sótano se bifurca. A veces me equivoco y nos reímos buenamente los dos.

Versión original:

1.3.4. En este fragmento se han colado cinco gazapos y además hay cinco errores ortográfi-
[grupo a] cos. Localízalos y corrígelos.

No solo e imaginado esos trabajos; también he meditado sobre la casa. Todas las puertas de la casa están muchas veces, cualquier lugar es mucho lugar. No hay un aljibe, un patio, un abrevadero, un pesevre; son catorce (son infinitos) los pesebres, abrevaderos, patios, aljibes. La casa es del tamaño del mundo; mejor dicho, es el mundo. Sin en cambio, a fuerza de fatigar patios con un aljibe y polvorientas galerias de piedra gris he alcanzado la calle y he visto el templo de las Hachas y el mar. Eso no lo entendí hasta que una visión de la noche me reveló que también son catorce (son infinitos) los mares y los templos. Todo está muchas veces, catorce vezes, pero dos cosas hay en el armario que parecen estar una sola vez: arriba, el intrincado Sol; borracho, Asterión. Quizá yo he creado las estrellas y el sol y la enorme casa, pero ya no me acuerdo.

1.3.5. Completa los espacios con la forma verbal pertinente.
[grupo a]

Cada nueve años **(1)** (entrar) .... en la casa catorce hombres para que yo los libere de todo mal. Oigo sus pasos o su voz en el fondo de las galerías de piedra y corro alegremente a buscarlos. La ceremonia dura pocos minutos. Uno tras otro caen sin que yo **(2)** (ensangrentarse) .... las manos. Donde **(3)** (caer) ...., quedan, y los cadáveres ayudan a distinguir una galería de las otras. **(4)** (Ignorar) .... quiénes son, pero sé que uno de ellos profetizó, en la hora de su muerte, que alguna vez **(5)** (llegar) .... mi redentor. Desde entonces no me duele la soledad, porque sé que vive mi redentor y al fin se levantará sobre el polvo. Si mi oído **(6)** (alcanzar) .... todos los rumores del mundo, yo percibiría sus pasos. Ojalá me **(7)** (llevar) .... a un lugar con menos galerías y menos puertas. ¿Cómo será mi redentor?, me pregunto. ¿**(8)** (Ser) .... un toro o un hombre? ¿Será tal vez un toro con cara de hombre? ¿O **(9)** (ser) .... como yo?

El sol de la mañana reverberó en la espada de bronce. Ya no quedaba ni un vestigio de sangre.

– ¿Lo **(10)** (creer) ...., Ariadna? –dijo Teseo–. El Minotauro apenas se defendió.

grupo b

1.3.1. Al primer párrafo le faltan numerosos verbos, de los que os damos la definición,
[grupo b] mediante la cual tenéis que deducir la palabra correspondiente.

1. Referido a una persona, atribuirle un delito, una culpa o una falta (presente de ind., 3.ª pl.).
2. Imponer una pena por un delito o una falta (futuro imperfecto de ind., 1.ª sing.).
3. Referido a algo, encontrarlo o verlo, especialmente si se está buscando (futuro imperfecto de ind., 3.ª sing.).
4. Manifestar, explicar o decir públicamente (presente de ind., 3.ª pl.).
5. Aprobar o dar por bueno (presente de ind., 3.ª pl.).
6. Referido a una cosa, agregarla, incorporarla o unirla a otra para completarla o aumentarla (futuro imperfecto de ind., 1.ª sing.).
7. Referido a un sentimiento, producirlo o inspirarlo (pretérito indefinido de ind., 3.ª pl.).
8. Dirigir oraciones a una divinidad, en voz alta o mentalmente (pretérito imperfecto de ind., 3.ª sing.).
9. Subirse o ponerse en un lugar alto o difícil de alcanzar (pretérito imperfecto de ind., 3.ª pl.).
10. Esconderse, taparse (pretérito indefinido de ind., 3.ª sing.).

La casa de Asterión

Y la reina dio a luz a un hijo que se llamó Asterión.
Apolodoro, *Biblioteca*, III,1

Sé que me **(1)** .... de soberbia, y tal vez de misantropía, y tal vez de locura. Tales acusaciones (que yo **(2)** .... a su debido tiempo) son irrisorias. Es verdad que no salgo de mi casa, pero también es verdad que sus puertas (cuyo número es infinito) están abiertas día y noche a los hombres y también a los animales. Que entre el que quiera. No **(3)** .... pompas mujeriles aquí ni el bizarro aparato de los palacios, pero sí la quietud y la soledad. Asimismo, hallará una casa como no hay otra en la faz de la Tierra. (Mienten los que **(4)** .... en Egipto hay una parecida). Hasta mis detractores **(5)** .... que no hay un solo mueble en la casa. Otra especie ridícula es que yo, Asterión, soy un prisionero. ¿Repetiré que no hay una puerta cerrada, **(6)** .... que no hay una cerradura? Por lo demás, algún atardecer he pisado la calle; si antes de la noche volví, lo hice por el temor que me **(7)** .... las caras de la plebe, caras descoloridas y aplanadas, como la mano abierta. Ya se había puesto el Sol, pero el desvalido llanto de un niño y las toscas plegarias de la grey dijeron que me habían reconocido. La gente **(8)** ...., huía, se prosternaba; unos se **(9)** .... al estilóbato del templo de las Hachas, otros juntaban piedras. Alguno, creo, se **(10)** .... bajo el mar. No en vano fue una reina mi madre; no puedo confundirme con el vulgo, aunque mi modestia lo quiera.

1.3.2. **En este párrafo de la copia b, las palabras no guardan un orden coherente dentro de**
[grupo b] **las frases. Es trabajo vuestro recomponer la sintaxis.**

> El único hecho soy que es. No interesa lo que pueda me transmitir hombre un hombres otros a; el filósofo como, comunicable que nada es pienso de la escritura por el arte. En espíritu mi cabida tienen no enojosas Las triviales minucias y, lo grande para que capacitado está; entre la diferencia y una letra otra jamás retenido he. no impaciencia generosa ha consentido Cierta a leer que aprendiera yo. deploro lo veces A, porque largos los noches y las días son.

1.3.3. **Sustituye las viñetas por una narración. Antes de escribir, lee todo el párrafo con aten-**
[grupo b] **ción y reflexiona sobre la situación y el estilo. Luego, tus compañeros del grupo a te**
dictarán la versión original, comparadla con la que habéis escrito vosotros.

> Claro que no me faltan distracciones. Semejante al carnero que va a embestir, corro por las galerías de piedra hasta rodar al suelo, mareado. Me agazapo a la sombra de un aljibe o a la vuelta de un corredor y juego a que me buscan. Hay azoteas desde las que me dejo caer, hasta ensangrentarme...
>
>
> ....
>
> ....
>
> ....
>
> ....
>
> ....
>
> ....
>
> ....
>
> Con grandes reverencias le digo: Ahora volvemos a la encrucijada anterior, o Ahora desembocamos en otro patio, o Bien decía yo que te gustaría la canaleta, o Ahora verás una cisterna que se llenó de arena, o Ya verás cómo el sótano se bifurca. A veces me equivoco y nos reímos buenamente los dos.

Versión original: ....

....

....

....

....

....

1.3.4. En este fragmento se han colado cinco gazapos y, además, hay cinco errores ortográ-
[grupo b] ficos, localízalos y corrígelos.

No solo he imaginado esos juegos; también he meditado sobre la casa. Todas las puertas de la casa están muchas veces, cualquier lugar es otro lugar. No hay un aljive, un patio, un abrevadero, un minotauro; son catorce (son infinitos) los pesebres, abrevaderos, patios, aljibes. La casa es del tamaño del Everest; mejor dicho, es el mundo. Sin embargo, a fuerza de fatigar patios con un aljibe y polvorientas galerías de plástico gris he alcanzado la calle y he visto el templo de las Hachas y el mar. Eso no lo entendí hasta que una camarera de la noche me rebeló que también son catorce (son infinitos) los mares y los templos. Todo está muchas veces, catorce veces, pero dos cosas hay en el mundo que parecen estar una sola vez: arriba, el entrincado sol; abajo, asterión. Quizá yo he creado las estrellas y el sol y la enorme casa, pero ya no me acuerdo.

1.3.5. Conjuga los verbos en la forma y modo adecuados.
[grupo b]

Cada nueve años **(1)** (entrar) .... en la casa catorce hombres para que yo los libere de todo mal. Oigo sus pasos o su voz en el fondo de las galerías de piedra y corro alegremente a buscarlos. La ceremonia dura pocos minutos. Uno tras otro caen sin que yo **(2)** (ensangrentarse) .... las manos. Donde cayeron, **(3)** (quedar) ...., y los cadáveres ayudan a distinguir una galería de las otras. Ignoro quiénes son, pero sé que uno de ellos **(4)** (profetizar) ...., en la hora de su muerte, que alguna vez llegaría mi redentor. Desde entonces no me duele la soledad, porque sé que vive mi redentor y al fin **(5)** (levantarse) .... sobre el polvo. Si mi oído alcanzara todos los rumores del mundo, yo **(6)** (percibir) .... sus pasos. Ojalá me lleve a un lugar con menos galerías y menos puertas. ¿Cómo **(7)** (ser) .... mi redentor?, me pregunto. ¿Será un toro o un hombre? ¿**(8)** (Ser) .... tal vez un toro con cara de hombre? ¿O será como yo?

El sol de la mañana reverberó en la espada de bronce. Ya no **(9)** (quedar) .... ni un vestigio de sangre.

– ¿Lo creerás, Ariadna? –dijo Teseo–. El Minotauro apenas se defendió.

Historia de los dos que soñaron **2**

▪▪▪▪▪▪▪▪▪▪▪▪▪▪▪▪▪▪▪▪▪▪▪▪▪▪▪▪

2.1. 👥 💬 **Además de los mitos, otra de las grandes obsesiones literarias de Borges son los sueños. Te proponemos ahora la recreación que hace el autor argentino de un relato de "Las mil y una noches" que habla, precisamente, de la magia de los sueños. De nuevo, junto a tus compañeros de grupo, deberás hacer los ejercicios para llegar a recomponer el texto original y entender la fascinante historia que cuenta.**

grupo a

2.1.1. Completa el texto con las preposiciones necesarias.
[grupo a]

Historia de los dos que soñaron

El historiador arábigo El Ixaqui refiere este suceso:
"Cuentan los hombres dignos **(1)** .... fe (pero sólo Alá es omnisciente y poderoso y misericordioso y no duerme) que hubo en El Cairo un hombre poseedor **(2)** .... riquezas, pero tan magnánimo y liberal que todas las perdió menos la casa de su padre, y que se vio forzado **(3)** .... trabajar para ganarse el pan. Trabajó tanto que el sueño lo rindió una noche **(4)** .... **(5)** .... una higuera de su jardín y vio **(6)** .... el sueño un hombre empapado que se sacó de la boca una moneda **(7)** .... oro y le dijo: "Tu fortuna está en Persia, **(8)** .... Isfaján, vete a buscarla".

2.1.2. [grupo a] [44] 🎧 **Escucha la versión original de este párrafo y cambia en tu copia todo aquello que sea distinto.**

A la mañana siguiente, se levantó y emprendió el largo viaje y afrontó los peligros de los desiertos, de las naves, de los piratas, de los ególatras, de los ríos, de las fieras y de los hombres. Llegó por fin a Isfaján, pero en el recinto de esa ciudad le sobrevino la noche y se echó a dormir en el patio de una mezquita. Había junto a la mezquita una casa y, por decisión de Dios Misericordioso, una pandilla de ladrones atravesó la mezquita y llegó hasta la casa, y las personas que dormían se despertaron con el ruido de los ladrones y pidieron socorro. Los vecinos también gritaron, hasta que el capitán de los serenos de aquel barrio llegó con sus hombres y los ladrones escaparon por la azotea.

2.1.3. [grupo a] **Recupera el diálogo original desde este discurso referido.**

...le preguntó que quién era y que cuál era su patria. El otro declaró que era de la famosa ciudad de El Cairo y que su nombre era Mohamed el Magrebí. El capitán le preguntó que qué le había llevado a Persia. El otro optó por la verdad y le dijo que un hombre le había ordenado en un sueño que fuera a Isafaján porque allí estaba su fortuna y que ya estaba en Isfaján y que veía que esa fortuna que le había prometido debían ser los azotes que tan generosamente le había dado.

El capitán hizo registrar la mezquita y en ella dieron con el hombre de El Cairo, y le menudearon tales azotes con varas de bambú que estuvo cerca de la muerte. A los dos días recobró el sentido en la cárcel. El capitán lo mandó buscar y le dijo:

....
....
....
....
....
....

Ante semejantes palabras, el capitán se rio hasta descubrir las muelas del juicio y acabó por decirle:

"Hombre desatinado y crédulo, tres veces he soñado yo con una casa en la ciudad de El Cairo en cuyo fondo hay un jardín, y en el jardín un reloj de sol y después del reloj de sol una higuera y luego de la higuera una fuente, y bajo la fuente un tesoro. No he dado el menor crédito a esa mentira. Tú, sin embargo, engendro de una mula con un demonio, has ido errando de ciudad en ciudad, bajo la sola fe de tu sueño. Que no te vuelva a ver en Isfaján. Toma estas monedas y vete".

El hombre las tomó y regresó a la patria. Debajo de la fuente de su jardín (que era la del sueño del capitán) desenterró el tesoro. Así Dios le dio bendición y lo recompensó y exaltó. Dios es el Generoso, el Oculto".

En *Historia universal de la infamia*, Jorge Luis Borges

2.1.1. [grupo b] **Completa el texto con las preposiciones necesarias.**

Historia de los dos que soñaron

El historiador arábigo El Ixaqui refiere este suceso:

"Cuentan los hombres dignos de fe (pero sólo Alá es omnisciente y poderoso y misericordioso y no duerme) que hubo **(1)** .... El Cairo un hombre poseedor de riquezas, pero tan magnánimo y liberal que todas las perdió menos la casa **(2)** .... su padre, y que se vio forzado a trabajar **(3)** .... ganarse el pan. Trabajó tanto que el sueño lo rindió una noche debajo de una higuera **(4)** .... su jardín y vio en el sueño un hombre empapado que se sacó **(5)** .... la boca una moneda de oro y le dijo: "Tu fortuna está **(6)** .... Persia, en Isfaján; vete **(7)** .... buscarla".

2.1.2. **[grupo b]** 🎧 **Escucha la versión original de este párrafo y cambia en tu copia todo aquello que** **[44]** **sea distinto.**

A la madrugada siguiente, se despertó y empezó el largo viaje y se enfrentó a los peligros de los desiertos, de las naves, de los piratas, de los idólatras, de los ríos, de las fieras y de los hombres. Llegó por fin a Isfaján, mas en el recinto de esa ciudad le sorprendió la noche y se tendió a dormir en el patio de una mezquita. Al lado de la mezquita, había una casa y, por decreto de Dios Todopoderoso, una panda de ladrones cruzó el patio de la mezquita y se metió en la casa, y las personas que allí dormían se despertaron por el estruendo de los ladrones y pidieron ayuda. Los vecinos también gritaron, hasta que el capitán de la guardia de aquel distrito acudió con sus hombres y los bandoleros huyeron por la azotea.

2.1.3. **Recupera el diálogo original desde este discurso referido.**
[grupo b]

...acabó por llamarle hombre desatinado y crédulo y por decirle que tres veces había soñado él con una casa en la ciudad de El Cairo en cuyo fondo había un jardín, y en el jardín, un reloj de sol, y después del reloj de sol, una higuera, y luego de la higuera, una fuente, y bajo la fuente, un tesoro y que no había dado el menor crédito a esa mentira y añadió, llamándolo engendro de una mula con un demonio, que él, sin embargo, había ido errando de ciudad en ciudad, bajo la sola fe de su sueño. Le advirtió que no volviera a verle en Isfaján y, dándole unas monedas, le dijo que las tomara y se fuera.

El capitán hizo registrar la mezquita y en ella dieron con el hombre de El Cairo, y le menudearon tantos azotes con varas de bambú que estuvo cerca de la muerte. A los dos días recobró el sentido en la cárcel. El capitán lo mandó buscar y le dijo:

"¿Quién eres y cuál es tu patria?". El otro declaró: "Soy de la ciudad famosa de El Cairo y mi nombre es Mohamed El Magrebí". El capitán le preguntó: "¿Qué te trajo a Persia?". El otro optó por la verdad y le dijo: "Un hombre me ordenó en un sueño que viniera a Isfaján porque ahí estaba mi fortuna. Ya estoy en Isfaján y veo que esa fortuna que prometió deben ser los azotes que tan generosamente me diste".

Ante semejantes palabras, el capitán se rio hasta descubrir las muelas del juicio y acabó por decirle:

....
....
....
....
....
....
....

El hombre las tomó y regresó a la patria. Debajo de la fuente de su jardín (que era la del sueño del capitán) desenterró el tesoro. Así Dios le dio bendición y lo recompensó y exaltó. Dios es el Generoso, el Oculto".

En Historia universal de la infamia, Jorge Luis Borges

Criticones 3

3.1. 👨‍👦💬 **Ahora que ya has descifrado el contenido de los textos, léelos con atención y discute sobre cuál te ha gustado más y por qué. ¿Los conocías ya? ¿Has leído algo más de Borges? ¿Has leído algo similar?**

3.2. En las seis unidades anteriores se han tratado diferentes temas. ¿Cuáles de ellos aparecen directa o transversalmente en estos relatos? Busca ejemplos y fragmentos de los textos para justificar tu respuesta. Después, haz una puesta en común con tus compañeros.

1. Las etapas del hombre: ....
....

2. La mitología: ....
....

3. Los sueños: ....
....

4. El entorno y el medio ambiente: ....
....

5. El dinero: ....
....

6. La conquista: ....
....

3.3. El relato del Minotauro aborda el problema del miedo a lo diferente; del monstruo, su soledad y la incomprensión de los demás hacia él. ¿Recuerdas ejemplos semejantes tratados en el cine y en la literatura? ¿Conoces algún caso en la vida real?

3.3.1. Las personas diferentes a menudo son marginadas, ¿estás de acuerdo con esta idea?, ¿qué colectivos sufren con mayor intensidad el rechazo social? Piensa en algunos ejemplos y analiza las causas y, junto con tus compañeros, discute diferentes soluciones.

3.4. Hemos analizado sucintamente el tema que subyace al relato del Minotauro. ¿De qué trata el relato "Historia de los dos que soñaron"? ¿Es un cuento con moraleja? ¿Qué enseñanza sacas del texto? Para ti, ¿cuál es el mayor tesoro?

3.4.1. El protagonista de la historia se deja guiar por un sueño premonitorio; ya habéis hablado mucho de sueños en la unidad correspondiente, pero de aquellos días, ¿hay alguna historia que recuerdes?, ¿ha cambiado en algo tu opinión? ¿Has aprendido algo que no supieras?

AUTOEVALUACIÓN

1. **Transforma las siguientes oraciones de forma que expresen la causa del problema. Solo una condición: no puedes repetir ningún conector.**

1. Hemos visto que no estabas en casa y nos hemos ido.
....

2 No necesitas ayuda, así que nos vamos.
....

3. Empezó a llover, por eso se suspendió el concierto.
....

4. Lo invitamos a la boda y allí conoció a la que después sería su esposa.
....

5. Insistió tanto que consiguió lo que quería.

....

6. No podremos veros el sábado. Tenemos un bautizo.

....

7. Me llamó tu hermana y me perdí el final de la película.

....

8. Siento mucho no poder atenderte ahora. Me están esperando.

....

9. Tenemos tiempo, pero no tenemos ganas.

....

10. No es porque no quiera verte, es que me tengo que ir.

....

2. **Mike nos cuenta el mito de la creación de la mujer. Tiene, sin embargo, algunos problemas con el castellano. Marca las estrategias que utiliza para no interrumpir su relato y clasifícalas según el cuadro de la unidad 11.**

Cuenta el Bible, no sé cómo se dice, el libro sagrado de los hebreos, que el hombre se encontraba muy solo en el Paradiso y estaba muy triste porque no podía hablar con nadie. Como estaba tan triste, Dio se conmovió y le dijo que no se preocupara, que le haría una compañera para que se distrajera. Entonces, Dio durmió a Adán y de una, una... uf, esto que está aquí, los huesos pequeños que rodean los pulmones... Bueno, pues cogió uno de esos y de él hizo a la mujer, a la que llamó Eva. Y así, Adán y Eva fueron felices hasta que se encontraron con la serpiente...; pero eso es otra historia.

Recursos	*Ejemplos*

3. **Analiza las siguientes construcciones finales explicando el matiz que aportan los conectores y el registro en el que generalmente aparecen.**

1. Hicieron la Fundación con vistas a desgravarse en la declaración de la renta.
Explicación: ....

2. Baja la tele, no sea que llore el niño y no lo oigamos.
Explicación: ....

3. Lo celebraremos en sábado, de modo que pueda venir el mayor número de gente.
Explicación: ....

4. Venid a que os dé un beso antes de marcharos, niños.
Explicación: ....

5. Eso es malísimo para la salud.
Explicación: ....

4. **Completa con *por* o *para*.**

(1) .... lo que cuentan, nunca es tarde (2) .... equivocarse de nuevo. (3) .... muy mayor o experimentado que uno sea, siempre, (4) .... una cosa o (5) .... otra, se cae en la trampa, como dice el refrán: el hombre es el único animal que tropieza dos veces con la misma piedra. (6) .... suerte, hay otro que dice que nunca es tarde (7) .... volver a empezar, así que el asunto consiste en no desilusionarse y conservar el buen humor, y así, con un poco más de prevención cada vez, (8) .... si las moscas, uno se va adentrando (9) .... nuevos caminos (10) .... acabar de nuevo (11) .... el arrastre (12) .... culpa de algún desalmado y (13) .... desesperación de uno, por lo menos.

5. **Inventos, costumbres, consecuciones sociales, marcan nuestra vida actual. Haz hipótesis sobre lo que pasaría o hubiese pasado sin su existencia. No repitas dos veces la misma estructura condicional.**

a. La luz eléctrica.   **d.** El avión.   **g.** El petróleo.   **j.** La seguridad social.

b. El teléfono móvil.   **e.** La democracia.   **h.** Las vacaciones.   **k.** La rueda.

c. La tarjeta de crédito. **f.** Las armas nucleares. **i.** La jubilación.

a. Con que un solo día se vaya la luz en casa, yo ya me siento completamente perdida. No funciona nada. ......

b. ....

c. ....

d. ....

e. ....

f. ....

g. ....

h. ....

i. ....

j. ....

k. ....

6. **Completa las oraciones con un conector condicional y explica el matiz que este aporta.**

1. .... quieres te vienes, ... no, te quedas.

2. .... hacían lo que les pedían, todo iba bien.

3. No necesitas el pasaporte .... pienses salir de Europa.

4. Os explicaré otra vez el problema .... después intentéis resolverlo vosotros solos.

5. .... me vuelvas a mentir, se acabó la confianza.

6. .... haber sabido que iban a enviarme a La Coruña, no me habría comprado la casa.

7. No abras la puerta a nadie .... conozcas la voz.

8. Pasaría por un quirófano .... fuese estrictamente necesario.

9. Te invito a comer .... me traduzcas esta carta en hindi.

10. Escala lo que quieras, ... cumplas todas las medidas de seguridad.

7. **Estas son algunas anécdotas referidas a personajes relevantes de la cultura española y detalles que han definido la historia de nuestro país. Ofrece las condiciones que hubiesen variado o pudieran variar su destino.**

1. Francisco de Quevedo, escritor español del siglo XVII, tuvo que refugiarse en Italia después de haberse batido en duelo en Madrid y haber matado a su adversario por un problema de faldas.

2. Miguel de Cervantes Saavedra, autor del *Quijote*, perdió la movilidad de su mano izquierda en la batalla de Lepanto mientras luchaba contra los otomanos.

3. Como consecuencia de la proclamación de la Segunda República Española, en 1931, el rey Alfonso XIII tuvo que exiliarse junto con toda la familia real.

4. En el siglo II a. C. los romanos llegaron a la península ibérica y poco a poco implantaron su cultura y su lengua.

5. Isabel la Católica, reina de Castilla en el siglo XV, arriesgó el dinero y financió el viaje de Cristóbal Colón a las Indias.

6. El 23 de febrero de 1981 un grupo de militares irrumpió en el Congreso de los Diputados, en Madrid, en un intento fallido de golpe de Estado.

7. Desde su incorporación a la Unión Europea, España ha recibido importantes fondos y subvenciones que le han permitido mejorar tanto sus infraestructuras como el nivel de vida de sus habitantes.

8. A pesar de la persistente sequía que asuela España, siguen proliferando los campos de golf y las piscinas privadas.

9. Obedeciendo el testamento de Pablo Picasso, la tramitación de la vuelta a España del *Guernica* solo pudo llevarse a cabo después del fin de la dictadura franquista.

10. España no participó en la Segunda Guerra Mundial.

8. **Ahora, busca en las citas anteriores la información que te pedimos. Cronométrate, debes hacerlo en dos minutos.**

1. ¿Dónde se queda manco Cervantes?
2. ¿Cuándo se produce el último intento de golpe de estado en España?
3. ¿Qué hecho marca un importante desarrollo económico en la sociedad española del siglo XX?
4. ¿Qué condición establece Picasso para que su obra se exhiba en España?
5. ¿Quién financia a Colón en su expedición a occidente?
6. ¿Por qué marcha Quevedo a Italia?
7. ¿Qué hecho marca el exilio de Alfonso XIII?

9. **Busca en las frases un sinónimo de los siguientes términos. Atención: los verbos los ofrecemos en infinitivo y los sustantivos en singular.**

1. Ayuda ....
2. Entrar por la fuerza ....
3. Idioma ....
4. Monarca ....

5. Pagar ....
6. Siniestra ....
7. Tomar parte ....

10. **Coloca las siguientes expresiones por razón de probabilidad. Consulta el cuadro gramatical de la unidad 9 y justifica así tu clasificación.**

☐ 1. Igual voy a la fiesta.
☐ 2. Seguramente tenga trabajo y por eso no ha llamado.
☐ 3. Debe de ser un chico muy listo para haber sacado la plaza de juez a la primera.
☐ 4. Posiblemente iremos a veros este verano.
☐ 5. Capaz que vuelva a llamarte después de lo que hizo.
☐ 6. Pongamos que te ofrecen el trabajo, ¿has pensado lo que vas a responder?
☐ 7. No sé qué decirte, puede incluso que la discusión sirva para que lo aprecien más.
☐ 8. ¿Juan? Estará en la cama, como siempre.
☐ 9. Quizá nos animemos a cambiar de coche.
☐ 10. No te fíes, que estos son así. Lo mismo se te presentan aquí a la hora de la comida.

11. **¿Recuerdas qué es una utopía? Filósofos y sociólogos han soñado con sociedades utópicas en todas las épocas, pero quizás uno de los lugares que más se han buscado ha sido la Atlántida, situada por Platón más allá de las Columnas de Hércules (estrecho de Gibraltar). Haz un alarde de imaginación e intenta describir ese maravilloso lugar.**

¿Crees que existió? ¿Estaría en Cádiz, en Huelva, en las Canarias? ¿Es una ciudad sumergida? ¿Por qué desapareció: guerra, cataclismo...? ¿Cómo eran sus habitantes? Descríbelos física y moralmente. ¿Cómo estaba dividida la sociedad? ¿Qué sistema político debería tener esta sociedad ideal? ¿Cuál sería su relación con los pueblos vecinos? ¿Qué valores serían más relevantes? ¿Cómo se comunicaría la gente?...

12. **Clasifica estas expresiones según indique la falta o exceso de sueño. Después contextualízalas haciendo una frase con cada una.**

a. Quedarse Roque.
b. Pegársele a uno las sábanas.
c. No pegar ojo.

d. Caerse de sueño.
e. Tener un sueño que no ve.
f. Cerrársele a uno los ojos.

g. Pasar la noche en blanco.

Tener sueño	No tener sueño. No poder dormir

13. Como has visto en la unidad 9, algunas palabras se combinan con otras de forma preferente, apareciendo esa combinación con mayor frecuencia. Relaciona cada verbo con el
sustantivo que mejor se combina con él.

1. Acariciar •		• **a.** el sueño
2. Albergar •		• **b.** la cabeza
3. Caer en •		• **c.** la cuenta
4. Conciliar •		• **d.** puentes
5. Echar •		• **e.** un presentimiento
6. Tener •		• **f.** un rescate
7. Establecer •		• **g.** una comparación
8. Pedir •		• **h.** una esperanza
9. Reclinar •		• **i.** una ilusión
10. Tender •		• **j.** una mano

14. ¿Cuántas combinaciones puedes encontrar para las siguientes palabras? Usa el diccionario.

1. Hacer: la cama; manitas; una locura; trampa; novillos; pellas; cuentas...

2. Poner:

3. Sueño:

4. Casa:

5. Estudiar:

6. Conquistar:

7. Amor:

15. Trabajando con Prisma C1, cuando has incorporado una nueva palabra a tu vocabulario, ¿cuáles de las estrategias que se os han propuesto a lo largo del curso os han sido más útiles?

☐ Anotar la palabra junto a su traducción.

☐ Anotar la palabra y copiar su definición en español.

☐ Anotar las palabras según van surgiendo.

☐ Hacer listas de vocabulario, crear tu propio diccionario.

☐ Anotarlas siempre junto a un ejemplo de la palabra contextualizada.

☐ Intentar memorizarla asociándola a otra palabra de tu idioma con cierto parecido.

☐ Intentar memorizarla asociándola a otra palabra española con cierto parecido.

☐ Organizar las palabras en grupos o familias.

☐ Tomar notas sobre su uso.

☐ Buscarlas en el diccionario y subrayarlas en él.

16. A continuación, tienes una serie de palabras que has visto en estas unidades de Prisma.
Marca primero las que no conocías antes.

☐ aplastante	☐ remilgado	☐ viable	☐ encarnación	☐ incrementar
☐ represor	☐ afán	☐ lanoso	☐ analogía	☐ cuota
☐ fomentar	☐ rechinar	☐ hocico	☐ traba	☐ flujo
☐ arranque	☐ exaltar	☐ deficiencia	☐ consolidar	☐ liquidez
☐ engorro	☐ desajuste	☐ velar	☐ bostezo	☐ paradero

a. De estas, marca ahora aquellas cuyo significado recuerdas.

b. ¿Serías capaz de recordar qué estrategias de las que has visto antes usaste para apren-
derlas? ¿Podrías localizar esas palabras, en poco tiempo, en tu cuaderno o en tu libro?

c. En el caso de que no recuerdes el significado de algunas de estas palabras, ¿cuál crees que fue el motivo? Márcalo o escríbelo si no está entre los siguientes:

☐ No he vuelto a oírla o leerla.
☐ No la consideré útil.
☐ No la conozco en mi propia lengua.
☐ Usé una estrategia equivocada.
☐ En su momento no entendí el significado.
☐ ....

17. Lee el siguiente diálogo y busca en él los elementos introductorios del acto del habla y los elementos expresivos y ponlos en el cuadro correspondiente.

► ¿Sabes?, el otro día fui a ver "Troya".
▷ ¡¿Ah, sí?!, ¿y qué te pareció?
► Pues qué quieres que te diga... Si Homero levantara la cabeza... Vamos, que no vayas a verla.
▷ Vaya, con las ganas que tenía.
► ¡Ah!, por cierto, ¿sabes a quién vi en el cine? A Julia.
▷ ¡No me digas! ¿Y ella te vio a ti?
► Pues claro que me vio, pero se hizo la sueca.
▷ Chico, cómo lo siento... Te sentirías fatal.
► No te creas, ya lo tengo muy superado.
▷ En ese caso...
► Oye, ahora te dejo, que me están esperando en la biblioteca.
▷ Vale... Bueno, que me alegro de haberte visto.
► Yo también. A ver si me das un toque y quedamos un día.

Elementos introductorios

Elementos expresivos

18. Ahora transforma el diálogo anterior en un discurso referido por el segundo de los interlocutores, teniendo en cuenta los elementos que acabas de ver y usando, si es preciso, verbos aglutinadores para recoger la expresión de sentimientos.

19. Lee las siguientes citas y piensa en un argumento que te podría ayudar a reforzar las máximas que transmiten. A continuación, escribe brevemente esos argumentos apoyándote en la cita.

— No te metas en la cabeza lo que quepa en el bolsillo (Unamuno).
— Entre hacer las cosas bien y hacerlas mal hay un honesto término medio que es no hacerlas (A. Machado).
— Siempre ven más los que miran que los que juegan, porque no se apasionan (Baltasar Gracián).
— No hay nadie tan viejo que no pueda vivir un día más, ni nadie tan joven que no pueda morir hoy mismo (Fernando de Rojas).
— Un sufrimiento del que se puede hablar sentado cómodamente en un sillón tiene unos claros límites (Carmen Martín Gaite).

20. Explica la diferencia entre estas parejas de oraciones adjetivas.

1. Los niños que estudiaron aprobaron / Los niños, que estudiaron, aprobaron.
2. La cantante, que estaba nerviosa, desafinó / La cantante que estaba nerviosa desafinó.
3. Quienes tengan tiempo que me ayuden / Quienes tienen tiempo que me ayuden.
4. María fue la que se marchó / La que se marchó fue María.
5. No hay nadie más feliz que quien se conforme con lo que tiene / No hay nadie más feliz que quien se conforma con lo que tiene.
6. Los soldados, quienes llegaron a las 6, fueron recibidos por el embajador / Los soldados que llegaron a las seis fueron recibidos por el embajador.
7. La señora que saludó a Luis era mi tía / La señora a la que saludó Luis era mi tía.

21. **Transforma las siguientes frases usando una subordinada de relativo, recuerda que a estas oraciones se las llama también adjetivas porque a menudo cumplen esa función.**

1. La niña, nerviosa y cabizbaja, se acercó a su maestra. ....

2. La edición bilingüe solo la tienen en esta librería. ....

3. El coche con la luna trasera rota es de mi jefe. ....

4. Las paredes desconchadas, antes de pintarlas, habrá que nivelarlas. ....

5. El director, furibundo, dejó la reunión sin despedirse de nadie. ....

6. Los suspensos tendrán que presentarse a la convocatoria de septiembre. ....

7. La camisa sin bolsillos me gustaba más que la estampada. ....

22. **Estas expresiones las estudiaste en la unidad 12; une las partes y luego estas con el significado correspondiente:**

1. Traer... •	• **a.** ...con bola. •	• **I.** Hablar muchísimo.
2. Caérsele a alguien... •	• **b.** ...izquierda. •	• **II.** Ser inseparables.
3. No dar pie... •	• **c.** ...y carne. •	• **III.** Ser un vago, no hacer nada.
4. Tener mano... •	• **d.** ...de cabeza. •	• **IV.** Tener a alguien muy preocupado.
5. Hablar por... •	• **e.** ...los codos. •	• **V.** Quedarse apenado por algo.
6. Ser uña... •	• **f.** ...el alma a los pies. •	• **VI.** Equivocarse en todo.
7. Creerse algo... •	• **g.** ...la barriga. •	• **VII.** Ser demasiado crédulo.
8. Rascarse... •	• **h.** ...a pie juntillas. •	• **VIII.** Ser intransigente, ser hábil con la gente.

23. **Transforma estas frases usando una de las perífrasis que tienes a continuación:**

- *llegar a* + infinitivo
- *venir a* + infinitivo
- *ir* + gerundio
- *andar* + gerundio
- *llevar* + participio
- *acabar por* + infinitivo
- *haber de* + infinitivo
- *volver a* + infinitivo

1. Me he puesto a estudiar esta mañana y me he aprendido ya cuatro temas.

2. Al principio se lo tomó con humor, pero al final se enfadó.

3. Entre la matrícula, el material y la poliza, el curso cuesta aproximadamente 600 euros.

4. No solo se molestó por lo que le dije, incluso me dijo que no quería volver a verme.

5. Con este tratamiento mejorará poco a poco.

6. En la escuela dicen últimamente que los profesores van a ir a la huelga.

7. Tenemos que salir cuanto antes si no queremos llegar tarde.

8. Lo leyó una y mil veces, pero al final no lo entendió.

24. **Clasifica las perífrasis del ejercicio anterior de acuerdo con lo que expresan. Si no encuentras un ejemplo para algún grupo de perífrasis, ponlo tú.**

1. Incoativas: ....

2. Terminativas: ....

3. Obligativas: ....

4. Aproximativas: ....

5. Durativas: ....

6. Acumulativas: ....

7. Reiterativas: ....

25. **Relaciona las palabras que pertenecen al habla de Argentina con sus correspondientes del español peninsular.**

1. Pa •	• **a.** Venga
2. Plata •	• **b.** Muchacho
3. Pibe •	• **c.** Papá
4. Dale •	• **d.** Un cualquiera
5. Un qualunque •	• **e.** Dinero